Heno, Heno . . .

HENO, HENO...
Casgliad o Straeon Amser Gwely

Golygwyd gan Glenys Howells

Lluniau gan Susan Rowe

Argraffiad cyntaf—1990
Ail-Argraffiad—1992

ISBN 0 86383 663 1

Ⓗawduron y storïau

Dymuna'r cyhoeddwyr gydnabod cymorth a chyfarwyddyd Adrannau'r Cyngor Llyfrau Cymraeg a noddir gan Gyngor Celfyddydau Cymru.

Cyhoeddwyd dan gynllun comisiynu'r Cyngor Llyfrau Cymraeg.

Argraffwyd gan Gwasg Gomer, Llandysul, Dyfed.

I Meilyr

DIOLCHIADAU

I Banel Comisiynu Llyfrau Plant y Cyngor Llyfrau Cymraeg am y gwahoddiad i olygu'r gyfrol hon ac i staff y Cyngor—Elgan Davies a Dewi Morris Jones yn arbennig—am bob cymorth.

I bob awdur a fu'n ysgrifennu neu'n addasu straeon yn arbennig ar gyfer y gyfrol hon.

I'r awduron a'r gweisg am ganiatáu cynnwys straeon o'u heiddo.

I Susan Rowe am harddu'r gyfrol â'i darluniau cain.

I Dyfed Elis-Gruffydd o Wasg Gomer am ei ofal dros y gyfrol ac i'r argraffwyr am eu gwaith glân a chymen.

CYNNWYS

CYNNWYS *(parhad)*

CYNNWYS *(parhad)*

GAIR I RIENI

Amcan y gyfrol hon yw cyflwyno casgliad amrywiol o straeon a fydd yn apelio at blant dros gyfnod o rai blynyddoedd, ac a fydd hefyd yn rhoi pleser i chi, fel rhieni, i'w darllen iddynt. Gobeithio bod yma rywbeth at ddant pawb—i ddiddori a difyrru; i beri syndod; i gysuro, yn wyneb ofnau, efallai; i gyfoethogi iaith a phersonoliaeth, a hefyd—yn bwysig iawn—i beri i rywun chwerthin.

Pan fydd arnoch angen stori i'w darllen i'ch plant—nid yn unig ar amser gwely ond ar unrhyw adeg, yn wir, pan ddaw'r awydd i gwtsho gyda Mam neu Dad am ychydig funudau o gysur a sylw—hyderaf y dowch o hyd i rywbeth yn y gyfrol hon i ateb y galw.

NEL Y SBEL

GWYN THOMAS

Pan gyrhaeddodd Sinclair St. John dŷ ei Fodryb Nel roedd hi wrthi'n smwddio'r gath. Wrth weld hyn gofynnodd Sinclair, â'i lygaid yn agor yn fawr fel soseri, 'Anti Nel, pam rydych chi'n gwneud hyn'na?'

'Wel, t'weld,' meddai'i fodryb gan dynnu stwmp sigarét o gongl ei cheg, 'ma'r gath hyn wedi ca'l ei golchi ac os na smwddia i hi fe fydd hi'n grychau i gyd.'

Rhoddodd Anti Nel yr haearn smwddio o'r naill du a dywedodd, 'Nawrte, Obadeia, hopit.' A neidiodd Obadeia, y gath fawr, nobl oddi ar y bwrdd smwddio a'i gosod ei hun yn llwyth du o flaen y tân, yn sgleinio i gyd. 'Mae'n rhaid i mi, t'weld,' esboniodd Anti Nel, 'ga'l cath ddisgleir-loyw, ddu.'

'Dis-gleir-loy-w?' Torrodd Sinclair y gair mawr yn ddarnau.

'Gair mowr, Sinclair, am gath fowr. A rhaid i mi ga'l cath fowr am 'y mod i'n WRACH . . .'

'Fowr?' gofynnodd Sinclair.

'Mowr yn yr ystyr ysbrydol, Sinclair—er rhaid imi gyfadde 'mod i wedi bod braidd yn drwm ar y sosejys yn ddiweddar. Nawr, Sinclair, wy i ar ddyletswydd heno ac os ca i 'ngalw ar jobyn fe gei di ddod 'da fi am dy fod di'n fachgen da.'

Roedd Anti Nel a Sinclair ar ganol eu te pan ganodd y ffôn.

'Obadeia, 'teba fe,' gorchmynnodd Anti Nel.

1

Agorodd Obadeia un llygad melyn, mawr a dweud, 'Nid 'y nhro i yw hi i ateb y ffôn.'

'Anti Nel, ydi Obadeia'n ateb y ffôn?' holodd Sinclair mewn syndod, o ganol brechdan jam anferth.

'Nag yw. Glywest ti'r pwdryn diog yn gweud nad yw e am wneud?' meddai Anti Nel. 'Bydd yn rhaid imi ofyn i Sbenser wneud 'te.' Yna gwaeddodd fel taran, 'SBEN-SER!'

Daeth sŵn o gyfeiriad y twll-dan-grisiau, ac ymddangosodd ysgubell.

'Brws!' ebychodd Sinclair, a bu bron iddo dagu.

''Sgubell yw e,' meddai Anti Nel. 'Do's dim mor goman â brws yn y tŷ hyn.'

Erbyn hyn yr oedd Sbenser wrthi'n ateb y ffôn. Clywodd Sinclair ef yn dweud:

'Tri tri tri.'

'Ie.'

'Ie.'

'Naddo 'rioed!'

'Ie.'

'Ie.'

''Na fe 'te. 'Welwn ni chi. Ta-ta.'

'Wel?' meddai Anti Nel.

'Dyma jobyn i Nel y Sbel,' meddai Sbenser. 'Ma iâr Mysys Dêfis yn gwrthod dodwy.'

'Eto!' meddai Anti Nel. Yna ychwanegodd, gan gyfeirio at Obadeia, 'Ma'r iâr 'na mor ddiog â'r cwrcyn hyn.' Yna gwaeddodd, 'Het! Clogyn! Sbectol!'

Brysiodd Sbenser i'w nôl nhw, a gwisgodd Anti Nel y cwbl ac, yn wir, roedd hi'n awr yn edrych rywbeth yn debyg i wrach go iawn.

'Obadeia—safle!' gorchmynnodd Anti Nel.

Erbyn hyn yr oedd Sbenser yn hofran ar wastad ei gefn yn yr awyr ryw fetr oddi wrth y llawr. Aeth Obadeia i eistedd ar ei ben blaen, yn rwgnachlyd. Yna neidiodd Anti Nel ar gefn yr ysgubell.

'Ti nesa, Sinclair,' meddai wedyn. A chafodd Sinclair ei hun yn marchogaeth y brws.

'Arŵ, arŵ, arû,
Sbenser dos i fyny fry,' meddai Anti Nel.

A dyma Sbenser yn mynd â'i griw allan trwy wal y tŷ cyn hawsed â dim ac yna'n melltio mynd trwy'r awyr nes eu bod nhw yn nhŷ Mysys Dêfis cyn ichwi ddweud, 'Llanfairpwllgwyngyllgogerychwyrndrobwll-llandysiliogogogoch.'

'Ble ma'r iâr?' holodd Anti Nel.

'Fan'co,' meddai Mysys Dêfis.

Ar ben to'r byngalo oedd 'fan'co'. Yno eisteddai cloben o iâr goch yn edrych yn amheus iawn ar Anti Nel. Rywle yn ei hymennydd bach, bach deffrôdd cof am ymweliad diwethaf Anti Nel a'r straen egr a achosodd hynny ar ei pheiriant dodwy.

'Mysys Dêfis, carbod-wye,' gorchmynnodd Anti Nel.

Ymhen dau chwinc roedd Mysys Dêfis wedi nôl carbod-mawr-dal-wyau a lle ynddo i nythu tri dwsin.

'Dodwch e o dan geg y beipen hyn,' meddai Anti Nel. Rhoddodd Mysys Dêfis y carbod o dan geg y beipen a ddôi i lawr o'r landar. Edrychai'r iâr goch yn fwy amheus byth erbyn hyn—yn enwedig gan na allai weld yn iawn beth oedd yn digwydd.

'Wye wedi'u berwi'n galed rŷch chi'n eu hoffi, yntefe Mysys Dêfis?' gofynnodd Anti Nel.

'Ie'n en' tad,' atebodd Mysys Dêfis.

'Dŵdl, dŵdl, dodwy,' meddai Anti Nel gan godi'i dwylo i fyny i'r awyr.

Yn sydyn dacw'r iâr yn cael ei throi ar y to nes bod ei thu ôl, sef ei pheiriant dodwy, mewn llinell syth ag agoriad y beipen yn y landar. Ac yna dyma hi'n dechrau dodwy a dodwy a dodwy nes bod wyau brown braf—wedi'u berwi'n galed, wrth gwrs—yn bownsio i lawr y to, i mewn i'r beipen yn y landar, ac allan yn y gwaelod i'r carbod-wyau nes bod hwnnw'n llawn. Yna llithrodd yr hen iâr druan yn llegach i lawr y to i'r landar a hanner hedfan oddi yno ar ben Obadeia.

'Wel, diolch eto, Nel,' meddai Mysys Dêfis. Yna aeth i'r tŷ i nôl bag brown a rhoi hanner dwsin o wyau ynddo. 'I'r hen hogyn bach 'ma,' meddai, a phatio Sinclair ar ei ben.

'Sdim eisie ichi!' protestiodd Anti Nel am ychydig, ac yna meddai, 'Wel, diolcha amdanyn nhw, Sinclair.'

'Diolch,' meddai hwnnw.

Yna aeth Obadeia, Sinclair ac Anti Nel adref ar Sbenser. Ar ôl cyrraedd y tŷ aeth Sbenser i'r twll-dan-grisiau, Obadeia i gysgu'n un horwth mawr o flaen y tân, ac Anti Nel a Sinclair i orffen eu te—gan ychwanegu ato ddau wy bob un—ac i aros am yr alwad nesaf.

3

'A dealla di, Obadeia, mai dy dro di yw hi nawr i ateb y ffôn,' meddai Anti Nel.

Agorodd Obadeia un llygad melyn, mawr ac yna'i gau'n dynn a mynd yn ei flaen i freuddwydio am fyd lle nad oedd yna ddim ffôn.

YR ANGHENFIL YCH-A-FI

RUTH AINSWORTH,
addaswyd gan ELUNED ELLIS JONES

Un waith, roedd yna anghenfil o'r enw Ych-a-fi. Roedd e'n grwn ac yn dew. Roedd cen dros ei groen ac roedd ganddo ddannedd hir, brown, cam fel darnau o india-roc nymbar êt. Roedd yn byw mewn castell gyda llawer o weision a morynion yn edrych ar ei ôl. Byddent yn gorfod glanhau'r castell, paratoi bwyd, aredig y tir a gofalu am y gwartheg a'r defaid. Ond er eu bod yn gweithio mor galed nid oeddent yn cael ceiniog goch o gyflog.

Roedd gan Ych-a-fi alluoedd hud ac, os llwyddai i wneud i unrhyw un golli'i dymer, fe allai orfodi'r person hwnnw i fod yn gaethwas iddo ac ufuddhau i'w orchmynion i gyd, bob amser.

Ar un adeg, roedd gan Ych-a-fi ddigonedd o weision ar gyfer pob

4

gwaith ond un—doedd ganddo neb i olchi'i ddillad. Roedd ei wisg yn aml yn ddigon blêr a budr a heb ei smwddio'n daclus. Wrth fynd am dro trwy'r pentref yn agos i'r castell, byddai'n arfer mynd heibio i hen fwthyn bach a'i ardd yn llawn o flodau. Ar ddydd Llun, byddai'r dillad glanaf, gwynnaf a welodd neb erioed yn sychu yn yr ardd. Roedden nhw'n wyn fel eira, yn chwythu ac yn dawnsio ar y lein ddillad rhwng dwy goeden afalau. Penderfynodd Ych-a-fi orfodi'r hen wraig oedd yn byw yn y bwthyn i olchi'i ddillad ef. Byddai hynny'n ddigon hawdd; dim ond iddo beri iddi golli'i thymer, fe fyddai'n gallu'i gorfodi i wneud unrhyw beth a ddymunai.

Un bore Llun, pan welodd y dillad gwynion fel y camrig yn sychu'n braf yn yr ardd, sleifiodd at y lein a'i thorri â'i gyllell. Syrthiodd y dillad glân yn un pentwr blêr ar wyneb y glaswellt a'r pridd budr.

'Dyna,' meddai Ych-a-fi wrtho'i hun, 'mae hyn yn siŵr o wneud iddi golli'i thymer.'

Pan welodd yr hen wraig beth oedd wedi digwydd, rhedodd allan i'r ardd ond nid oedd arwydd ei bod wedi gwylltio.

'Wel! Wel! Wel!' meddai'n ddistaw wrthi'i hun. 'Yr *oedd* y simdde'n mygu y bore 'ma ac mae'n siŵr bod yr huddygl wedi maeddu'r dillad. Dyna lwc mai *heddiw* y torrodd y lein!'

Casglodd y dillad budron a mynd â hwy yn ôl i'r tŷ i'w golchi, gan ganu wrth ei gwaith.

Gwylltiodd Ych-a-fi yn gandryll a rhincian ei ddannedd india-roc ond, yn fuan iawn, meddyliodd am gynllun arall i wneud i'r hen wraig golli'i thymer.

Ddydd Mawrth daeth Ych-a-fi unwaith eto at fwthyn yr hen wraig. Sylwodd ei bod newydd odro Modlen y fuwch ac wedi rhoi'r llefrith mewn dysgl bridd yn y llaethdy. Gwnaeth i'r llefrith suro i gyd.

'Dyna,' meddai, 'mae *hyn* yn siŵr o wneud iddi golli'i thymer.'

Ond pan welodd yr hen wraig y llefrith sur, dyma hi'n dweud, 'Wel! Wel! Wel! Gwell imi ddefnyddio'r llefrith i wneud caws hufen; fe fydd plant bach y ferch wrth eu bodd yn cael caws hufen pan ddôn nhw yma i de. Dyna lwc mai *heddiw* y surodd y llefrith!'

Roedd Ych-a-fi wedi gwylltio'n gandryll ac yn rhincian ei ddannedd india-roc ond, yn fuan iawn, meddyliodd am gynllun arall i wneud i'r hen wraig golli'i thymer.

Ddydd Mercher, galwodd Ych-a-fi heibio i fwthyn yr hen wraig unwaith eto. Wrth wal yr ardd yr oedd bordor yn llawn o flodau o bob lliw—rhai gwyn a choch a melyn a glas. Roedd yr hen wraig yn meddwl y byd o'i blodau ond trodd Ych-a-fi hwy i gyd yn ysgall.

'Dyna,' meddai, 'fe wna *hyn* iddi golli'i thymer.'

Ond pan welodd yr hen wraig ei bordor blodau yn llawn o ysgall, dyma hi'n dweud, 'Wel! Wel! Wel! Roeddwn i wedi meddwl torri tusw o flodau yn anrheg pen-blwydd i'm ffrind heddiw. Ond fe wn i be wna i—fe wna i glustog fach iddi a'i llenwi â'r manblu gwyn meddal oddi ar yr ysgall.'

Aeth ati i wnïo clustog fach o felfed a'i llenwi â manblu'r ysgall ac yna brodiodd lun blodau arni. Roedd y glustog yn anrheg llawn mor dlws â thusw o flodau ac fe fyddai'n para'n llawer hwy.

'Dyna lwc,' meddai, 'i mi sylwi ar yr ysgall 'ma heddiw o bob diwrnod.'

Roedd Ych-a-fi wedi gwylltio'n gandryll ac yn rhincian ei ddannedd india-roc, ond buan iawn y meddyliodd am gynllun arall i wneud iddi golli'i thymer.

Ddydd Iau, clymodd Ych-a-fi ddarn o linyn ar draws grisiau'r bwthyn bach gan feddwl y byddai'r hen wraig yn siŵr o faglu ar ei draws a brifo. Fe wnâi *hynny* iddi golli'i thymer yn siŵr. Ac felly y bu; fe syrthiodd yr hen wraig a chael briw ar ei phen-glin. Roedd hi'n hercian yn bur gloff wrth fynd i'r beudy i odro Modlen y bore hwnnw.

'Wel! Wel! Wel!' meddai hi, 'Fedra i ddim gwneud fawr o waith tŷ heddiw. Fe orwedda i ar y soffa a gwnïo tipyn ar fy nghwilt clytwaith. Fe fydd yn braf cael gorffwys a hwyrach y galla i orffen y cwilt. Lwc i mi faglu heddiw o bob diwrnod!'

Roedd Ych-a-fi wedi gwylltio'n gandryll ac yn rhincian ei ddannedd india-roc ond buan y meddyliodd am gynllun arall i wneud i'r hen wraig golli'i thymer.

Ddydd Gwener, aeth heibio i'r bwthyn bach unwaith eto. Gwelodd hi'n mynd i gut yr ieir i gasglu wyau. Roedd ganddi hi dair iâr wen ac roedd pob un ohonynt wedi dodwy. Wrth iddi fynd heibio i'r goeden afalau, chwipiodd Ych-a-fi frigyn ar draws ei hwyneb a gwneud iddi ollwng y ddysgl a malu'r wyau.

'Dyna,' meddai Ych-a-fi, 'fe wna *hyn* iddi golli'i thymer.'

'Wel! Wel! Wel!' meddai'r hen wraig. 'Fe fydd raid imi gael wyau wedi'u curo heddiw i ginio ac i swper. Ond mae'n well gen i wyau wedi'u curo na dim. Dyna lwc mai *heddiw* y torrodd yr wyau!'

Roedd Ych-a-fi wedi gwylltio'n gandryll ac yn rhincian ei ddannedd india-roc. Ond buan y meddyliodd am gynllun arall i wneud i'r hen wraig golli'i thymer. Roedd y cynllun hwn yn un arbennig o greulon, oherwydd erbyn hyn roedd yn wyllt gynddeiriog.

Ddydd Sadwrn, rhoddodd fwthyn yr hen wraig fach ar dân.

'Dyna,' meddai, 'mae *hyn* yn siŵr o wneud iddi golli'i thymer.'

Cododd y fflamau'n wyllt dros waliau'r bwthyn ac, yn fuan iawn, roedd y cyfan yn wenfflam.

'Wel! Wel! Wel!' meddai'r hen wraig, 'Dyna ddiwedd ar fy hen fwthyn bach. Roeddwn i'n meddwl y byd ohono ond yr *oedd* o wedi dirywio'n ddiweddar. Roedd y to'n gollwng mewn mannau a'r llawr yn dyllau i gyd.'

Pan ddaeth Ych-a-fi heibio i weld a oedd yr hen wraig wedi colli'i thymer, gwelodd hi wrthi'n brysur yn crasu tatws trwy'u crwyn ar y lludw poeth a'u rhannu i blant y pentref.

'Gymeri di daten?' meddai hi wrth Ych-a-fi gan estyn un iddo ar flaen darn o frigyn.

Roedd arogl hyfryd ar y daten a chydiodd Ych-a-fi ynddi a'i stwffio i'w geg yn gyfan am ei fod mor farus. Rhwng ceisio llyncu'r daten boeth heb ei chnoi a'i dymer ddrwg, fe dagodd Ych-a-fi a ffrwydro fel balŵn. Doedd dim ohono ar ôl ond darn o groen gwyrdd, cennog, wedi crebachu i gyd. Meddyliodd un o'r plant mai darn o hen glwt ydoedd a thaflodd ef i ganol y tân a bu'n ffrwtian yn y fflamau melyn am dipyn.

Erbyn hyn, roedd y rhan fwyaf o bobl y pentref wedi cyrraedd a phawb ohonynt yn cael gwledd o datws pob, wrth gydymdeimlo â'r hen wraig a thrafod sut y gallent ei helpu.

Meddai un ohonynt, 'Fe wna i godi waliau'r bwthyn newydd.'

'Fe wna i'r to,' meddai un arall.

'Fe osoda i'r ffenestri i mewn,' meddai'r trydydd.

'Fe bapura innau'r waliau,' meddai'r pedwerydd.

'Fe rown ni garped iddi—a chynfasau—a charthenni—a thecell,' meddai'r gwragedd i gyd. Erbyn i bobl y pentref orffen bwyta'r tatws pob, roedd ffrindiau'r hen wraig wedi addo popeth oedd ei angen arni ar gyfer y bwthyn newydd.

Nid rhyw adeilad bregus, sâl oedd y bwthyn newydd ond cartref bach

clyd, cynnes a chyfforddus yn llygad yr haul. Cafodd Modlen feudy
newydd a'r ci gut braf. Yr unig un a gafodd ei siomi oedd y gath am nad
oedd llygod yn y tŷ newydd. Na, doedd yno ddim un twll y gallai llygoden
fyw ynddo.

BEN BANTAM A'R WASGOD GOCH

RAY EVANS

Un bach oedd Ben Bantam, fel pob ceiliog dandi arall. Ac er ei fod yn
geiliog bach digon tlws a lliwgar, nid oedd yn fodlon ar ei hunan o gwbl.
   'Pam na alla i gael cynffon fawr liwgar yr un fath ag un Beti'r Beunes?'
gofynnai weithiau. Neu, 'Pam na alla i gael gwasgod goch fel sy gan
Robin y Fron-goch?'
   Doedd dim taw arno. Yr un hen gân o fore gwyn tan nos. Roedd pawb
yn y tŷ ieir wedi hen alaru ar Ben Bantam.
   'Mi ddylai fod cywilydd arnat ti'n cadw'r fath sŵn!' meddai Meistres
Iâr Wen wrtho un bore. 'Cofia fod ar rai ohonon ni eisiau cysgu.'
   'Ond mae arna i eisiau cynffon fawr liwgar, yn agor fel gwyntyll, fel
sydd gan Beti'r Beunes!' dolefodd Ben Bantam.
   'Paid â siarad mor dwp! Ystyria mor ddigri y byddai cynffon fawr
fel'na'n edrych ar ryw damed o geiliog dandi fel ti!' atebodd hithau.
   Aeth Ben yn ddistaw am funud neu ddwy. Nid oedd yn hoffi meddwl
amdano'i hun fel rhyw damaid o geiliog dandi . . . ond efallai bod
Meistres Iâr Wen yn iawn hefyd.

9

'Gwasgod goch 'te, fel sydd gan Robin y Fron-goch!' meddai toc, pan oedd Meistres Iâr Wen ar fin mynd yn ôl i gysgu ar ei chlwyd.

'O, beth sy'n bod ar yr hen labwstyn bach!' meddai hithau, yn ddrwg ei hwyl o gael ei dihuno fel hyn o hyd. 'Ble yn y byd wyt ti'n mynd i ddod o hyd i wasgod goch fel un Robin?'

'Mae 'na un yn ffenest siop Teiliwr Llundain,' atebodd Ben Bantam. 'Dim ond ceiniog mae hi'n gosti . . . Ond does gen i'r un geiniog,' ychwanegodd yn ddigalon.

Roedd Meistres Iâr Wen mas o'i chof yn llwyr erbyn hyn.

'Pam na elli di fod yn fodlon ar dy blu fel pob ceiliog bach arall?' sgrechiodd, gan agor ei phwrs a lluchio ceiniog tuag ato.

'Coca-dwdl-dw-w!' canodd Ben ar dop ei lais. Dyna oedd ei ffordd ef o weiddi 'Hwrê!'

Dihunodd pawb. Doedd y Ceiliog Coch ddim yn blês o gwbl. 'Pa hawl sydd gan ryw damed o geiliog dandi i ddwyn fy ngwaith i? *Fi* yw meistr y tŷ ieir a *fi* sydd i fod i ddihuno pawb yn y bore!' meddai'n ddig. 'Ac mae hi'n rhy gynnar i ddihuno neb eto, ta beth!'

Ond rhy gynnar neu beidio, doedd dim cwsg i'r ieir ar ôl hynny. Roedd clochdar crac Meistres Iâr wedi dihuno hyd yn oed Mr Preis y ffermwr yn ei wely plu yn y ffermdy. I lawr ag ef ar unwaith i'r tŷ ieir gan feddwl bod cadno wedi torri i mewn. Edrychai'n ddigri iawn yn ei fest a'i drôns hir, ond nid oedd yn teimlo'n ddigri o gwbl pan sylweddolodd mai Ben Bantam oedd achos yr holl randibŵ.

'Mi ro i dro yng ngwddw'r ceiliog dandi 'na un o'r diwrnodau 'ma!' meddai wrth ddringo'n ôl i'w wely.

Gynted iddi ddyddio, prysurodd Ben Bantam i siop Teiliwr Llundain. Safai'r teiliwr y tu ôl i'r cownter, a sbectol ar flaen ei big a llinyn mesur o amgylch ei wddf. Sylwodd Ben Bantam ar ei adenydd euraid, perffaith. Pam na alla *i* gael pâr o adenydd fel'na? meddyliodd, ac yna dywedodd yn uchel, 'Mae arna i eisiau prynu'r wasgod goch sydd yn y ffenest.'

'Y wasgod goch!' meddai'r teiliwr mewn syndod. 'Dim ond Robin y Fron-goch sy'n prynu gwasgodau coch gen i fel arfer . . . Y . . . fyddi di ddim yn teimlo braidd yn . . . yn hynod ynddi?'

'Rwy'n *hoffi* teimlo'n hynod!' atebodd Ben yn haerllug.

'O wel, ti ŵyr orau,' atebodd y teiliwr, gan roi'i linyn mesur yn gyflym am ganol Ben Bantam. 'Mi fydd yn dy ffitio di i'r dim, achos mae Robin

10

yn digwydd bod yn fwy o faint na'r cyffredin.' Roedd ar fin ychwanegu, 'A dim ond rhyw damed o geiliog dandi wyt ti.' Ond wnaeth e ddim—roedd yn llawer rhy foesgar i hynny.

Ar ôl gwisgo'r wasgod ac edmygu'i hunan mewn pwll o ddŵr glaw, dychwelodd Ben Bantam i'r buarth lle'r oedd yr ieir yn cael brecwast. Roedd Mr Preis y ffermwr yn eu gwylio.

'Beth wyt ti'r robin yn ei wneud yn bwyta bwyd yr ieir?' gofynnodd yn siarp.

'Nid robin sy 'ma, ond fi, Ben Bantam,' atebodd Ben. 'Rwy'n *arfer* cael fy mrecwast yma bob bore!'

'Welais i'r un ceiliog dandi'n gwisgo gwasgod goch o'r blaen! Cer o 'ma ar unwaith!' gorchmynnodd Mr Preis. Fe wyddai o'r gorau mai Ben Bantam oedd yno, wrth gwrs, ond doedd e ddim wedi anghofio iddo orfod codi cyn cŵn Caer y bore hwnnw a mynd i lawr i'r tŷ ieir yn ei fest a'i drôns.

Ar ei ffordd i'r pentref, gwelodd Ben Bantam Robin y Fron-goch yn canu ar riniog Mali Tŷ Melyn. Gwelodd y drws yn agor a Mali'n estyn briwsion i'r aderyn.

'Os cana i, mi ga innau friwsion gan Mali,' meddai Ben wrtho'i hun, 'Ches i ddim brecwast ac rwy bron â llwgu.' A chanodd yn uchel, yn ei lais croch: 'Coca-dwdl-dw-w!'

Agorodd y drws ar unwaith. 'O ti sydd 'na, Ben Bantam! Rhag dy gywilydd di, yn dychryn hen wraig!' meddai Mali'n grac. 'Aros di i fi gael dweud wrth Mr Preis amdanat ti!'

Trodd Ben Bantam ar ei sawdl a'i chychwyn hi'n ôl am y fferm yn drist. Cyn dod i olwg y buarth, tynnodd y wasgod goch oddi amdano a'i thaflu dros ben y clawdd. 'Does arna i byth eisiau dy weld di eto!' gwaeddodd.

Roedd brecwast drosodd pan gyrhaeddodd y buarth, ac erbyn amser cinio roedd Ben druan ar ei gythlwng!

BRESYCHEN FAWR MISTAR MEDRA

MAIR WYNN HUGHES

Hen ŵr bach rhyfedd ydi Mistar Medra. Mae'n gwisgo trywsus streip a gwasgod biws, mae'i wallt yn goch a'i farf yn hir hir, ac mae ganddo het galed ar ei ben. Mae Mistar Medra'n byw mewn bwthyn bach yn y wlad gyda Betsan, y gath ddu a gwyn.

Un bore dydd Llun roedd Mistar Medra a Betsan yn bwyta'u brecwast wrth y bwrdd crwn yn y gegin ac yn darllen y papur newydd gyda'i gilydd.

'Diar, edrych ar hyn, Betsan,' meddai Mistar Medra.

Roedd hysbyseb mewn llythrennau bras ar y dudalen flaen. Darllenodd ef yn uchel,

'CYSTADLEUAETH Y FRESYCHEN FWYAF, GWOBR — PUNT NEWYDD SBON.'

'Wel, wel,' meddai Mistar Medra'n hapus. 'Mi fydda i'n tyfu bresych mawr bob amser, Betsan. 'Sgwn i fedra i ennill y wobr?'

'Miaw!' meddai Betsan, gan lyfu'i phawen yn ddidaro a mynd allan i'r ardd i eistedd yn yr haul. Doedd ganddi hi ddim diddordeb mewn bresych.

Pensyniodd Mistar Medra wrth gnoi'i damaid olaf o dôst. Dyna braf fyddai ennill y bunt newydd sbon 'na. Fe brynai het newydd iddo'i hun, un las y tro yma, a phêl fach goch i Betsan hefyd.

12

Aeth i nôl ei raw a phaced o hadau bresych o'r sied. Bu'n palu a phalu trwy'r bore nes yr oedd wedi blino'n lân. O'r diwedd, roedd y gwely pridd yn barod. Plannodd Mistar Medra'r hadau bresych yn rhes hir ger y wal.

Yna aeth i'r tŷ i baratoi rhywbeth rhyfedd iawn. Risêt arbennig i ddyfrio'r hadau. Roedd hon yn risêt a gafodd Mistar Medra gan ei daid, a'i daid gan ei daid yntau. Llond tebot o de oer, dwy lwyaid o siwgr brown, llond llwy de o driog du a phinsiad o halen. Cymysgodd y cyfan yn ofalus a'i dywallt ar y gwely pridd.

'Dyna ni, Betsan,' meddai. 'Mi fyddwn ni'n siŵr o ennill y gystadleu-aeth rŵan.'

'Miaw!' meddai Betsan yn ddistaw bach wrthi'i hun gan ffroenio gwaelod y jwg. 'Mae arogl ardderchog ar hwn.' Llyfodd ef yn lân.

Bob bore wedi hynny fe godai Mistar Medra a Betsan yn fore, a thra byddai Mistar Medra yn cymysgu'r risêt arbennig ac yn dyfrio'r bresych, fe fyddai Betsan yn eistedd ar ben y wal ac yn ymolchi yn yr haul. Yna, wedi i Mistar Medra orffen fe âi Betsan ati i lyfu gwaelodion y risêt o'r jwg.

Dechreuodd y bresych dyfu . . . a thyfu . . . a thyfu. Ymddangosodd dwy ddeilen fach o'r pridd i ddechrau, yna dwy arall . . . a dwy arall wedyn nes roedd y gwely pridd yn llawn o'r bresych gorau a mwyaf a welsoch chi erioed.

Ac yn rhyfedd iawn, wrth lyfu gwaelod y jwg bob dydd, fe ddechreu-odd Betsan dyfu a thyfu hefyd. Tyfodd mor fawr â chi bach . . . tyfodd cymaint â chi mwy . . . tyfodd a thyfodd. Aeth ei chôt a'i chlustiau a'i chynffon yn sglein hardd, ac aeth ei thrwyn yn binc binc.

Ond ni sylwodd Mistar Medra. Roedd o'n rhy brysur yn dyfrio'r bresych ac yn ceisio penderfynu pa fresychen oedd y fwyaf a'r orau i fynd i'r sioe.

Daeth y diwrnod pwysig o'r diwedd. Bu Mistar Medra'n ymolchi a chribo'i farf yn ofalus. Gwisgodd ei drywsus streip ail-orau—fe gadwai'r trywsus gorau un i fynd am dro i Aberystwyth yn yr haf—a rhoes ei het ddu am ei ben.

Aeth allan i'r ardd. Roedd Betsan yn torheulo'n braf ar ben y wal. Roedd blew ei chôt yn sgleinio'n hardd yn yr haul, a'i thrwyn a'i chlust-iau wedi'u hymolchi'n lân.

Ond roedd Mistar Medra'n rhy brysur i sylwi llawer ar Betsan. Roedd o a'i fryd ar ennill y gystadleuaeth gyda'i fresychen orau. Brysiodd i nôl y ferfa a rhoes y fresychen fwyaf ynddi.

'I ffwrdd â ni, Betsan,' meddai. 'I ffwrdd â ni i ennill y gystadleuaeth fawr.'

O'r diwedd cyraeddasant y sioe. Roedd tyrfa fawr o bobl yno: rhai yn eu dillad gwaith a rhai yn eu dillad gorau, rhai'n eistedd yn braf ar y glaswellt a rhai'n cerdded o gwmpas yn brysur gan syllu ar y stondinau.

Powliodd Mistar Medra'r ferfa at babell y gystadleuaeth fawr a chludodd y fresychen i mewn a'i rhoi i orffwys ar y bwrdd gyda nifer fawr o fresych eraill.

'Bresychen rhif dau ddeg pump yw'ch bresychen chi,' meddai'r gofalwr gan roi papur bach yn llaw Mistar Medra. 'Fe fydd y gwobrwyo am ddeuddeg o'r gloch.'

Roedd Mistar Medra wedi blino'n arw ac yntau wedi powlio'r ferfa'r holl ffordd i'r sioe. Sychodd y chwys oddi ar ei wyneb gyda'i hances boced, ac yna eisteddodd yn y ferfa i gael seibiant bach.

'Rhaid imi gofio deffro cyn deuddeg,' meddai wrtho'i hun fel y rhoes ei het tros ei lygaid.

Fe deimlai Betsan yn flinedig hefyd. Roedd hi wedi cerdded a cherdded y tu ôl i'r ferfa nes bod ei phawennau'n boeth ac annifyr.

'Miaw!' meddai. 'Does dim lle i mi yn y ferfa hefo Mistar Medra. Mi a' i i chwilio am le clyd i orffwys ynddo.'

Aeth i mewn i babell gyfagos. Roedd rhes o gatshys yno a chath yn gorwedd yn dwt ac yn ddel ym mhob un.

'Miaw!' meddai Betsan gan gerdded o un i'r llall. 'Pam rydych chi i gyd yn gorwedd fan hyn?'

'Cathod arbennig iawn ydyn ni,' meddent yn ffroenuchel, 'Cathod gorau Cymru. Nid cathod o'r wlad fel ti.'

Trodd pob un ei phen i ffwrdd yn urddasol gan anwybyddu Betsan.

'Mi gaf innau orwedd mewn catsh hefyd,' meddai Betsan wrthi'i hun wrth weld catsh gwag yng nghanol y rhes.

Dringodd i mewn iddo. Trodd rownd a rownd a rownd i wneud ei hun yn dorchen gron, caeodd ei llygaid a rhoi'i chynffon tros ei thrwyn yn gyffyrddus. Gorffwysodd ar y glustog foethus.

Daeth y beirniad i mewn. Symudodd yn araf o gatsh i gatsh, edrychodd ar glust a thrwyn a chynffon, ar bawen a ffwr a llygaid. Daeth at Betsan.

14

'Wel, dyma gath hardd,' meddai. 'Mae'i chôt hi'n sgleinio fel arian newydd, a'i chlustiau a'i thrwyn yn binc a glân. Ac edrychwch ar yr olwg gyfeillgar sydd ar ei hwyneb. Dyma gath orau'r sioe.'

'Miaw! Miaw!' grwgnachodd y cathod eraill yn flin. 'Hen gath o'r wlad ydi Betsan . . . nid cath orau'r sioe.'

Estynnodd y beirniad rosét fawr goch a'i chrogi am wddf Betsan. Dyna falch oedd hi.

'Rhaid imi fynd i chwilio am Mistar Medra ar unwaith,' meddai.

Neidiodd o'r catsh ac i ffwrdd â hi at y ferfa. Yna safodd yn stond. Roedd Mistar Medra'n eistedd yn braf yn y ferfa a'i wyneb yn un wên fawr hapus.

'Rydw i wedi ennill y rosét am gysgadur gorau'r sioe,' meddai.

'Rydw innau wedi ennill y rosét am gath orau'r sioe hefyd,' meddai Betsan.

Yna cofiodd y ddau am y fresychen. Aethant i mewn i'r babell. Ac yno, wrth ochr bresychen rhif dau ddeg pump roedd y rosét fwyaf a welsoch chi 'rioed. Ac wrth ei hochr? Wel, y wobr . . . punt newydd sbon.

Y BLAIDD A'R SAITH MYN GAFR

adroddwyd gan T. LLEW JONES

Un tro, roedd gafr fawr a saith myn yn byw mewn tŷ bach ar ben y bryn.

Un prynhawn dywedodd y fam wrth y saith myn,

'Rwy am fynd allan i'r coed i edrych am dipyn o fwyd i chi i gyd heddiw. Nawr gofalwch gadw'r drws yng nghlo nes do i'n ôl, a pheidiwch â'i agor i neb ond fi. Os agorwch chi'r drws i'r blaidd fe fydd ar ben arnoch. Er mwyn i chi gael ei adnabod os daw e at y drws, rwy am i chi wybod bod ganddo lais cras a thraed duon.'

Addawodd y saith myn na fyddent yn agor y drws i neb ond iddi hi.

Aeth yr afr fawr i ffwrdd i'r coed, ac yn wir i chi, pwy a ddaeth heibio cyn bo hir ond yr hen flaidd.

Curodd y drws a dywedodd yn uchel,

'Agorwch y drws, 'mhlant i; eich mam sydd yma.'

Ond wedi clywed ei lais cras gwyddai'r saith myn mai'r blaidd oedd yno, a gwaeddodd yr hynaf ohonynt,

'Y blaidd sydd 'na! Rwy'n adnabod ei lais cras. Llais mwyn sydd gan Mam.'

Wedi clywed hyn aeth yr hen flaidd ymaith gan chwyrnu. Aeth i'r siop yn y pentref a phrynodd ddarn o sialc. Ar ôl iddo fwyta'r sialc roedd ei lais yn fain. Yna aeth yn ôl i ben y bryn.

Unwaith eto curodd wrth ddrws tŷ'r geifr.

'Agorwch y drws, 'mhlant i. Mae gen i fwyd i bob un ohonoch.'

16

Yn awr gan fod ei lais yn debyg i lais yr afr fawr, bu'r saith myn bron rhuthro i agor y drws. Ond gwaeddodd un ohonynt ar y blaidd,

'Rhowch eich troed ar sil y ffenest i ni gael ei gweld.'

Cododd y blaidd ei droed a gwelodd y saith myn ar unwaith ei bod yn ddu.

'Na, nid Mam sydd 'na!' gwaeddodd y geifr bach gyda'i gilydd, 'troed wen sydd gan Mam.'

Ar ôl clywed hyn aeth yr hen flaidd ymaith. Gwyddai na fyddai'r saith myn yn agor y drws ar ôl gweld ei droed ddu.

Aeth i lawr i'r felin at y melinydd. Dychrynodd hwnnw pan welodd y blaidd yn dod a rhedodd i'r tŷ.

Aeth y blaidd i mewn i'r felin a rhoi'i droed yn y blawd. Yn awr roedd ei droed mor wyn â throed yr afr fawr. Aeth yn ôl unwaith eto i ben y bryn.

Unwaith eto gwaeddodd ar y saith myn,

'Agorwch y drws, 'mhlant i. Mae gen i ddigon o fwyd.'

'Dyna lais Mam,' meddai'r saith gafr fach, 'gwell i ni agor y drws.'

'Na,' meddai'r hynaf ohonynt, 'gan bwyll.' Yna gwaeddodd ar y blaidd, 'Rhaid i chi roi'ch troed ar ben sil y ffenest i ni ei gweld yn gyntaf.'

Rhoddodd y blaidd ei droed ar sil y ffenestr.

Roedd yn wyn fel troed mam y geifr bach.

Agorodd y saith myn y drws a daeth y blaidd i mewn. Pan welsant pwy oedd yno rhedodd un myn o dan y bwrdd, un i ben y seld, un y tu ôl i'r sgiw, un i mewn i'r cwpwrdd, un o dan y gadair freichiau, un y tu ôl i'r drws a'r un lleiaf ohonynt i gyd i mewn i'r hen gloc mawr.

Cyn pen winc roedd y blaidd wedi llyncu pob un o'r geifr bach ond y myn lleiaf a oedd yn ymguddio yn y cloc.

Ar ôl bwyta cinio mor fawr dechreuodd yr hen flaidd deimlo'n gysglyd iawn. Aeth allan o'r tŷ a gorwedd yn yr haul. Cyn bo hir roedd yn cysgu'n drwm.

Ymhen tipyn daeth mam y mynnod bach adref. Sylwodd fod y drws ar agor a dechreuodd ofni. Pan aeth i mewn i'r tŷ gwyddai fod rhywbeth mawr o'i le. Gwaeddodd ar y geifr bach wrth eu henwau. Nid atebodd neb am dipyn. Yna clywodd lais bach yn gweiddi yn rhywle, 'Dyma fi, Mam.'

Edrychodd yr afr fawr ym mhobman ond ni allai weld dim byd. Yna clywodd y llais wedyn. Deallodd ei fod yn dod o'r tu mewn i'r cloc. Agorodd y drws a neidiodd yr afr fach leiaf allan i ganol y gegin. Wedi holi cafodd glywed yr hanes i gyd. Yna rhedodd yr afr fawr allan drwy'r drws a gweld y blaidd yn cysgu yn y cae heb fod ymhell o'r tŷ. Aeth yn ôl i'r gegin i mofyn siswrn, nodwydd, ac edau. Yn araf bach agorodd fol yr hen flaidd â'r siswrn. Cyn gynted ag y gwnaeth hynny neidiodd pob un o'r geifr bach allan. Roedd pob un ohonynt yn fyw ac yn iach!

Roedd pentwr o gerrig yn ymyl, a rhoddodd yr afr fawr rai o'r rheini i mewn ym mol y blaidd yn lle'r geifr bach. Yna cymerodd y nodwydd a'r edau a dechrau gwnïo. Cyn bo hir roedd y twll ym mol y blaidd wedi'i gau'n ofalus. Ac roedd ef yn cysgu o hyd!

Wedyn aeth y geifr i gyd yn ôl i'r tŷ a chloi'r drws.

Ymhen tipyn dihunodd y blaidd, a chan ei fod yn teimlo'n sychedig iawn, aeth i lawr i'r afon i yfed dŵr. Ond gan fod y cerrig yn ei fol mor drwm, fe gwympodd i mewn i'r afon a dyna ddiwedd arno.

PITAR Y DERYN DU

ELFYN PRITCHARD

Un nos Fercher roedd Pitar y deryn du yn methu cysgu. Roedd rhywbeth yn pwyso ar ei feddwl.

Y dydd Sul cynt roedd ef a'r holl adar eraill wedi bod mewn cyfarfod mawr yn gwrando ar y deryn callaf, y deryn doethaf yn y goedwig—sef y gwdihŵ neu'r dylluan—yn siarad. (Deryn sy'n dod allan yn y nos ydi o, ac weithiau mi fydd plant yn dychryn wrth glywed ei sŵn o'n canu 'tw-wit, tw-hŵ' yn nhawelwch y nos.)

18

Yn y cyfarfod roedd y dylluan wedi dweud wrth yr adar ei bod hi'n bwysig iawn fod pob un ohonynt yn gwneud ei orau glas i helpu pobl a phlant i fod yn hapus.

'Dyna ydi'n gwaith ni,' meddai, 'gwneud pobol yn hapus. Rydw i am i bob un ohonoch chi, yn ystod yr wythnos yma, drio'ch gorau i wneud hynny.'

Ar ôl i'r dylluan orffen siarad aeth Pitar adre'n syth a mynd i'w wely'n gynnar er mwyn codi'n fore drannoeth i drio gwneud pobl yn hapus.

Pan ddaeth y bore aeth ar ei union at res o dai ar gwr y pentref. Safodd ar gangen coeden yng ngardd y tŷ cyntaf yn y rhes.

'Mi wna i rywbeth i helpu'r bobol sy'n byw yn y fan yma,' meddai wrtho'i hun.

Roedd gwraig y tŷ yn brysur iawn yn golchi yn y gegin gefn. Roedd sŵn y peiriant i'w glywed yn glir. Yn y man agorodd y drws a daeth allan yn cario basgedaid o ddillad. Aeth ati i'w pegio bob yn un ar y lein—sanau, hancesi, crysau, sgertiau, blancedi a chynfasau. Clamp o olchiad mawr.

Roedd Pitar yn ei gwylio'n ofalus, a sylwodd toc ei bod wedi gollwng hances ar y llwybr.

'Mi wn i be wna i,' meddai wrtho'i hun, 'mi goda i'r hances a'i rhoi'n ôl yn ei basged.'

Hedfanodd i lawr a chodi'r hances efo'i big.

Y foment honno trodd y wraig ei phen a'i weld. Curodd ei dwylo yn ei gilydd a gweiddi, 'Dos i ffwrdd, yr hen dderyn drwg, yn dwyn fy nillad glân i fel yna!'

Dychrynodd Pitar am ei fywyd. Gollyngodd yr hances yn y fan a'r lle a hedfan i ffwrdd gynted ag y gallai. Treuliodd weddill y dydd yn benisel, yn methu'n lân â deall pam roedd y wraig mor gas.

Ond chwarae teg i Pitar, doedd o ddim am roi i fyny'r ysbryd chwaith. Fore Mawrth, yn gynnar, roedd o'n sefyll ar gangen coeden yng ngardd yr ail dŷ yn y rhes, yn ceisio meddwl sut i wneud pobl y tŷ hwnnw'n hapus.

Roedd pobman yn dawel a doedd neb o gwmpas. Roedd Pitar wedi codi'n rhy fore. Roedd o ar fin mynd oddi yno i rywle arall pan agorodd drws y tŷ. Gwelodd ddynes ifanc yn gwthio pram allan i'r ardd a'i osod o dan y goeden afalau, ac yna'n mynd yn ei hôl i'r tŷ.

Roedd babi bach yn y pram. Gallai Pitar ei weld yn gorwedd ar ei gefn yn cicio'i draed yn yr awyr ac yn chwarae efo rhes o gwningod lliwgar oedd wedi'u clymu ar draws y pram. Roedd y babi'n edrych yn fodlon braf. Doedd dim angen neb i'w wneud o'n hapus. Ond yn sydyn sylwodd Pitar fod gwybed yn hedfan o gwmpas wyneb y babi bach. Roedd ambell un yn glanio ar ei drwyn ac yntau'n codi'i law fach i drio'i hel i ffwrdd.

'Rhaid imi wneud rhywbeth i'w helpu,' meddai Pitar wrtho'i hun. 'Hen bethe cas ydi gwybed o gwmpas pen rhywun.'

Hedfanodd i lawr o ben y goeden a cheisio ymlid y gwybed i ffwrdd, ond yn lle dychryn y gwybed yr hyn a wnaeth o oedd dychryn y babi! Pan welodd hwnnw dderyn mawr du'n hedfan o'i gwmpas dechreuodd sgrechian nerth esgyrn ei ben.

Agorodd drws y tŷ ar unwaith a rhedodd ei fam allan i weld beth oedd yn bod.

'O'r hen dderyn drwg!' gwaeddodd pan welodd hi Pitar yn hedfan o gwmpas y pram, 'Dos oddi yma ar unwaith! Ffwr' ti! Shŵ!' A rhedodd i lawr llwybr yr ardd gan chwifio'i breichiau yn yr awyr.

Gwyddai Pitar na fyddai'n gallu esbonio i'r wraig beth oedd o'n ceisio'i wneud, felly i ffwrdd â fo ar ei adain nes ei fod o led cae o'r tŷ.

Erbyn hyn roedd yr hen dderyn du'n ddigalon iawn, ond fe benderfynodd ddal ati. 'Tri chynnig i Gymro,' meddai wrtho'i hun fore Mercher. 'Rydw i'n benderfynol o wneud rhywun yn hapus heddiw.'

Aeth at y rhes tai a sefyll gyferbyn â'r trydydd tŷ. Roedd hi'n gynnar iawn yn y bore ac roedd pobman yn dawel fel y bedd. Yna fe glywodd sŵn yn dod o ben ucha'r stryd. Hedfanodd i ben y to a gwelodd y dyn llaeth wrthi'n brysur yn rhannu poteli llaeth o dŷ i dŷ. Roedd o'n rhoi poteli llawn wrth bob drws ac yn casglu'r poteli gwag.

Yn sydyn gwelodd Pitar ditw tomos las yn glanio ar riniog y trydydd tŷ. Fe'i gwelodd yn sefyll ar ben y botel laeth, yn pigo twll yn y caead ac yn dechrau yfed y llaeth.

'O'r hen ditw drwg,' meddyliodd Pitar. Beth a ddywedai'r dylluan pe gwyddai beth roedd y titw'n ei wneud ac yntau, fel y lleill, wedi cael gorchymyn i wneud pobl yn hapus? Aeth Pitar i lawr ato ar ei union a dweud y drefn yn iawn wrtho a'i hel o i ffwrdd. Yna edrychodd ar y botel i weld faint o laeth roedd y titw wedi'i yfed.

Y foment honno agorodd drws y tŷ a daeth dyn allan.

'O'r gwalch!' bloeddiodd, 'Ti sy wedi bod yn pigo top y poteli ac yn yfed y llaeth. Aros di i mi dy ddal di!'

Ond arhosodd Pitar ddim i gael ei ddal. Hedfanodd oddi yno am ei fywyd a chuddio yn nail trwchus coeden fawr led dau gae i ffwrdd.

Druan o Pitar! Doedd dim syndod ei fod o'n methu cysgu winc nos Fercher, er ei fod o wedi blino'n lân. Roedd o wedi trio'i orau glas i wneud pobl yn hapus ac wedi methu bob tro.

Doedd dim i'w wneud ond mynd i ddweud ei gŵyn wrth y dylluan. Gwyddai na fyddai honno'n cysgu'r nos. Felly, i ffwrdd â fo at y dderwen fawr yng nghanol y goedwig lle'r oedd y dylluan yn byw.

Gwrandawodd y dylluan yn astud ar stori Pitar: am yr hances ddydd Llun, y babi ddydd Mawrth a'r botel laeth ddydd Mercher.

'Wel, wir,' meddai ar ôl i Pitar orffen, 'rwyt ti wedi bod wrthi'n galed, chwarae teg i ti, yn trio gwneud pobol yn hapus. Piti na fyddai pob deryn arall yn trio mor galed â thi . . . Ond falle i ti fod braidd yn fyrbwyll. Mae'n rhaid i ti aros i feddwl cyn gwneud rhywbeth.'

'Ond doedd gen i ddim amser i feddwl,' meddai Pitar. 'Ro'n i'n ysu i helpu pawb.'

'Mi wn i hynny,' meddai'r dylluan, 'ond mi fase'n llawer gwell taset ti wedi aros i feddwl. Cysidro. Cyfri deg. Rŵan, dywed ti wrtha i, beth wyt ti'n gallu'i wneud orau? Meddylia di'n galed.'

Meddyliodd Pitar yn galed. Roedd o'n gallu hedfan yn dda. Ond roedd pob deryn yn gallu gwneud hynny. Roedd o'n un da am wneud nyth. Ond doedd dim angen nythod ar bobl. Roedd o'n gallu canu. Canu! Wrth gwrs, dyna'r ateb!

'Dwi'n meddwl mai canu rydw i'n gallu'i wneud orau,' meddai.

'Yn hollol,' meddai'r dylluan. 'Cana di ac mi fydd pawb yn hapus. Mae'n bwysig fod pob deryn yn gwneud yr hyn y mae'n gallu'i wneud orau.'

Aeth Pitar adre'n llawen, a chysgodd fel twrch drwy'r nos.

Yn gynnar fore dydd Iau roedd o'n eistedd ar gangen yn ymyl y rhes tai yn canu nerth esgyrn ei ben. Roedd y bobl yn y gerddi ac ar y ffordd yn sefyll i wrando. Roedden nhw ar ben eu digon am ei bod hi'n ddiwrnod braf ac am fod Pitar y deryn du yn canu mor swynol. Ac roedd yntau wrth ei fodd hefyd gan ei fod wedi darganfod o'r diwedd sut i wneud pawb yn hapus.

SIONI GANOLIG

MOIRA MILLER, addaswyd gan TEGWYN JONES

Mae Andi yn y canol, yn union rhwng Teleri a Dafydd—sy'n fawr—a Tudur a Rhosi—sy'n fach. Mae Teleri a Dafydd yn cael mynd allan i'r ffordd ar eu beiciau. Mae Andi'n cael mynd ar y palmant ond ddim ar y ffordd. Ac mae Tudur—sy'n mynd i'r ysgol feithrin—a Rhosi—sy'n dal yn fabi—yn gorfod chwarae yn yr ardd.

'Dad,' meddai Andi un diwrnod, 'ga i fynd allan ar 'y meic gyda Teleri a Dafydd?'

'Na chei,' atebodd Dad. 'Mae'n ddrwg gen i, Andi, ond rwyt ti'n rhy fach.'

Felly, ni chafodd Andi fynd allan ar ei feic gyda Teleri a Dafydd.

'Mam,' meddai ryw ddiwrnod arall, 'ga i fynd i bicnic yr ysgol feithrin gyda chi a Tudur a Rhosi?'

'Bobol bach, na chei!' chwarddodd Mam. 'Rwyt ti'n llawer rhy fawr.'

Fel yna roedd hi o hyd! Pan fyddai angen tacluso'r ystafell wely, byddai Dad bob amser yn dweud, 'Reit 'te, blant mawr, y tri ohonoch, ffwrdd â chi!'

A byddai'n rhaid i Andi fynd gyda Teleri a Dafydd i dacluso'r ystafell.

Ond pan fyddai'n amser gwely, byddai Mam yn dweud, 'Dewch nawr, blantos,' a byddai'n rhaid i Andi fynd i'r gwely 'run pryd â Tudur a Rhosi.

'Dyw hi ddim yn deg,' meddai Andi wrtho'i hunan yn drist. Roedd yn eistedd ar garreg drws y cefn yn chwarae gyda phry' genwair bach y daethai o hyd iddo yn yr ardd flodau. Gwingai'r pry' genwair yn ei law gan ei wneud ei hun yn fawr ac yn fach yr un pryd.

'Ydw i'n fawr neu'n fach?' gofynnodd Andi i'w nain un diwrnod.

'Mae'n dibynnu,' atebodd Nain.

'Pam?' meddai Andi.

'Mae'n dibynnu ar beth yw maint pawb arall, mae'n debyg,' meddai Nain. 'Pan fydda i'n sefyll ar 'y nhraed rwyt ti'n edrych yn fach. Ond pan fydda i'n eistedd yn yr hen gadair freichiau isel 'na sy gen i, rwyt ti'n edrych yn eitha mawr. Mae'n debyg gen i dy fod ti'n fach *ac* yn fawr.'

Ond doedd hynny fawr o gysur.

Gofynnodd i Teleri a Dafydd.

'Rwyt ti'n niwsens bach ambell waith,' meddai Teleri.

'Na!' meddai Dafydd, 'Mae e'n niwsens *mawr*!'

Yn sicr doedd hynny fawr o gysur.

Holodd Dad pan oedd y ddau'n sgubo'r garej.

'Rwyt ti'n help mawr,' meddai Dad, 'o berson bach.'

Ond doedd hynny fawr o gysur chwaith.

Roedd Andi'n fwy na Rhosi. Ond onid oedd pawb yn y teulu'n fwy na Rhosi, hyd yn oed Bedo'r ci. Roedd Andi'n *meddwl* ei fod yn fwy na Tudur hefyd, ond doedd hwnnw byth yn sefyll yn llonydd yn ddigon hir i rywun gael gweld. Roedd yn anodd iawn dweud.

Weithiau, ac yntau fwy neu lai wedi penderfynu'i fod yn fawr, byddai'i fam yn ei alw'n 'eitha hen dwmplyn bach'.

Ac yna, ac yntau newydd benderfynu'i fod yn fach wedi'r cyfan, mi fydden nhw'n cwrdd â Mrs Jones o waelod y stryd a byddai honno'n dweud,

'Wel, Andi, rwyt ti wedi prifio'n fachgen mawr!'

A byddai Mam yn *cytuno* â hi. Roedd y peth yn wirion bôst.

Un min nos, eisteddai Andi ar garreg drws y cefn mewn hwyliau digon beth'ma. Daeth ei fam allan toc.

'Tyrd,' meddai, 'mae'n amser i blant bach fynd i'r gwely.'

Symudodd Andi ddim.

'Tyrd!' meddai Mam wedyn.

'Ond mi ddwedsoch chi nad ydw i ddim yn fach,' protestiodd Andi. 'Dwi'n fachgen mawr. A dwi eisie mynd i'r gwely 'run pryd â Teleri a Dafydd.'

Oedodd Mam am eiliad ac yna aeth i nôl Dad.

'Beth yw hyn 'te?' gofynnodd.

'Dydw i ddim yn fach,' meddai Andi. 'Mi ddwedodd Mrs Jones 'mod i wedi prifio'n fachgen mawr. A dwi eisie mynd i'r gwely 'run pryd â Teleri a Dafydd.'

'Ond maen nhw'n fwy na ti,' meddai Mam.

Crafodd Dad ei ben yn feddylgar. Yna aeth i nôl ei dâp mesur mawr, yr un oedd yn dirwyn i mewn i focs bach arian. Mesurodd Teleri a Dafydd ac Andi a Tudur. Doedd Rhosi ddim yn cyfri achos roedd hi yn y gwely erbyn hyn, ac ni allai hi sefyll ar ei thraed p'run bynnag.

'Oes wir,' meddai Dad, gan gamu'n ôl a chraffu ar y marciau a wnaethai ar y wal, 'mae 'na broblem fan hyn. Dwyt ti ddim mor *fach* â Tudur a ddim mor *fawr* â Teleri a Dafydd. Rwyt ti'n rhyw fath o Sioni Ganolig.'

'Sioni Ganolig?' meddai Andi. 'Beth yw hwnnw?'

'Ti,' atebodd Dad. 'Felly pam na chytunwn ni ar ryw amser gwely canolig arbennig i ti? Fe gei di fynd i'r gwely ychydig *ar ôl* Tudur a Rhosi ac ychydig *cyn* Teleri a Dafydd. Sut mae hynny'n dy daro di?'

Edrychodd Andi ar Teleri a Dafydd, oedd yn fawr, ac yna ar Tudur, oedd yn fach fel Rhosi. Ef fyddai'r unig un o'r teulu i gyd a chanddo ei amser gwely canolig arbennig ei hun.

'O'r gorau,' cytunodd yn llawen.

DEINIOL Y DEWIN DIOG

LOREEN WILLIAMS

Gwas bach Mali'r Wrach oedd Deiniol. Trigai'r ddau yn yr ogof gudd gerllaw'r Llyn Du. Roedd Mali'r Wrach yn gwneud pob math o swynion a gwaith Deiniol oedd ei helpu hi. Yn gynnar iawn bob bore byddai Mali'n gweiddi'i gorchmynion:

'Deiniol, cer i nôl llond bwced o ddŵr i mi o'r Llyn Du.'

Cyn gynted ag y dychwelai Deiniol gyda'r bwcedaid o ddŵr, dechreuai Mali weiddi am ragor o bethau.

'Cer i nôl chwe choes llyffant a deg o bigau'r draenog, tair pluen pioden a deg malwen. Brysia.'

Brysia fan hyn.

Cer fan draw.

Brysia. Brysia. Brysia.

Roedd Deiniol wedi cael llond bola.

Un bore dyma fe'n esgus ei fod e wedi brifo'i goes.

'O Mali, fedra i ddim mynd i nôl dŵr o'r Llyn Du heddiw,' meddai, 'a fedra i ddim mynd i chwilio am goesau broga a phigau'r draenog na malwod na dim arall chwaith. Mae 'nghoes i'n brifo'n ofnadwy,' cwynodd, gan esgus hercian yn gloff tuag ati.

'O diar, fe fydd yn rhaid i mi fynd draw at y llyn fy hunan,' atebodd Mali'n rwgnachlyd. Trodd at Deiniol ac ychwanegodd, 'Tra bydda i i lawr wrth y llyn, mae arna i eisiau i ti lanhau'r ogof, paratoi cinio a chwilio am ddeg corryn mawr du.'

25

Llusgodd Mali ei hun tuag at geg yr ogof gan lapio'i chlogyn mawr du yn dynn amdani. Cyn diflannu trodd yn ôl gan ysgwyd ei bys hir, esgyrnog o flaen trwyn Deiniol. 'Cofia, paid ti â chyffwrdd â'm llyfr swynion na'm ffon hud i. Wyt ti'n deall?' gwaeddodd yn ei llais gwichlyd.

'Ydw, yn deall yn iawn,' atebodd Deiniol yn ddiamynedd. 'Wna i ddim cyffwrdd â'ch hen lyfr swynion dwl chi na'ch ffon hud chi.'

Wedi iddi fynd, aeth Deiniol ati ar unwaith i sgubo'r llawr. Doedd e ddim yn hoffi'r gwaith o gwbl, ond roedd yn well na chario'r hen fwced trwm 'na'n llawn dŵr o'r llyn bob bore. Ar ôl bod wrthi am rai munudau, eisteddodd i lawr. Roedd yr ogof yn hen ddigon taclus erbyn hyn.

'Rwy'n credu y caf fi hoe fach nawr cyn gwneud y ddwy dasg arall,' meddai wrtho'i hunan.

Gorweddodd yn ddioglyd ar ei hyd ar lawr a'i ddwy law y tu ôl i'w ben, gan syllu ar y nenfwd. Yn sydyn, sylwodd ar ffon hud Mali'n hongian wrth fachyn uwch ei ben . . . Byddai'n braf gallu gwneud swynion fel Mali'r Wrach, meddyliodd. Ac fel fflach, daeth y syniad i'w ben.

Neidiodd ar ei draed a gafaelodd yn y ffon hud. Cerddodd draw at y bwrdd a syllodd ar y llyfr swynion. Torrodd gwên ddrygionus dros ei wyneb wrth iddo'i agor ar y dudalen lle'r oedd pob gair yn dechrau â'r llythyren 'C'.

C am cinio.

C am corryn.

'Mae'r ddau yn y llyfr!' gwaeddodd ar dop ei lais, 'Mae'r ddau air yma!' Nawr, sut oedd dechrau?

Ceisiodd gofio sut oedd Mali'n gwneud y swynion. Cododd y ffon hud yn betrus a phwyntiodd at y gair 'CINIO'. Chwifiodd y ffon dair gwaith yn yr awyr a sibrydodd y gair hud, 'ABRACADABRA'.

Y funud nesaf disgynnodd dwy fowlen yn llawn o gawl blasus ar y ford o'i flaen. Disgleiriai llygaid Deiniol fel dwy seren pan sylweddolodd pa mor hawdd oedd defnyddio'r ffon hud.

Tasg ddigon syml fyddai dod o hyd i ddeg corryn mawr du, meddyliodd, gan wenu'n hyderus. Rhedodd ei fys i lawr dros y dudalen ac arhosodd ar y gair 'CORRYN'. Cododd y ffon hud a'i phwyntio at y gair, ac yna'i chwifio dair gwaith yn yr awyr gan ddweud yn uchel ac yn glir: 'ABRACADABRA . . . mae arna i eisiau deg corryn mawr du ar unwaith.'

Gwenodd yn braf wrth weld corryn mawr du'n brysio ar hyd y ford tuag ato. Ho ho, meddyliodd, fe fydda i wedi gorffen fy ngwaith mewn eiliad ac wedyn fe ga i fynd i orffwys nes daw Mali adref.

O ie, un diog iawn oedd Deiniol.

. . . Ond dim ond un corryn oedd ganddo i Mali hyd yn hyn ac roedd arni eisiau deg. Arhosodd Deiniol yn amyneddgar am funud neu ddwy ond ni ddaeth yr un corryn arall. Cydiodd yn y ffon hud eto a phwyntio at y corryn du, gan weiddi'n gas, 'Deg corryn ddywedais i, nid un. ABRACADABRA, mwy o gorynnod mawr du . . . a hynny ar unwaith,' gorchmynnodd.

Ar hynny daeth cannoedd ar gannoedd o gorynnod mawr hyll o bob twll a chornel o'r nenfwd.

Roedden nhw'n baglu ar draws ei gilydd.

Roedden nhw hyd yn oed yn cropian dros Deiniol ei hun.

Deiniol druan!

Gafaelodd yn y ffon hud a dechrau gweiddi ar dop ei lais, 'ABRACADABRA . . . Dyna ddigon. Ewch i ffwrdd! EWCH I FFWRDD!'

Ond yn lle mynd i ffwrdd, ymddangosodd mwy a mwy a MWY o gorynnod hyll.

'O be wna i? Be wna i?' llefodd Deiniol. Roedd e bron â mynd yn wallgof.

Ceisiodd ymlwybro tuag at geg yr ogof ond ni allai symud. Roedd 'na filoedd ar filoedd o gorynnod du'n gwau o'i gwmpas.

'O Mam fach, be wna i?' sgrechiodd eto.

Ceisiodd gael gafael ar y llyfr swynion ond roedd degau o gorynnod barus yn cerdded drosto ac fel roedd Deiniol yn eu sgubo o'r neilltu roedd rhagor yn cymryd eu lle.

Roedd Deiniol ar fin dechrau crio pan glywodd sŵn Mali'n nesáu at geg yr ogof.

'Hi, hi, hi!' chwarddodd Mali, pan welodd yr olygfa oddi mewn. 'Pwy sydd wedi bod yn busnesa yn fy llyfr swynion i 'te?'

'O Mali, mae'n flin gen i,' ymddiheurodd Deiniol o ganol y corynnod. 'Gwnewch i'r corynnod 'ma ddiflannu, os gwelwch yn dda,' ymbiliodd arni.

'Hi, hi, hi!' chwarddodd hithau eto. 'Rwyt ti'n edrych yn smala yng nghanol yr holl bethau bach hyll 'na.'

'Wna i byth, byth, BYTH gyffwrdd â'r llyfr swynion na'r ffon hud eto,' addawodd Deiniol. 'O helpwch fi, Mali!'

'Estyn y ffon hud 'na i fi, 'machgen i,' meddai Mali gan wenu arno. 'Rwy'n credu dy fod ti wedi dysgu dy wers, on'd wyt ti?'

Chwifiodd y ffon hud ddwywaith yn yr awyr gan fwmial rhyw eiriau rhyfedd. A diflannodd y corynnod hyll i gyd . . . Wel, y cyfan ond deg!

Y RAS FAWR

addaswyd gan GWENNO HYWYN

Roedd yr ysgyfarnog ar ben ei ddigon. Roedd o wrth ei fodd yn rhedeg a neidio yn yr haul cynnes. A dweud y gwir, roedd o'n dangos ei hun dipyn bach.

Yn sydyn, gwelodd grwban yn ymlwybro'n araf trwy'r glaswellt. Safodd yr ysgyfarnog ar ei goesau ôl cryfion, ei glustiau'n syth a'i drwyn yn crynu wrth iddo chwerthin a chwerthin. Roedd o'n cael miloedd o hwyl am ben y crwban. 'Crwban druan,' meddyliodd, 'efo'i gragen drom, ei hen wyneb crychiog a'i wddf tew, byr! Ac am ei goesau! Wel! Dydyn nhw ddim gwerth eu galw'n goesau! Does ryfedd yn y byd ei fod o'n cerdded mor araf. Mae o'n rhy araf i ddal annwyd!'

'Hei, grwban,' galwodd. 'Yn ara' deg ynteu'n ara' bach rwyt ti'n mynd rŵan? Ha! Ha! Ha!'

'Yn ara' deg y mae dal iâr,' meddai'r crwban yn dawel. 'Gwell hwyr na hwyrach.'

'Rwy'n siŵr o un peth,' meddai'r ysgyfarnog. Roedd o wrth ei fodd yn pryfocio. 'Ti fydd yr olaf i gyrraedd—ble bynnag rwyt ti'n mynd!'

'Paid â bod mor siŵr,' meddai'r crwban yn dawel eto. 'Beth am gael ras? Mi fydda i'n siŵr o ennill.'

Roedd yr ysgyfarnog bron â thorri'i lengig wrth chwerthin.

'Beth?' meddai, ac roedd o bron â thagu wrth siarad. 'Beth? . . . Wyt ti o ddifri?'

'Ydw, siŵr. O ddifri calon,' atebodd y crwban.

Roedd y llwynog yn cuddio y tu ôl i goeden, yn clustfeinio ar y sgwrs. Roedd yntau'n chwerthin hefyd. 'Mi gawn ni hwyl rŵan,' meddyliodd a daeth i siarad efo'r ysgyfarnog a'r crwban.

'Bore da, gyfeillion,' meddai. 'Ga i helpu? Mae gen i brofiad o drefnu pethau.'

Daeth anifeiliaid y goedwig i gyd i helpu efo'r trefniadau. Roedd pawb yn edrych ymlaen at y ras.

Wedi trafod hyd y ras a phenderfynu ble y byddai'n gorffen, roedd yr ysgyfarnog a'r crwban yn barod.

'Un, dau, tri, EWCH!' gwaeddodd y llwynog ac i ffwrdd â nhw.

Rhedodd yr ysgyfarnog fel y gwynt a chyn pen dim roedd wedi cyrraedd pen y bryn. Doedd dim golwg o'r crwban.

'Y creadur bach,' meddai'r ysgyfarnog wrtho'i hun. 'Does ganddo fo ddim gobaith. Waeth imi orffwys am dipyn.'

Gorweddodd yn erbyn coeden a syrthiodd i gysgu.

Aeth y crwban yn ei flaen yn araf, araf. Doedd o ddim yn loetran nac yn edrych o'i gwmpas, dim ond cerdded ymlaen gam ar ôl cam yn araf ac yn dawel. Gwenodd y llwynog wrtho'i hun a chuddiodd y tu ôl i glawdd i wylio. Rhedodd yr anifeiliaid eraill i gyd ar draws y cae i aros diwedd y ras.

Roedd hi'n dywydd poeth iawn a llosgodd yr haul tanbaid drwyn yr ysgyfarnog. Deffrôdd yn sydyn ac edrychodd o'i gwmpas. Rhedodd y llwynog yn ddistaw ar draws y cae at yr anifeiliaid eraill.

Roedd yr ysgyfarnog wedi drysu braidd. 'Beth? Ble?' meddai. 'O ie, y ras. Ble mae'r hen grwban, tybed?'

Edrychodd yn ôl ar hyd y lôn ond doedd dim golwg o'r gragen drom a'r coesau bach doniol. Edrychodd y ffordd arall. Roedd y lôn yn wag.

'O wel, fydda i ddim chwinciad chwannen yn ei ddal,' chwarddodd yr ysgyfarnog.

Wrth ddod at ddiwedd y ras, clywodd yr ysgyfarnog sŵn gweiddi a chwerthin. Roedd yr anifeiliaid i gyd yn neidio i fyny ac i lawr ac yn gweiddi 'Hwrê!'

'Chwarae teg iddyn nhw,' meddyliodd yr ysgyfarnog. 'Chwarae teg iddyn nhw am ddod i'm gweld yn ennill.'

Ond wrth ddod yn nes, clywodd y geiriau,

'Go dda, 'rhen grwban! Dau gam eto! Dyna ti! Rwyt ti wedi ENNILL! Hwrê! Hwrê!'

Roedd yr ysgyfarnog yn chwys domen ac yn teimlo'n dipyn o ffŵl. Roedd pawb yn heidio o gwmpas y crwban.

'Sut llwyddaist ti? Beth wnest ti?' gofynnodd pawb.

'Ara' deg piau hi bob amser,' meddai'r crwban yn dawel a dechrau bwyta deilen flasus.

Cafodd yr ysgyfarnog druan ei bryfocio am hir iawn ar ôl diwrnod y ras fawr!

DAFYDD A'R SEREN WIB

ALYS JONES

Doedd Dafydd erioed wedi bod allan mor hwyr â hyn o'r blaen. Pan ddaeth o allan o dŷ Nain efo'i dad, roedd hi wedi tywyllu. Edrychodd o gwmpas y buarth a'i lygaid fel soseri. Roedd hen gysgodion duon ym mhob man, ac roedd y coed yn edrych yn fawr, fawr ac yn ysgwyd eu brigau'n flin arno. Doedd dim golwg o Smwtan y gath na Pedro'r ci yn unman. Roedd Dafydd wedi bod yn chwarae efo nhw ar ôl te, ac wedi cael hwyl fawr yn rhedeg ar ôl yr ieir. Ond rŵan roedd y buarth yn llonydd a distaw.

'Mae'r ieir wedi mynd i glwydo,' eglurodd Dad, 'ac mae Smwtan a Pedro'n cysgu'n sownd hefyd. Mi ddylet tithau fod yn dy wely.'

Agorodd Dafydd ei geg led y pen. Oedd, roedd o wedi blino! A dweud y gwir, bu ond y dim iddo syrthio i gysgu ar y gadair o flaen y tân yn nhŷ Nain. Pam oedd pobl mewn oed yn siarad cymaint? Ond fe wnaeth ei orau glas i gadw'i lygaid ar agor—roedd o'n hogyn mawr rŵan.

'Mae'r coed 'na fel cewri gwyllt o'r jyngl yn dawnsio'n araf,' meddai, gan glosio at ei dad wrth glywed sŵn y gwynt yn y dail.

Gafaelodd ei dad yn ei law. 'Tyrd, mi awn ni ar draws y cae tatws,' meddai. 'Mi fyddwn ni'n gynt wedyn.'

Roedd Nain yn byw ar fferm, ac roedd ganddi lawer o gaeau mawr. Roedd yn rhaid i Dafydd a'i dad groesi'r caeau i gyrraedd y pentref lle'r oedden nhw'n byw.

Roedd hi'n waith anodd cerdded ar draws y rhesi tatws. Roedd yn rhaid i Dafydd gamu'n uchel dros y gwlydd nes bod ei goesau wedi blino'n lân. Weithiau roedd tameidiau o bridd yn mynd i'w welingtons, ac roedd yn rhaid aros i Dad eu gwagio. Teimlai'i goesau fel blociau o bren—a phrin ei fod hanner ffordd ar draws y cae eto. Roedd cae tatws Nain mor fawr!

'Oes arnat ti eisiau imi dy gario di?' gofynnodd Dad wrth ei weld yn arafu gyda phob cam.

'Oes, plîs,' meddai Dafydd, gan sefyll yn llonydd i gael ei godi.

'I fyny i'r sêr â chdi!' meddai'i dad, gan ei godi'n uchel gyda'i freichiau cryfion a'i roi ar draws ei ysgwydd, gan wneud sedd iddo gyda'i ddwylo. Ew, roedd hi'n braf cael reid!

Cododd Dafydd ei ben ac edrych i fyny. Roedd 'na filoedd o sêr bychain yn wincio yn yr awyr ddulas.

'Beth oedd hwn'na, Dad?' gofynnodd Dafydd, wrth weld golau'n fflachio ar draws yr awyr ac yna'n diflannu.

'Seren wib,' atebodd ei dad. 'Os wnei di ddal i edrych hwyrach y gweli di un arall.'

Syllodd Dafydd yn hir ar yr awyr nes ei fod yn teimlo'n eithaf chwil. Pwysodd ei ben ar ysgwydd ei dad am dipyn. Yn sydyn, gwelodd seren wib arall, un fawr ddisglair, yn croesi'r awyr ac yna'n dod yn nes ac yn nes. Glaniodd rywle yng nghanol y rhesi tatws ym mhen draw'r cae.

'Dad! Gollwng fi!' gwaeddodd Dafydd, gan lithro i lawr. 'Mae'n rhaid imi gael gweld ble disgynnodd y seren.'

Rhedodd fel milgi ar draws y cae tatws. Doedd o ddim yn teimlo'n flinedig o gwbl erbyn hyn. Gallai weld smotyn disglair yn sbecian rhwng y dail yn y pellter. Ni thynnodd ei lygaid oddi arno nes ei fod wedi cyrraedd ato.

'Dyna ryfedd!' meddai Dafydd. 'Dydi hwn'na ddim yn edrych yn debyg iawn i seren i mi.' Roedd y smotyn disglair a oedd yn eistedd yn y canol rhwng dwy res o datws yn debycach i lamp fawr gron. Penliniodd Dafydd yn y pridd a syllu rhwng dail y tatws ar y belen ddisglair.

Yn sydyn, agorodd drws yn y belen a daeth dyn main a phen rhyfedd fel taten ganddo allan ohoni. Ar ei ôl, daeth rhes hir o ddynion yn union yr un fath ag o, un ar ôl y llall, a sefyll fel milwyr ar hyd un o'r rhesi tatws. Roedd Dafydd yn methu deall sut roedd 'na le i'r holl ddynion yn y belen—doedd hi ddim mor fawr â hynny. Yna, gwnaeth y dyn cyntaf sŵn fel chwiban uchel: 'Bîb-bîb!' Er syndod i Dafydd dechreuodd y dynion rhyfedd blygu i lawr a chodi tatws o'r pridd a'u taflu i mewn i'r belen ddisglair. Roedd eu breichiau'n chwifio fel peiriannau. Roeddynt yn dwyn tatws Nain!

'Hei!' gwaeddodd Dafydd ar dop ei lais. 'Gadewch lonydd i'r tatws 'na. Nain pia nhw!'

Ond ni chymerai'r dynion rhyfedd unrhyw sylw ohono, dim ond dal ati i dyrchu yn y pridd gyda'u bysedd main a thaflu'r tatws i mewn i'r belen felynwyn. Doedd dim golwg fod y belen yn llenwi chwaith. Sut oedd lle i'r holl datws? A sut y byddai'r dynion yn medru mynd i mewn i'r belen wedyn? Doedd bosib fod 'na le i'r tatws a'r dynion!

Aeth Dafydd at y dyn main oedd ar ben y rhes datws, a gweiddi unwaith eto:

'Pam 'dach chi'n dwyn tatws Nain?'

Y tro hwn safodd y dyn yn stond a gwneud y sŵn 'bîb-bîb' unwaith eto. Yr eiliad hwnnw rhoddodd y lleill y gorau i godi tatws, a sefyll yn eu hunfan. 'Mae'n — rhaid — i — ni — gael — tatws,' meddai'r arweinydd mewn llais gwichlyd. 'Dynion — tatws — ydyn — ni. Tatws — ydi'n — bwyd — ni. Os — na — chawn — ni — datws — mi — fyddwn — ni'n — marw.'

Doedd ar Dafydd ddim eisiau gweld neb yn llwgu. Wel . . . roedd digon o datws ar ôl i Nain, debyg.

'O'r gorau,' meddai Dafydd. 'Ond peidiwch â chymryd rhagor. Dwi'n siŵr fod gennych chi hen ddigon rŵan. Ond sut rydych chi a'r tatws yn mynd i'r belen? Does dim hanner digon o le.'

'Dyma — sut,' ebe'r dyn main, rhyfedd. 'Mae — popeth — yn — mynd — yn — llai — ac — yn — llai — ar — ôl — mynd — drwy — ddrws — y — belen-ofod. Edrychwch — i — mewn.'

Aeth Dafydd yn nes a syllu mewn rhyfeddod drwy'r drws. Roedd y belen-ofod yn llawn o datws bychain brown fel marblis, ac roedd dynion yr un maint â llaw Dafydd yn brysur yn eu llwytho'n daclus ar bennau'i gilydd.

Clywodd Dafydd bennaeth y dynion yn gwneud sŵn 'bîb-bîb' unwaith eto, a gwelodd yr holl ddynion yn brysio tuag ato. Rywsut, yng nghanol y rhuthr, disgynnodd Dafydd ar ei wyneb drwy ddrws y belen-ofod.

'O na!' meddai, gan ei deimlo'i hun yn mynd yn llai ac yn llai.

Cyn pen chwinciad roedd yr holl ddynion eraill wedi camu i mewn ac roedd drws y belen-ofod wedi cau. Teimlodd Dafydd y belen yn codi'n uwch ac yn uwch.

'Agorwch y drws!' gwaeddodd, gan ei ddyrnu'n galed. 'Does arna i ddim eisiau dod gyda chi i blaned bell a bwyta dim ond tatws o hyd! Agorwch y drws!'

'Stopiwch — y — belen-ofod,' gorchmynnodd y pennaeth. 'Agorwch — y — drws.'

'Dydach chi 'rioed yn disgwyl imi neidio i lawr i gae tatws Nain o fan'ma,' meddai Dafydd. 'Mi fyddwn i'n torri 'nghoes.'

'Na — fyddech,' meddai'r pennaeth. 'Rydach — chi'n — ddigon — ysgafn — i'r — awel — eich — cario. Wnewch — chi — ddim — troi'n — ôl — i'ch — maint — iawn — nes — byddwch — chi — wedi — cyrraedd — y — ddaear. Da — boch — chi.'

Yn sydyn, teimlodd Dafydd ei hun yn disgyn drwy'r awyr, a'r sêr yn troi a throi o'i amgylch. Gwelodd ei dad yn sefyll ar ganol y cae tatws a'i freichiau'n agored yn barod i'w ddal.

O'r diwedd, roedd yn ddiogel ym mreichiau'i dad ac wedi troi'n ôl i'w faint arferol. Edrychodd i fyny, a gwelodd y belen-ofod yn mynd yn bellach ac yn bellach nes ei bod hi'n ddim ond smotyn bach disglair.

'Dyma ni wedi cyrraedd y ffordd,' meddai Dad toc. 'Wyt ti'n meddwl y medri di gerdded rŵan?'

Rhwbiodd Dafydd ei lygaid. 'Ydw,' meddai'n araf.

Wrth gerdded ar hyd y lôn teimlai Dafydd yn gysglyd. Tybed a oedd y dynion tatws wedi gosod rhyw hud arno! Roedd o mor gymysglyd, fel petai popeth wedi digwydd erstalwm ac nid ychydig funudau'n ôl.

'Dad,' meddai Dafydd toc, 'fory rydw i am wneud bwgan brain mawr i ddychryn y dynion-tatws 'na rhag iddyn nhw ddwyn rhagor o datws Nain.'

'Syniad da,' atebodd Dad, yn wên o glust i glust. 'Mi helpa i di.'

BOB BOB-LLIW

MALCOLM CARRICK, addaswyd gan JINI OWEN

Roedd Mistar Robat Llwyd wedi diflasu ar wisgo'r un hen ddillad y naill ddiwrnod ar ôl y llall—sanau coch, siwt frown, menig coch cynnes, het frown a sgidiau brown. A phan fyddai ar y rhain angen eu golchi roedd ganddo set arall i'w gwisgo—sanau glas, siwt las, menig glas cynnes, het las a sgidiau du. Roedd Mistar Llwyd bob amser yn edrych yr un fath yn ei ddillad undonog, di-liw a doedd neb yn cymryd fawr o sylw ohono yn y swyddfa. A dweud y gwir, roedd o wedi syrffedu ar wisgo'r un dillad, Sul, gŵyl a gwaith.

'Pe bawn i ond yn medru gwisgo'n wahanol neu brynu siwt newydd grand,' meddai'n freuddwydiol un bore Llun. Ond gan mai cyflog bach iawn a gâi yn y swyddfa doedd dim gobaith am ddillad newydd diddorol ac felly rhaid oedd bodloni ar fynd i'w waith yn ei ddillad brown arferol.

Y bore hwnnw yn y swyddfa sylwodd fod y merched i gyd yn dod i syllu arno, a phob un yn siglo chwerthin.

'Be ar wyneb y ddaear sy mor ddigri?' holodd toc.

'Eich sanau chi, Mistar Llwyd,' atebodd y merched. 'Rydych chi'n gwisgo un o bob lliw.'

'Wel ydw, wir,' atebodd, dan wenu. 'Am dwpsyn!' Ond doedd o'n malio'r un botwm corn chwaith. 'Mae un o bob lliw yn wahanol ac yn dipyn o newid i greadur undonog fel fi,' meddai.

Drannoeth—dydd Mawrth—wrth iddo wisgo, sylweddolodd Mistar Llwyd fod ganddo broblem. Dim ond un hosan o bob lliw oedd yn lân.

'Nefi blŵ,' meddai wrth roi'i siwt las amdano, 'fe fydd yn rhaid imi wisgo un o bob pâr heddiw eto.'

36

A'r diwrnod hwnnw galwodd mwy fyth o bobl i'w weld yn y swyddfa.

'Un o bob pâr heddiw eto, Bob?' meddai sawl un. 'Rwyt ti'n dod â thipyn o liw i'r swyddfa 'ma.'

Bu llawer o sgwrsio a thynnu coes ac erbyn diwedd y dydd roedd gan Bob Llwyd sawl ffrind newydd.

Fore trannoeth—dydd Mercher—yr un oedd ei broblem wrth ddewis sanau—doedd ganddo'r un pâr glân. Roedd ei wraig wedi golchi'r sanau roedd o'n eu gwisgo ddydd Llun—un hosan goch ac un hosan las.

'Does gen i ddim pâr o'r un lliw yn lân heddiw eto,' meddyliodd. 'Felly un goch ac un las amdani. Ac er mwyn cael tipyn mwy o amrywiaeth, waeth imi wisgo côt las a thrywsus brown ddim.'

Wrth i'w ffrindiau droi i mewn i'r swyddfa a gweld Bob yn ei ddillad amryliw, cafwyd llawer o sbort a chwerthin, a Bob oedd yn chwerthin fwyaf. Roedd pawb yn sôn amdano ac roedd hyd yn oed y pennaeth wedi'i alw wrth ei enw.

Rhaid oedd gwisgo dillad glân ddydd Iau a dewisodd gôt frown, trywsus glas, pâr o sanau un o bob lliw ac, am hwyl, gwisgodd un faneg goch ac un faneg las yn ogystal.

Yn y swyddfa roedd twr o bobl yn aros amdano i gael gweld sut olwg fyddai arno a chafodd groeso cynnes yn ei ddillad lliwgar. Roedd Mistar Bob Llwyd wrth ei fodd gyda'r holl sylw.

Penderfynodd wisgo'n hollol loerig fore Gwener—côt o liw gwahanol i'r trywsus, un o bob pâr o sanau, un o bob pâr o fenig ac, i goroni'r cyfan, un o bob pâr o sgidiau—un frown ac un ddu. Aeth i'w waith y bore hwnnw gyda sbonc newydd yn ei gam gan wybod y câi groeso yn y swyddfa. Er syndod iddo, yn lle cael ei gyfarch gyda'r 'Helô, Mistar Llwyd', neu'r 'Helô, Bob,' arferol yr hyn a glywodd y diwrnod hwnnw oedd, 'Helô, Bob Bob-lliw'. Plesiai'r glasenw bachog i'r dim a theimlai Bob mai'r dydd Gwener hwn oedd diwrnod hapusaf ei fywyd.

Ond ddydd Llun daeth tro ar fyd. Roedd ei ddillad i gyd wedi'u golchi a'u smwddio dros y Sul ac felly doedd ganddo ddim rheswm dros beidio â gwisgo'i ddillad anniddorol arferol.

'Twt! Pa wahaniaeth?' meddai wrtho'i hun, gan wenu'n ddireidus a mynd ati i ddewis un o bob pâr o bopeth oedd ganddo i'w wisgo. Ac o hynny allan, pe gofynnai rhywun iddo pam yr oedd o'n gwisgo mor od, ei ateb fyddai: 'Dim ond y rhain sy'n lân.' Ac wrth gwrs, roedd o yn llygad ei le!

IGO-IGI A'R FIDEO

RHIANNON IFANS

Roedd hi'n dawel iawn ar y Blaned Ddu. Doedd yno ddim teledu a dim ceir. Roedd yno ddigon o fyrddau coffi ond dim un teledu i'w roi arnynt. Roedd yno ddigon o ffyrdd llydain ond dim un car i'w yrru drostynt. A dweud y gwir doedd neb ar y Blaned Ddu erioed wedi clywed am deledu na char—na hyd yn oed am feic.

Ond doedd neb yn poeni dim am hynny. Yn lle teledu roedd yno ddigon o bartïon pen-blwydd yn para am ddyddiau ar y tro. Phoenai neb chwaith am geir budr, swnllyd na beic yr oedd yn rhaid ei bedalu cyn iddo symud hanner centimetr. Jetiau-gofod oedd popeth yno. Jetiau-gofod a phartïon.

Ar y Blaned Ddu yr oedd Igo-Igi yn byw. Y diwrnod y dathlodd ei ben-blwydd yn saith oed cafodd Igo-Igi docyn jet-ofod i unrhyw le yn y gofod yn anrheg gan ei dad a'i fam. Cafodd hefyd barti enfawr. Daeth pawb ar y blaned i'r parti, naw mil i gyd, ac fe barodd am wythnos gyfan nes bod pawb wedi ymlâdd. Cawsant frechdanau mwyar duon, jeli du, hufen iâ du, a theisen anferth o siâp y gofod gyda sêr-eisin duon yn tywynnu o'i chylch ym mhobman. Parti pen-blwydd Igo-Igi yn saith oed oedd y parti pen-blwydd gorau a gafwyd erioed.

Ond doedd y parti'n ddim wrth yr antur yn y jet-ofod. Ryw brynhawn dydd Llun fe benderfynodd Igo-Igi fynd ar daith i rywle lle nad oedd erioed wedi bod o'r blaen. Dyna dasg anodd oedd hynny—penderfynu i ble i fynd.

'Pam nad ei di i'r ddaear?' meddai ei dad.

'Pam lai?' cytunodd Igo-Igi.

Rhedodd ar ei union i'r orsaf ofod ac i mewn ag ef i jet-ofod fawr ddu. Eisteddodd wrth y ffenestr. Wrth ei benelin yr oedd blwch botymau. Gwasgodd y botwm ac arno'r geiriau: TEITHIAU TWP I'R DDAEAR, rhoddodd ei docyn yn y twll tocynnau ac aros i'r jet-ofod esgyn. DEG NAW WYTH SAITH CHWECH PUMP PEDWAR TRI DAU UN—do, fe gododd y jet-ofod fel gwennol i'r awyr ac ymhen hanner awr roedd wedi glanio yn Llanfihangel Gwion Goch, dair miliwn o filiynau o filltir-oedd i ffwrdd ar dir Cymru. Wyddai Igo-Igi ddim ar y ddaear ble'r oedd.

Nid fod ganddo lawer o ots. Roedd yn rhy brysur o lawer yn poeni am y pethau rhyfedd oedd y tu allan i'r jet-ofod. Dau beth blewog, milain, gyda dannedd miniog, yn rhuthro'n ôl ac ymlaen yn orffwyll. A'r sŵn! Doedd dim pall arno. Fentrai Igo-Igi ddim cam o'i sedd nes bod rhywun ag awdurdod wedi gafael yn y ddau a'u cloi mewn carchar. Ond ddaeth neb ar ei gyfyl. Doedd dim llawer o bobl yn byw yn Llanfihangel Gwion Goch. Fel roedd Igo-Igi yn dechrau meddwl bod ei drip yn y jet-ofod yn mynd i fod yn drip da i ddim, rhedodd bachgen heibio i'r ddau anghenfil ac at ddrws y jet-ofod.

'Gwion Goch ydw i. Pwy wyt ti?' meddai.

'Igo-Igi,' atebodd Igo-Igi.

Roedd Gwion Goch yn meddwl na fedrai Igo-Igi ddim siarad Cymraeg ac mai siarad ffwlbri yr oedd. Doedd o ddim wedi deall mai Igo-Igi oedd ei enw go iawn.

'Sut yn y byd dwi'n mynd i ddeall y bachgen dwl yma?' meddai Gwion Goch wrth ei gŵn.

'H—E—I!' sgrechiodd Igo-Igi wrth weld Gwion Goch yn gollwng ei gŵn i'r jet-ofod. 'Anfona'r pethau milain yna allan ar unwaith! A pheth arall, dydw i *ddim* yn fachgen dwl.'

'Mae'n ddrwg gen i,' meddai Gwion Goch. 'Dwyt ti ddim yn edrych y teip i siarad Cymraeg rywsut.'

Ar ôl i Gwion Goch esbonio i Igo-Igi beth oedd cŵn, daethant yn ffrindiau mawr—Gwion Goch, Igo-Igi, Samiwel y ci a Seren ei wraig.

Yng nghyntedd yr orsaf ofod fe welai Gwion Goch stondin gandi-fflòs a phenderfynodd y byddai'n dda o beth iddynt gael ffon o gandi-fflòs bob un. Wrth ddynesu at y stondin roedd Igo-Igi yn dechrau cynhyrfu. Erbyn cyrraedd o fewn pum metr i'r peiriant candi-fflòs fedrai o aros dim hwy a neidiodd i ganol y stondin. Plastrodd ei ben â'r candi-fflòs pinc.

Rhuodd y dyn candi-fflòs arno a dechrau ffraeo nerth ei lais.

'Y lleidr cynddeiriog â thi! Beth wyt ti'n feddwl wyt ti? Pync Pinc?'

Cymerodd gryn amser i Gwion Goch gael at wraidd y sefyllfa. O'r diwedd deallodd bopeth.

'Meddwl yr oedd Igo-Igi,' meddai Gwion Goch wrth y dyn candi-fflòs, 'eich bod chi'n gwneud gwallt. Does gan fechgyn y Blaned Ddu ddim gwallt, a meddwl oedd Igo-Igi fod bechgyn y ddaear yn prynu eu gwalltiau ar stondinau fel hyn ac yna'n ei osod ar eu pennau. Gwallt coch sydd gen i a dyna pam y meddyliodd Igo-Igi mai gwallt oedd y candi-fflòs yma.'

Talodd Gwion Goch ddyn y stondin, a phrynu dau gandi-fflòs arall— i'w bwyta y tro hwn. Cafodd Samiwel a Seren lyfiad bob un gan y ddau ffrind newydd.

Yr oedd yn amser cinio erbyn hynny ac aeth y ddau fachgen a'r ddau gi i dŷ Gwion Goch a bwyta llond eu boliau o fwyd er eu bod newydd gael candi-fflòs yn union cyn cinio.

'Beth wnawn ni rŵan?' gofynnodd Igo-Igi. 'Mae fy mol bach i mor dynn, mae gen i flys cysgu ar y gwely yna o dan y ffenest.'

'Gwely?' Syllodd Gwion Goch mewn penbleth. 'Does dim gwely o dan y ffenest.'

'Oes wir. Dyma fo.' Neidiodd Igo-Igi i ben y bwrdd diferu-llestri a rhoi'r lliain sychu llestri gwlyb drosto fel cwrlid gwely.

'Clyd iawn wir, ond fel mae'n digwydd, llestri sy'n arfer bod yn fan'na nid plant. Tyrd i lawr cyn i Mam dy weld,' gorchmynnodd Gwion Goch. 'Wn i be wnawn ni—gwylio tâp fideo, ac mi gaiff y cŵn gysgu o flaen y tân.'

Wnaeth Samiwel a Seren ddim o'r fath beth, ond wyddai neb mo hynny.

Neidiodd Igo-Igi i lawr ar unwaith oddi ar y bwrdd diferu-llestri a nythu mewn cadair esmwyth o ledr du yn ystafell orau tŷ Gwion Goch. Rhoddodd Gwion dâp fideo o Jac a'r Jareniym ar y peiriant a daeth stori Jac yn dringo'r jareniym i wlad y cawr ar y sgrin. Bu'n rhaid i Gwion Goch esbonio i Igo-Igi beth oedd stori; pwysleisiodd nad hanes go iawn oedd stori ac nad oedd dim ohoni yn wir, rhag ofn i Igo-Igi ddechrau crio neu gael sterics. Ond na, roedd popeth siort orau. Eisteddai Igo-Igi yn ei gadair ddu a theimlai'n gartrefol iawn.

Ar y sgrin, gwyliodd y drafferth a gafodd Jac gyda'r sgweier cas. Roedd ar y sgweier eisiau llawer o arian rhent gan Jac a'i fam ond doedd dim dimai goch gan yr un o'r ddau i'w dalu. Gorfodwyd Jac i werthu ei fuwch ond yn lle cael arian amdani cafodd hadau jareniym.

'Dydi'r rhain yn werth dim i mi,' meddai Jac. 'Mi'u lluchiaf i nhw cyn i Mam eu gweld.' Allan i'r ardd â nhw. Erbyn y bore roedd planhigyn tal yn yr ardd. Dringodd Jac i'w gopa a darganfod gwlad y cawr drwg.

Roedd Igo-Igi wrth ei fodd yn gweld yr hanes am y tro cyntaf ac roedd Gwion Goch ar ben ei ddigon er ei fod wedi gweld y tâp o leiaf gant a deg o weithiau o'r blaen. Roedd Jac newydd gyrraedd gwlad y cawr pan ddeffrôdd hwnnw, gweld Jac a dechrau ymladd ag ef.

Anghofiodd Igo-Igi mai dim ond stori oedd hi a dechreuodd grynu yn ei gadair ledr ddu, nes bod y gadair hefyd yn crynu a nes bod y llawr o dan y gadair yn crynu. Pan luchiodd y cawr Jac yn swp ar lawr gwylltiodd Igo-Igi. Rhuthrodd at y teledu a rhoi peltan iawn i'r cawr ar y sgrin nes bod dwrn Igo-Igi yn dod allan drwy'r set i'r ochr arall; aeth ei ddwrn yn syth i'r wal y tu ôl i'r teledu nes bod twll yn y brics. Ffrwydrodd y teledu'n wenfflam, a'r blwch fideo; roedd gwydr a weiars a fflamau yn tasgu dros bob man.

Dychrynodd Igo-Igi yn ofnadwy. Rhuthrodd allan o'r tŷ a gwneud llwybr llygad i'r orsaf ofod, heibio i'r dyn candi-fflòs ac yn ei flaen i'r jet-ofod cyn i neb fedru sychu'r chwys oddi ar ei dalcen. Welodd neb mo Igo-Igi byth wedyn.

Welodd neb mo Samiwel a Seren byth wedyn chwaith. Roedd y ddau wedi hoffi'r jet-ofod gymaint, roedden nhw am fynd am reid ynddi. Doedd yr un o'r ddau wedi mynd i gysgu o flaen y tân ar ôl cinio. Na, roedden nhw wedi mynd ar eu hunion i'r jet-ofod a chuddio y tu ôl i sedd ddu Igo-Igi. Pan gyrhaeddodd Igo-Igi yn ôl i'r jet-ofod ar ffrwst gwyllt, welodd o mo'r cŵn ac i ffwrdd â nhw hefo Igo-Igi yn ôl i'r Blaned Ddu.

Mynd, mynd i'r gofod,
Dacw nhw ill tri—
Seren, Igo-Igi
A Samiwel y ci.

41

Mae ganddynt siwtiau arian
A helmed swel bob un,
Dyna antur gawsant
Ar brynhawn dydd Llun!

Roedd Gwion Goch yn hapus iawn fod ei gŵn yn y gofod.
'Biti na fyddwn i yno fy hun!' meddai.

GWE'R PRY' COPYN

adroddwyd gan D. J. WILLIAMS

Flynyddoedd lawer yn ôl, roedd geneth dlos yn byw mewn pentref bychan yng ngwlad Groeg. Geneth dlawd oedd hi, ond roedd hi'n fedrus iawn a gallai nyddu yn well na neb yn y byd.

Byddai sŵn ei throell i'w glywed o fore gwyn tan nos. Aeth sôn amdani o un pen i'r wlad i'r llall a deuai pawb o bell ac agos i'w gwylio wrth ei gwaith. Gallai frodio lluniau lliw tlws ar y defnydd.

Roedd ei gwaith mor brydferth fel y prynid popeth cyn gynted ag y byddai o'i llaw, a thelid arian da amdano.

Un diwrnod, wrth edrych arni'n gweithio mor fedrus, meddai un o arglwyddesau'r wlad wrthi:

42

'Mae dy waith yn berffaith. Mae'n rhaid mai'r frenhines ei hun sydd wedi dy ddysgu di.'

Roedd y frenhines yn un hynod am waith llaw, a dylai'r eneth fod yn falch iawn oherwydd geiriau caredig y wraig fonheddig. Ond yn lle hynny collodd ei thymer yn lân. '*Nid* y frenhines sydd wedi 'nysgu i,' meddai. 'Does neb yn y byd—ddim hyd yn oed y frenhines ei hun—yn gallu nyddu edau mor fain, a gwneud gwaith mor gain â fi.'

Clywodd ei thad hi'n siarad felly, ac meddai wrthi, 'Rwyt ti'n eneth ffôl iawn. Bydd y frenhines yn siŵr o glywed beth rwyt ti wedi'i ddweud ac fe fyddi'n siŵr o gael dy gosbi.'

Ond roedd yr eneth falch mewn tymer ddrwg. 'Rwy'n eitha siŵr na all y frenhines na neb arall wneud lliain tebyg i hwn, ac mi hoffwn i ei gweld yn trio'i llaw.'

Ar y gair, daeth hen wraig wrth ei baglau i'r ystafell. Roedd wedi'i gwisgo mewn hen fantell lwyd, a hugan ar ei phen. Aeth ar ei hunion at yr eneth a dweud wrthi:

'Fy ngeneth i, rwyt wedi dweud geiriau cas am y frenhines, ac rwyt yn haeddu cosb am hynny. Ond os wyt ti'n barod i ymddiheuro, ac addo peidio â dweud geiriau cas amdani byth eto, rwy'n siŵr y cei di faddeuant am y tro.'

Ond gwylltiodd yr eneth yn fwy fyth, ac meddai, 'Dos adre, hen wraig, wyddost ti ddim am nyddu a gwau. Rwy'n dweud eto y carwn i gystadlu â'r frenhines.'

Diflannodd yr hen wraig, ac yn ei lle safai'r frenhines ei hun. Dychrynodd pawb o'i gweld yn sefyll yno. Ond roedd y ferch mor ddrwg ei thymer ag erioed, a dywedodd, 'Rwy'n barod ar gyfer y gystadleuaeth.'

Cariwyd dau wŷdd i'r ystafell, ac eisteddodd y frenhines a'r eneth ochr yn ochr i wau. Gweithiodd y ddwy'n galed am oriau, a gwneud gwaith gwych.

Roedd y frenhines wedi gweithio darlun i'w darn hi yn dangos fel y cosbid y rhai a ddywedai eiriau cas am y frenhines a'i phobl. Credai y byddai hynny'n ddigon o wers i'r ferch falch a ffôl.

Gweithiodd y ferch ar ei lliain hi ddarlun yn dangos y frenhines a'i ffrindiau'n edrych yn flin ac yn groes, ac fel pe baent yn ffraeo â'i gilydd.

Pan welodd y frenhines waith yr eneth, teimlai'n ddig iawn, nid oherwydd y gwaith ei hun—roedd hwnnw'n dlws iawn—ond oherwydd y darlun.

'Y mae dy edafedd di'n well ac yn feinach na fy un i,' meddai'r frenhines, 'ond rwyt ti'n eneth falch a drwg, ac ni ddaw dim da i ti. Rwyt ti wedi profi mai ti yw'r nyddwraig orau yn y byd, ond oherwydd dy ddrygioni, gorfodaf di i nyddu ar hyd dy oes.'

Rhwygodd y frenhines waith yr eneth, ac ar yr un pryd trawodd hi â'i gwennol. Aeth hithau'n llai, llai, nes nad oedd, o'r diwedd, yn ddim mwy nag ewin bawd. Gwelodd y bobl a safai yno ei bod wedi'i throi'n bry' copyn.

Rhedodd y copyn i'r gornel dywyll gyntaf a welodd, ac yno y mae ef a'i blant yn nyddu ac yn nyddu hyd heddiw. Os edrychwch yn unrhyw gornel dywyll yn y tŷ, fe welwch ei we fain.

DAN Y BROGA

RAY EVANS

Roedd Dan y Broga'n byw ar lan llyn bach lle'r oedd hi'n oer ac yn wlyb ac yn braf. Yn braf, hynny yw, i Dan y Broga, oherwydd mae brogaed, yn wahanol iawn i chi a fi, yn hoffi byw mewn lleoedd oer, gwlyb.

Roedd y llyn ar waelod buarth y fferm ac roedd digon i'w weld yno drwy'r dydd. Dôi'r hwyaid yno i nofio a byddai Dan wrth ei fodd yn gwylio'u traed melyn yn symud yn y dŵr. Yna dôi'r ieir i grafu am fwyd yn agos iawn at lan y llyn, a châi Dan hwyl fawr yn eu gwylio hwythau hefyd.

Weithiau, byddai Dan y Broga yn gadael ei gartref ar lan y llyn ac yn mynd am dro bach i'r buarth i weld y gwyddau a'r twrcis. Roedden nhw mor dal fel mai prin y gallent weld Dan o gwbl, heb sôn am siarad ag ef. Roedd hynny'n drueni mawr oherwydd byddai wedi bod wrth ei fodd yn cael sgwrs â hwy. A dweud y gwir, nid oedd gan Dan neb i sgwrsio ag ef, ac weithiau teimlai'n unig iawn.

Un diwrnod, pan ddaeth yr hwyaid at y llyn i nofio, dyma nhw'n dechrau sôn am ryw gyngerdd.

'Cwac, cwac! Ydych chi'n mynd i'r gyngerdd yn y Tŷ Gwair heno, Hana Hwyaden?'

'Cwac, ydw. Mae Mot y Ci wedi gofyn i mi ganu.'

Yr un oedd testun trafod yr ieir hefyd, pan ddaethon nhw i lan y llyn.

'Clwc, wyt ti'n mynd i'r gyngerdd, Glenda? Y gyngerdd yn y Tŷ Gwair heno?'

'Clwc, ydw. Mae Mot y Ci wedi gofyn i mi adrodd.'

Clywodd Dan y Broga'r cyfan. Dyna biti na fyddai rhywun wedi gofyn iddo ef wneud rhywbeth yn y gyngerdd, meddyliodd. Ond beth a allai ef wneud? Doedd neb wedi dweud wrth Dan erioed ei fod e'n dda am wneud dim.

Aeth Dan y Broga i'r buarth. Wrth y sgubor roedd Mot y Ci yn glynu poster. Gwyliodd Dan ef yn tynnu'i ddwy bawen flaen dros y poster, dro ar ôl tro, nes ei fod yn gorwedd yn llyfn, llyfn ar ddrws y sgubor. Yna, er mwyn i bawb gael clywed, dyma Mot yn dechrau darllen yn uchel:

'Bow-wow! Heno—yn y Tŷ Gwair—am wyth o'r gloch—cynhelir Cyngerdd. Bydd Canu ac Adrodd. Croeso i bawb. Bow-wow!'

Dyma Dan y Broga yn rhoi un naid fawr nes ei fod wrth draed Mot.

'Mistar Mot, ga i ddod i'r gyngerdd—i ganu?'

Am funud, roedd Mot yn methu deall o ble y daethai'r llais.

'Mistar Mot, fi sydd 'ma, wrth eich traed chi! Ga i ddod i'r gyngerdd i ganu? Fi—Dan y Broga—rydw i wrth eich traed chi!'

Dyma Mot yn chwerthin dros y lle.

'Bow-wow! Dan y Broga! Pwy ddywedodd wrthot ti dy fod ti'n gallu canu? Jocan wyt ti wrth gwrs! Pwy erioed glywodd am froga'n canu? Llais cras, salw, sydd gan froga! Ho, ho, dyna jôc! Bow-wow!'

Dychwelodd Dan i'w gartref wrth y llyn yn benisel. 'Mi hoffwn i ganu

45

yn y gyngerdd,' meddai wrtho'i hunan. 'Dyna'r unig ffordd y gwna i ffrindiau a chael pobol i siarad â fi. Rwy'n *mynd* i ganu hefyd, waeth beth a ddywed Mot.'

A dyma Dan yn dechrau ymarfer. Mae'n wir fod ei lais, fel y dywedodd Mot, dipyn yn gras. 'Ond alla i ddim help o hynny,' meddai, 'a rhaid i fi wneud y gorau ohono.'

Yna, dyma fe'n dechrau dawnsio—hop-hop-sgipeti-hop-hop. Roedd dawnsio'n llawer haws i Dan na chanu—hop-hop-sgipeti-hop! Ac ar y sgipeti, dyma fe'n rhoi anferth o naid i'r awyr. Yna, dyma fe'n dechrau canu a dawnsio yr un pryd. 'Os na fyddan nhw'n hoffi fy *llais* i, rwy'n siŵr y byddan nhw'n hoffi'r ddawns,' meddai Dan wrtho'i hunan.

Am wyth o'r gloch yn brydlon, aeth Dan i'r Tŷ Gwair lle'r oedd yr anifeiliaid a'r adar wedi ymgynnull. Ond ni chymerodd neb yr un sylw ohono.

Cyn hir, dyma Mistar Twrci'n fflapio'i adenydd ac yn dweud:

'Mae'n bryd i ni ddechrau'r gyngerdd. Pwy sy'n mynd i ganu neu adrodd gynta?'

'Fi,' meddai Mot y Ci, a dyma fe'n dechrau canu, gan roi'i ben yn ôl a dangos ei ddannedd gwyn.

'Da iawn, da iawn!' gwaeddodd pawb pan ddaeth y gân i ben.

Tro Hana Hwyaden oedd hi wedyn. Dyma hi'n agor ei phig felen fflat ac yn dechrau canu alto.

'Ardderchog!' gwaeddodd pawb gyda'i gilydd.

Daeth tro Glenda Glwc i adrodd. Agorodd hithau'i phig a dechrau clochdar—yn uchel ac yn isel bob yn ail. Roedd pawb wedi dotio arni, a dyma nhw i gyd yn gweiddi, 'Da iawn, da iawn!'

Yna safodd gweddill yr anifeiliaid yn un rhes i aros eu tro.

O'r diwedd dyma Mistar Twrci'n fflapio'i adenydd eto ac yn dweud:

'Mae'r cantorion a'r adroddwyr i gyd wedi cael eu tro. Mae'r gyngerdd ar ben, ffrindiau.'

'Beth amdana i?' gwaeddodd Dan y Broga dros y lle, a rhoi naid i ymyl Mistar Twrci. A chyn i hwnnw gael ei anadl ato dyma Dan yn dechrau canu:

> Dan y Broga ydwyf i,
>   Rwy'n byw ar lan y llyn,
> Rwy'n hoffi neidio yn y dŵr
>   A dawnsio'n llon fel hyn.

A dyma fe'n dechrau dawnsio—hop-hop-sgipeti-hop, sgipeti-hop—gan roi anferth o naid i'r awyr ar y gair 'sgipeti'. Roedd Dan y Broga'n dawnsio am ei fywyd—welodd neb y fath ddawnsiwr heini. Hop-hop-sgipeti-hop-sgipeti-hop!

'Ardderchog!' gwaeddodd pawb ag un llais. 'Eto, eto!'

Gorfu i Dan ddawnsio bum gwaith cyn i'r anifeiliaid gael digon. Ac wedyn, dyma nhw'n tyrru o'i amgylch, am y cyntaf i siarad ag ef. O'r diwedd roedd ganddo ffrindiau.

Mae Dan y Broga'n dal i fyw yn ei lecyn gwlyb ar lan y llyn. Ac mae'n hapus iawn yn awr oherwydd mae pawb yn ei adnabod ac yn siarad ag ef. Pan fydd wedi blino gwylio'r hwyaid a'u traed melyn yn y dŵr, mae'n mynd am dro i'r buarth a bydd Mot y Ci'n dweud y newyddion diwedd-araf wrtho—sawl llo bach newydd sydd yn y beudy, a sut hwyl gafodd e'n helpu'r meistr i fynd â'r defaid i'r farchnad. Ac yn y gwanwyn, bydd yn dweud hanes yr ŵyn bach newydd sy'n prancio ar y ddôl.

Yn wir, mae gan bob creadur ar y buarth rywbeth i'w ddweud wrtho nawr. Fydd Dan y Broga byth yn teimlo'n unig eto.

OCTOPWS GWENNO

SIÂN LEWIS

Un diwrnod ym mis Chwefror fe ddaliodd Gwenno Jones octopws. Roedd hi newydd ddod adref o'r ysgol gyda Mam pan sylwodd hi ar fwndel bach blêr yn cuddio o dan ford y gegin. Roedd gan y bwndel wyth coes!

'Mam!' sibrydodd Gwenno o gornel ei cheg. 'Peidiwch â dychryn, ond mae 'na octopws wrth eich traed chi.'

'Be?' gwichiodd Mam, gan neidio i'r awyr.

'Sh!'

Cripiodd Gwenno ar flaenau'i thraed at y ford. Plygodd yn sydyn. Cyn i'r octopws gael cyfle i redeg i ffwrdd, fe gydiodd hi ynddo wrth un goes a'i godi i'r awyr.

'Iaw!' sgrechiodd Mam—ac yna fe ddechreuodd hi chwerthin. Achos wyddoch chi beth? Nid octopws iawn oedd gan Gwenno, ond octopws SANAU!

Bob diwrnod golchi byddai rhywbeth rhyfedd yn digwydd yn nhŷ Gwenno. Byddai sanau'n diflannu! Y bore hwnnw roedd ei mam wedi casglu pentwr mawr o sanau i'w rhoi yn y peiriant golchi—sanau Gwenno, sanau Alun ei brawd a sanau Mr Jones y postmon, tad Gwenno. Gwasgodd Mam y botwm a gwylio'r sanau'n sboncio'n hapus yn y dŵr a'r sebon. Ond pan agorodd hi'r drws i'w tynnu nhw allan—

dyna i chi beth od!—roedd wyth hosan wedi diflannu! Daeth WYTH HOSAN allan o'r peiriant heb bartneres!

'Waeth heb â rhoi hosan yn y cwpwrdd heb ei phartneres,' meddai Mam. Felly fe glymodd hi nhw'n un bwndel twt a'u gadael ar y stôl o dan ford y gegin. Y bwndel bach hwnnw oedd octopws Gwenno.

Fe syrthiodd Gwenno mewn cariad â'r octopws. Roedd e mor ddel gyda'i wyth coes liwgar: un yn las ac yn flewog, un arall yn binc, dwy goes yn wyn, dwy goes yn dyllog, un goes yn smotiau piws a du a'r goes olaf yn hir ac yn goch gyda streipen wen. (Hosan bêl-droed Alun oedd honno.)

'O, ga i edrych ar ôl yr octopws?' gofynnodd Gwenno.

'Cei,' chwarddodd Mam.

A dyna sut yr aeth yr octopws sanau i fyw yn ystafell wely Gwenno.

Yn y cwpwrdd teganau fe gafodd hi afael ar gap bach pom-pom. Fe wthiodd hi flaenau'r wyth hosan i mewn i'r cap. Nawr roedd y coesau'n hongian i lawr fel coesau octopws iawn. Yna fe beintiodd hi ddwy lygad fawr ar y cap yn union fel dwy lygad octopws. Roedd yr octopws sanau yn ddelach nag erioed.

Ac fe gafodd hi lawer o hwyl gydag e.

Roedd e'n newid ei siâp bob diwrnod golchi.

Weithiau—os oedd Dad a Gwenno ac Alun wedi colli rhai o'u sanau o dan y gwely—fe fyddai'r octopws yn dew, dew. Bryd arall—os oedd Mam wedi cael gafael ar bartneres ambell hosan—fe fyddai'r octopws yn denau, denau.

Un tro roedd ganddo un deg pump o goesau.

Dro arall dim ond pedair.

Ar y noson olaf o Chwefror deg coes oedd ganddo. A'r noson honno fe ddiflannodd e!

Ar Dad ac Alun roedd y bai.

Roedden nhw byth a hefyd yn gwneud hwyl am ben yr octopws.

Pan ddaeth Dad adref o'r gwaith y noson honno, fe welodd e Gwenno'n darllen wrth ford y gegin a'r octopws yn ei chôl. Roedd hi'n dysgu geiriau'r gân 'Deg neidr fach ar ben y wal' ar gyfer Cyngerdd Gŵyl Ddewi'r ysgol.

'Hei, Gwen fach!' meddai Dad, gan ei goglais hi, 'Beth wyt ti'n wneud â bwndel o hen sanau ar dy gôl?'

'Ie. Dere ag e 'ma. Fe dafla i e i'r bin i ti,' gwaeddodd Alun o'r drws.

'Dyw bwndel o hen sanau'n werth dim i neb,' chwarddodd Dad.

'Nid hen sanau ŷn nhw,' meddai Gwenno.

'Ie!' meddai Alun.

'Nage! Wedi colli'i phartneres mae pob un ohonyn nhw.'

'Wel, dyw hosan heb bartneres yn dda i ddim,' meddai Alun. A dechreuodd e a Dad hopian o gwmpas ar un droed gan biffian chwerthin.

Cododd Gwenno ar ei thraed ac edrych i lawr ei thrwyn ar y ddau.

'Fe gawn ni weld pwy sy'n iawn,' meddai. 'Chi neu fi.' Ac i ffwrdd â hi i'w hystafell a gwên ar ei hwyneb.

Erbyn nos drannoeth roedd yr octopws wedi diflannu. Ac roedd hynny'n drueni, achos y noson honno fe gollodd Dad ac Alun hosan bob un.

Roedd hi'n noson y Cyngerdd Gŵyl Ddewi, noson oer iawn. Roedd ar Dad eisiau gwisgo'i sanau gwyrdd blewog, ond allai e ddim. Roedd un o'i sanau gwyrdd blewog e wedi diflannu.

Roedd ar Alun eisiau gwisgo'i sanau du â streipen las, y sanau oedd yn edrych mor dda gyda jîns. Ond allai e ddim. Roedd un o'i sanau du streip e wedi diflannu. Doedd dim sôn amdanynt yn unman.

Roedd Dad ac Alun braidd yn hwyr yn cyrraedd neuadd yr ysgol ar gyfer y cyngerdd. Lwcus bod Mam wedi cadw lle iddyn nhw yn y rhes flaen. Yn union wedi iddyn nhw eistedd i lawr dyma Gwenno a'i dosbarth yn martsio i'r llwyfan—deg ohonyn nhw un ar ôl y llall. Safodd y deg y tu ôl i wal gardbord hir. Roedd rhywbeth lliwgar ar fraich pob un.

'Mae dosbarth Miss Harris yn mynd i ganu "Deg neidr fach ar ben y wal",' cyhoeddodd y prifathro'n uchel.

WHISH! Cyn iddo orffen siarad, fe sbonciodd deg neidr liwgar ar ben y wal, deg neidr fach byped gyda llygaid mawr melyn a thafodau hir coch. Dechreuodd y deg neidr fach ddawnsio a chanu.

O, roedden nhw'n ddoniol!

Daeth gwich fawr o chwerthin oddi wrth bawb yn y neuadd—pawb ond Dad ac Alun. Roedden nhw'n syllu ac yn syllu ar y nadroedd a'u llygaid bron â neidio o'u pennau.

Roedd y neidr gyntaf yn WYRDD ac yn FLEWOG.

Roedd yr ail neidr yn DDU gyda STREIPEN LAS.

Roedd y drydedd . . .

Ond cyn cyrraedd y drydedd, roedd Dad ac Alun hefyd yn chwerthin dros y lle. Taflodd Gwenno winc arnyn nhw o'r llwyfan. Roedd hi wedi chwarae tric ar y ddau. Roedd hi wedi defnyddio'u sanau coll nhw i wneud pypedau i'r cyngerdd.

'Chi ddwedodd wrtha i am gael gwared o'r bwndel sanau,' chwarddodd Gwenno, gan fagu'r octopws yn y car ar y ffordd adref.

'Lwcus na wnest ti ddim,' meddai Alun gan gipio'i hosan ddu.

'Ie. Wyddwn i ddim fod yr octopws mor dda am edrych ar ôl ein sanau coll ni,' meddai Dad gan gipio'i hosan werdd. 'Wna i byth hwyl am ei ben e eto.'

Y PEDWERYDD BRENIN

adroddwyd gan T. LLEW JONES

Y mae pawb yn gwybod y stori am y tri brenin a ddaeth o'r Dwyrain i addoli'r Baban Iesu. Ond yn ôl un hen stori fe gychwynnodd pedwar brenin ar y daith bell i Fethlehem, ar ôl gweld y Seren ryfedd yn yr awyr.

Ond dim ond tri a gyrhaeddodd y beudy lle ganed Iesu Grist. Beth a ddigwyddodd i'r pedwerydd brenin?

Methodd ef â chychwyn gyda'r tri arall am fod un o'i weision yn wael, ond wedi cael meddyg at ei was a gweld ei fod yn gwella, fe aeth yntau ar gefn ei gamel ar ôl y Seren.

Mewn cod fechan wrth ei wregys roedd ganddo yntau roddion i'r brenin newydd ym Methlehem. Meini gwerthfawr oedd ganddo ef, sef rhuddem a saffir a pherl. Roedd y rhuddem yn goch fel machlud haul, y saffir yn las fel y môr yn yr haf a'r perl yn bur ac yn wyn fel copa'r Wyddfa yn y gaeaf.

Gallai weld y Seren ddisglair ymhell o'i flaen, a brysiodd ar ei daith gan obeithio dal ei dri chyfaill cyn iddynt fynd yn rhy bell.

Ond wrth fynd trwy bentref bychan yn y wlad clywodd wraig yn gweiddi am help. Gwelodd y brenin fod milwyr yn ceisio dwyn ei bachgen. Disgynnodd oddi ar ei gamel a gofynnodd i gapten y milwyr, 'Pam rŷch chi'n dwyn y bachgen?'

'Rhaid iddo ddod gyda ni i ymladd ym myddin y brenin,' meddai'r capten yn sarrug. Yna cydiodd yn y bachgen eto a'i lusgo oddi wrth ei fam.

Rhoddodd y pedwerydd brenin ei law yn y god fach wrth ei wregys a thynnu allan y rhuddem coch.

'Cymer hwn,' meddai, 'a gad i'r bachgen aros gyda'i fam.'

Edrychodd y capten yn syn ar y maen gwerthfawr, hardd. Yna gwenodd a gadawodd y bachgen yn rhydd. Rhedodd hwnnw ar unwaith at ei fam.

'O diolch i chi, syr!' meddai'r wraig a'r bachgen gyda'i gilydd. Ond roedd y brenin wedi marchogaeth ei gamel unwaith eto, yn barod i ddilyn y Seren.

Ar ôl teithio am filltiroedd daeth at dref fechan ar lan afon. Gwelodd fod y bobl i gyd yn edrych yn drist ac yn denau. Wedi holi, deallodd fod tlodi mawr yn y dref a bod llawer o'r bobl yn marw o eisiau bwyd. Gwyddai na allai ymadael â'r lle heb wneud rhywbeth i helpu'r plant tenau a'r bobl newynog. Aeth at y prif ddyn yn y dref.

'Cymer hwn,' meddai, gan estyn iddo'r saffir glas, gwerthfawr. 'Fe elli di brynu digon o fwyd i bawb yn y dref â hwn.'

Pan glywodd y bobl am garedigrwydd y brenin, ymgrymodd pawb i lawr iddo gan weiddi,

'Salâm! Salâm! Tangnefedd Duw a fo gyda thi!'

Ond roedd yn rhaid i'r brenin frysio i ddilyn y Seren, a chyn bo hir roedd ar ei daith unwaith eto.

'Dyna fi wedi rhoi'r rhuddem a'r saffir,' meddai wrtho'i hunan wrth fynd, 'ond mae'r perl gennyf o hyd i'w roi yn anrheg i Frenin yr Iddewon.'

Teithiodd am filltiroedd lawer ac yna, un prynhawn, daeth i dref fawr.

'A welsoch chi dri brenin yn mynd heibio'r ffordd yma?' gofynnodd i bobl y dref.

'Mae yna lawer o farsiandwyr a gwŷr bonheddig yn mynd heibio'r ffordd yma bob dydd,' oedd yr ateb, 'ond welson ni ddim tri brenin trwy wybod i ni . . .'

Aeth ymlaen tua sgwâr y dref.

Ar ganol y sgwâr roedd torf fawr o bobl, ac yn y canol safai dyn tew yn gweiddi nerth ei geg. Yn ymyl y dyn tew safai merch ifanc â'i dwylo a'i thraed wedi'u clymu. Deallodd y brenin ar unwaith mai caethferch oedd hi, a bod y dyn tew yn ceisio'i gwerthu.

'Fe bryna i'r ferch,' meddai llais cras o ganol y dyrfa, ac aeth dyn tal, creulon yr olwg ymlaen at y dyn tew. Rhoddodd arian yn llaw'r arwerthwr, yna cydiodd yn drwsgl yng ngwallt y ferch a'i llusgo ar draws y sgwâr.

Ni allai'r brenin ddioddef hyn. Aeth ymlaen at y dyn tal a dweud,

'Fe bryna i'r gaethferch gen ti.'

'Na, dyw hi ddim ar werth,' meddai'r dyn tal gan chwerthin.

'Aros funud,' ebe'r brenin. 'Weli di hwn?'

Tynnodd y perl gwyn, pur o'i god. Fflachiai'r haul ar ei burdeb hardd ac agorodd y dyn tal ei lygaid led y pen.

'Wyt ti'n fodlon rhoi hwn'na am y ferch?'

'Ydw,' atebodd y brenin.

'Cymer hi, â chroeso!' gwaeddodd y dyn tal, gan gydio yn y perl gwerthfawr.

Syrthiodd y gaethferch wrth draed y brenin. Plygodd yntau a datod y cadwynau a ddaliai'i thraed a'i dwylo!

'Dyna ti,' meddai wrthi, 'yn awr rwyt ti'n rhydd i fynd ble y mynni.'

Ni allai'r gaethferch gredu'i chlustiau.

'Fi . . . yn rhydd . . . ?'

Gwenodd y brenin arni, yna cododd hi ar ei thraed.

Cyn ymadael â'r dref y prynhawn hwnnw chwiliodd y brenin o gwmpas nes dod o hyd i ŵr a gwraig caredig i roi cartref cysurus i'r gaethferch.

Ond roedd y brenin wedi gwastraffu gormod o amser. Roedd y Seren ddisglair wedi mynd o'i flaen, ac yn awr nid oedd sôn amdani yn yr awyr o gwbl, a heb y Seren i'w arwain ni wyddai pa ffordd i'w chymryd. Hefyd, nid oedd ganddo yn awr yr un anrheg i'r Baban Iesu. Dim rhuddem na saffir na pherl.

Trodd y brenin yn drist tuag adref.

'Mi af i weld y brenin newydd rywbryd eto,' meddai.

Ond aeth blynyddoedd lawer heibio cyn iddo fynd ar daith i wlad Canaan unwaith eto. Cyrhaeddodd Jeriwsalem pan oedd Iesu Grist ar fin cael ei groeshoelio. Ond mynnodd y brenin fynd at Iesu i ddweud wrtho beth oedd wedi'i rwystro rhag dod ag anrhegion iddo fel y gwnaethai'r tri brenin arall.

Ond gwenodd Iesu arno a dywedodd,

'Am iti helpu'r rhai hyn, fy mrodyr lleiaf, gwnaethost fwy drosof fi na'r tri arall.'

'HAWDD, HAWDD, NEIDIO DROS BEN CLAWDD!'

BERYL STEEDEN JONES

Roedd gan Elin gur yn ei phen. Syllai'n bwdlyd drwy'r ffenestr ar Ffion ei chwaer fawr yn chwarae'n braf ar y siglen ar ganol y lawnt. Roedd hi'n hedfan yn uchel a phlymio'n ôl, hedfan yn uchel a phlymio'n ôl, fel pendil cloc Nain. Doedd neb yn gorfod sefyll yn ei hymyl i'w gwthio pan fyddai'r siglen yn chwythu'i phlwc. Aeth Elin allan i'r ardd ati.

55

'Sut wyt ti'n gwneud hyn'na?' gofynnodd.

'Hawdd, hawdd, neidio dros ben clawdd!' oedd ateb gwirion Ffion. Byddai Ffion yn aml yn dweud rhyw bethau dwl yr oedd hi wedi'u dysgu gan ei ffrindiau mawr yn yr ysgol.

'Ia, ond sut . . . go iawn?'

'Wel, fel hyn 'tê! Dy draed a dy goesau *ymlaen* pan wyt ti'n symud ymlaen, a dy draed a dy goesau'n *ôl* pan wyt ti'n mynd wysg dy gefn—a thynnu ar y rhaffau.'

'Ga i dro?'

'Cei, mewn munud.'

Ar ôl munud hir iawn, iawn o wylio'i chwaer yn mynd drwy'i phethau, storm o ddagrau a llais Mam drwy'r ffenestr, roedd Elin yn eistedd ar bren cynnes y siglen ac yn gafael yn y rhaffau garw.

'Oes arnat ti eisiau imi dy wthio di i gychwyn?'

'NAC OES! Paid, Ffion. Cer o'r ffordd. Mi fedra i wneud yn iawn.'

'Iawn 'te. Rhyngthat ti a dy botes!' Ac i ffwrdd â Ffion ar wib dros y ffens i ardd drws nesaf at ei ffrind, Lowri.

Gwthiodd Elin ei choesau allan o'i blaen mor syth â choesau Sindy ac yna'u plygu nhw'n ôl yn sydyn a dal y siglen yn dynn yn yr hafnau y tu ôl i'w phennau gliniau. Teimlodd y siglen yn ysgwyd ychydig . . . ac yna'n llonyddu. Rhoddodd Elin gynnig arall arni, ac un arall, ac un arall eto nes bod y siglen yn ysgwyd yn herciog, hurt. Nid oedd modd gwneud i'r peth gwirion siglo'n iawn o gwbl—ac roedd y cur yn ei phen yn waeth.

'Mi ddo i allan toc i d'wthio di,' galwodd ei mam o'r drws cefn.

'Dim diolch. Rydw i wedi cael digon ar yr hen siglen 'ma. Mae'n wirion, beth bynnag. Rydw i am fynd i chwarae tennis efo Ffion a Lowri.'

Pan welson nhw Elin yn dringo'n llafurus dros y ffens, edrychodd y ddwy ar ei gilydd a rowlio'u llygaid.

'Ga i chwarae?'

'Na chei,' meddai Ffion.

'Dim ond dau fat sy 'ma,' eglurodd Lowri.

'Rhaid iti rannu efo mi, Ffion. Dywedodd Mam fod yn rhaid iti rannu! Rydw i'n rhannu efo ti *BOB TRO!*'

'Hy!' meddai Ffion, 'Choelia i fawr! Beth bynnag, nid fi piau nhw. Lowri piau nhw—ac mae hi'n rhannu'n barod—efo mi!'

'Yli, Elin—mi gei di dro bach gen i. Hwde!' Ac estynnodd Lowri'r bat iddi.

'Waeth iti heb,' meddai Ffion. 'Mae hi'n rhy fach i ddal y bat yn iawn. Fydd hi ddim yn gallu taro'r bêl o gwbl!'

Cronnodd y dagrau yn llygaid Elin.

'Mi fedra i wneud yn iawn. Ylwch!'

Ond roedd y bat yn teimlo'n fawr ac yn drwsgl rywsut ac yn 'cau mynd y ffordd iawn. O'r diwedd, trawodd ochr y bêl a hedodd honno'n gam i ganol llwyn tew o rosod. Aeth Ffion yn gynddeiriog.

'Wel! Dyna chdi wedi'i gwneud hi rŵan! Mae hi yng nghanol y mieri. Sut gallwn ni gael y bêl o fan'na? Rwyt ti'n rêl poen, Elin!'

Daeth lwmpyn mawr i wddf Elin a bu ond y dim iddi ddechrau crio ond yr eiliad honno daeth sŵn braf i'w chlustiau. Sŵn miwsig clychau . . . y fan hufen iâ.

Daeth Mam i'r golwg heibio i gornel y tŷ â'i phwrs yn ei llaw.

'Mae golwg poeth arnoch chi i gyd—ti, Elin, yn enwedig. Mi gewch chi hufen iâ bob un. Pa liw fasech chi'n hoffi?'

'Un plaen os gwelwch yn dda, Mrs Jones,' meddai Lowri.

'Un siocled, Mam, plîs,' meddai Ffion.

'Ga i un pinc? Un pinc i mi—pinc—pinc—pinc!'

Cyn bo hir roedd Mam yn ôl â'r hufen iâ.

'Brysiwch, blantos, cyn iddyn nhw doddi.'

'Diolch yn fawr.'

Pan welodd Elin yr hufen iâ pinc, roedd hi'n gwybod nad oedd wedi gwneud y dewis gorau. Nid rhyw liw pinc ysgafn, hyfryd oedd o ond hen liw pinc hyll—tebyg iawn i'r eli-ogla-rhyfedd 'na yn y tun crwn y byddai Mam yn ei daenu ar friw ar ôl ei olchi.

'Doedd arna i ddim eisiau un fel'na.'

'Wel wir, Elin! Un pinc ddywedaist ti.'

'Ga i'r un siocled?'

'Ffion piau'r un siocled.'

'O, 'sdim ots! Mi geith hi'r un siocled,' meddai Ffion, 'gan ei bod hi'n FACH—mi gymera i'r un mefus. M . . . m . . . m.'

Cipiodd Ffion yr un pinc o law ei mam a rhedeg draw at Lowri a oedd eisoes yn cael blas ar yr un plaen. Plannodd Elin flaen ei thafod yn ddisgwylgar i mewn i'r hufen iâ brown. Ond o! Am siom! Yn lle'r blas melys siocledaidd hyfryd a ddisgwyliai, profodd hen flas chwerw siocled-tywyll-pobl-mewn-oed.

'Ych y fi!' meddai Elin. Trwy gil ei llygaid gallai weld ei chwaer yn llyfu'r hufen iâ mefus ac yn amlwg yn ei fwynhau. Roedd hynny'n ormod iddi.

'Dydi o ddim yn deg. Ddim yn deg o gwbwl. Fi sy'n colli bob tro! Mae Ffion yn gallu mynd ar y siglen ac yn gallu chwarae tennis a rŵan mae hi'n bwyta'n hufen iâ i! Ac mae 'mhen i'n brifo . . .' Dechreuodd igian crio a gollwng y corned yn slwj ar y llawr. Ochneidiodd ei mam yn flin a dechrau clirio'r llanastr.

'O, Elin, rwyt ti'n eneth ddrwg! Mae'n well iti ddod i'r tŷ. Dwyt ti ddim yn dy hwyliau o gwbwl heddiw. Rydw i'n dechrau amau dy fod ti'n hel am rywbeth.' A rhoddodd law oer ar ei thalcen.

Roedd Elin yn boeth ac yn ddigon bodlon gorwedd ar y soffa a chael llwyaid o'r ffisig pinc 'neis' gan ei mam. Pan oedd hi ar fin mynd i gysgu teimlodd rywbeth yn pigo-cosi fel morgrugyn bach y tu ôl i'w phen-glin.

'Yr hen siglen 'na wedi sgryffinio 'nghroen,' meddai, gan grafu a chrafu i leddfu'r cosi.

Daeth ei mam i edrych.

'Nage,' meddai. 'Swigen fach sy 'na . . . tyrd imi gael gweld dy fol di. Efallai bod 'na rai eraill.'

Ac yn sicr ddigon, roedd dau neu dri o sbotiau bach llidiog yn fan'no hefyd.

'Brech yr ieir, mae'n siŵr,' meddai'i mam.

'Mi ydw i wedi cael brech yr ieir, yn do Mam?' meddai Ffion, pan ddaeth i'r tŷ toc i gael te.

'Do, pan oeddet ti tua'r un oed ag Elin rŵan.'

'Rydw i'n cofio'n iawn. Mi ges i dri deg pump o sbotiau. Does gan Elin ddim gwerth!'

'Paid â rhyfygu, Ffion! Gobeithio na chaiff hi ddim llawer, wir. Maen nhw'n hen bethau digon annifyr!'

'Ond mae arna i eisiau cael lot fawr!' mynnodd Elin.

'Chei di byth fwy na thri deg pump—chafodd neb yn yr ysgol fwy na thri deg pump. Fi gafodd y mwyaf ohonyn nhw i gyd!'

*   *   *   *

Noson ddigon rhwyfus a gafodd Elin y noson honno, a'i mam yn ôl ac ymlaen i'w llofft i leddfu'r cosi efo gwlân cotwm wedi'i drwytho mewn

58

stwff pinc oer, oer. Erbyn y bore roedd ei bochau, ei chefn, ei bol, ei choesau a'i breichiau'n frech i gyd.

'Cyfra nhw imi, Mam. Cyfra nhw, plîs!' Cyfrifodd ei Mam yn ofalus '. . . tri deg dau, tri deg tri, tri deg pedwar, tri deg pump . . . O, ac un arall ar dy drwyn . . . tri deg chwech . . . ac un arall . . .' Ond doedd Elin ddim yn gwrando. Roedd hi'n gwenu'n braf. Tri deg chwech o sbotiau . . . a mwy'n codi o hyd. Roedd hi wedi curo Ffion a holl blant eraill yr ysgol i gyd!

'Dwn i ddim sut wyt ti wedi cael cymaint o sbotiau,' meddai Ffion, gan ryfeddu at yr olwg oedd ar ei chwaer fach.

'Hawdd, hawdd, neidio dros ben clawdd!' chwarddodd Elin. Er gwaethaf yr holl gosi, roedd hi'n teimlo'n well yn barod!

DIWRNOD I'W GOFIO

ELFYN PRITCHARD

Stori am Metro coch o'r enw Moi ydi hon. Car Bryn-du oedd y Metro a Siân y ferch oedd wedi rhoi'r enw arno fo. Car da oedd o hefyd, byth yn torri i lawr, byth yn methu cychwyn. Byddai'n tanio'r tro cyntaf ym mhob tywydd—mewn tywydd llaith, gwlyb, a thywydd oer, rhewllyd.

Lawer gwaith y dywedodd tad Siân:

'Wn i ddim be wnaen ni heb y car bach coch, na wn i wir.'

59

Roedd o'n gar da am ei fod yn cael llawer o ofal. Byddai Siân yn ei olchi'n aml ac ambell dro, pan fyddai hi'n rhy brysur a Moi wedi bod ar daith ar hyd ffordd fwdlyd, byddai'i thad yn mynd â fo i'r garej i gael ei olchi. Byddai'n talu naw deg ceiniog ac yna'n gadael i'r brwsys mawr a'r dŵr a'r sebon olchi'r car yn lân. Roedd Moi wrth ei fodd yng ngolchfa'r garej, er bod y brwsys yn cosi'i ochrau braidd.

Yna, bob deufis, byddai Siân neu'i thad yn ei yrru i'r garej er mwyn i'r mecanic newid yr olew, edrych ar y plygiau a gwneud yn siŵr fod y brêcs yn gweithio'n iawn. Doedd dim rhyfedd ei fod o'n gar mor dda gan fod teulu Bryn-du yn edrych ar ei ôl mor ofalus. Ac wrth gwrs doedd o ddim yn gorfod aros allan drwy'r nos. O na, roedd ganddo fo'i gwt ei hun—garej fawr, lydan yn ymyl y tŷ.

Roedd hi'n amser prysur iawn ym Mryn-du gan fod Siân yn priodi Aled Hendre Ucha ddydd Sadwrn y Pasg. Roedd Moi wrth ei fodd efo'r holl firi. Ar y ffordd roedd o'n hoffi bod: yn gwibio i fyny ac i lawr elltydd, yn newid gêr i fynd rownd corneli ac yn cyflymu er mwyn pasio ceir eraill. Roedd o wrth ei fodd ar y ffordd. A chan fod 'na gymaint o waith paratoi ar gyfer y briodas roedd Moi yn arbennig o brysur am wythnos cyn y diwrnod mawr. Ben bore dydd Llun fe'i golchodd Siân ef yn lân ac yna fe'i gyrrodd i'r garej a'i lenwi â phetrol a rhoi gwynt yn y pedair olwyn a'r olwyn sbâr. Yna aeth hi ac Aled i'r eglwys i fynd dros y gwasanaeth er mwyn iddyn nhw wybod yn union beth i'w wneud yn y briodas. Roedd Moi wrth ei fodd pan fyddai Siân yn dreifio. Roedd o'n cael mynd yn gyflym a phasio ceir eraill ar y ffordd.

Tad Siân fu'n defnyddio'r car ddydd Mawrth. Bu'n rhaid iddo bicio i'r dref i weld y tynnwr lluniau ac i morol ynghylch y taflenni ar gyfer y gwasanaeth. Roedd tad Siân yn yrrwr gofalus iawn; doedd o byth yn gyrru'n gyflym ac fe fyddai'n mynd yn araf iawn rownd pob cornel. Anaml y byddai Moi yn cael pasio ceir eraill ar y ffordd pan fyddai o wrth y llyw. Roedd o'n gorfod bodloni ar fynd yn araf.

Ar y dydd Mercher roedd ar mam Siân eisiau'r car i fynd i'r gwesty lle'r oedd y wledd briodas i'w chynnal. Os oedd tad Siân yn gyrru'n araf a gofalus, roedd ei mam yn arafach fyth. Roedd hi'n mynd fel malwen ac yn gadael i bopeth ei phasio. Un diwrnod roedd bachgen ar gefn beic wedi'i phasio. Meddyliwch mewn difri! Beic yn pasio car! Roedd Moi wedi gwylltio'n gacwn y diwrnod hwnnw. Maen nhw'n dweud bod pobl efo gwallt coch yn gwylltio'n gynt na phobl eraill. Wel, mae ceir coch yn gwylltio'n gynt na cheir eraill hefyd.

Ond chwarae teg i Moi, doedd dim gwahaniaeth pwy oedd yn gyrru, roedd o bob amser yn gwneud ei orau. Erbyn dydd Iau a dydd Gwener roedd o fwy ar y ffordd nag oedd o'n sefyll ar y buarth; yn cyrchu pobl oddi wrth y bws a'r trên, yn nôl y blodau o'r siop, nôl taflenni'r gwasanaeth o'r wasg a chant a mil o bethau eraill er mwyn i bopeth fod yn barod ar gyfer y diwrnod mawr.

Erbyn nos Wener roedd Moi wedi blino'n lân. Ond er hynny roedd o'n edrych ymlaen yn fawr at y diwrnod wedyn. Diwrnod y briodas! Diwrnod mynd â Siân i'r eglwys yn ei gwisg wen, hardd.

Tua saith o'r gloch nos Wener daeth tad Siân o'r tŷ a cherdded at y car.

'Dyma ni,' meddai Moi wrtho'i hun. 'Mae o'n mynd i fy ngolchi i a'm sgleinio i a rhwymo dau ruban mawr gwyn ar fy monet er mwyn i bawb wybod mai fi yw'r car sy'n cario'r briodferch i'w phriodas.'

O, roedd Moi wedi bod yn edrych ymlaen at gael gwisgo'r ddau ruban gwyn. Roedd o wedi gweld digon o geir eraill yn y dref yn mynd i briodas a rubanau gwyn hardd arnyn nhw. Roedd o wedi sylwi bod pobl ar y ffordd yn aros i edrych ar gar felly. Wel, fory, edrych arno fo y byddai pawb.

Ond nid golchi'r car, na'i sgleinio, na chlymu rubanau gwynion arno fo wnaeth tad Siân. Na, yr hyn wnaeth o oedd dreifio'r Metro bach i mewn i'r garej a'i osod o mor agos i un wal nes ei fod bron â chrafu'i ochr.

'Mae'n siŵr mai codi'n fore i'm golchi i wnaiff o,' meddyliodd Moi. 'Gwell imi orffwyso er mwyn imi fod ar fy ngorau fory.'

Cysgodd yn drwm am ddwyawr cyn deffro'n sydyn. Roedd 'na gar arall yn y garej! Car gwyn oedd o, car mawr, llydan. Prin fod 'na le i Moi druan.

Mi fedrwch chi feddwl sut oedd o'n teimlo, achos mi sylweddolodd yn syth beth oedd yn digwydd. Doedd o ddim digon da i fynd â Siân i'r briodas drannoeth. O na, roedd yn rhaid cael car mawr, gwyn, smart i hynny. Roedd o'n ddigon da i redeg i bobman ac i dendio ar bawb; i nôl blodau, i fynd â mam Siân i'r gwesty, i fynd â'i thad i'r dref, i wneud cant a mil o bethau eraill. Ond doedd o ddim yn ddigon da ar gyfer diwrnod y briodas!

Bobol bach, roedd y Metro wedi gwylltio! O dan ei fonet roedd yr injian yn crynu i gyd ac yn boeth fel tân. Edrychodd ar y car mawr gwyn wrth ei ochr a gwelodd fod dau ruban gwyn, glân ar ei fonet. Roedd o'n barod ar gyfer y briodas.

Dyna pryd y sylwodd y car gwyn ar y Metro bach coch.

'Helô, grwt,' meddai. 'Be wyt ti'n ei wneud yma?'

Helô grwt, wir! Pwy oedd o'n feddwl oedd o?

'Yma rydw i'n byw,' meddai Moi yn flin.

'O, ti ydi car y fferm felly?'

'Ie.'

'Wel mae'n debyg dy fod ti'n ddigon da i redeg o gwmpas ac i siopa a phethe felly, ond dwyt ti ddim yn ddigon da ar gyfer dydd priodas. O nac wyt. Maen nhw wedi gorfod fy nghael i ar gyfer hynny.'

Chwyddodd y car mawr gwyn nes gwasgu'r Metro bron yn erbyn y wal.

'Hei, rwyt ti'n fy ngwasgu i, does gen i ddim lle,' gwaeddodd Moi.

'Paid â siarad fel'na efo fi,' atebodd y car gwyn. 'Bydd ddistaw er mwyn i mi gael noson dda o gwsg; mae gen i ddiwrnod pwysig o 'mlaen fory.'

Am amser hir wedi hynny roedd hi'n dawel yn y garej. Y car gwyn yn cysgu a Moi y Metro coch yn teimlo'n filain ac yn drist, ond yn dweud dim.

Rywbryd yn ystod y nos daeth i lawio'n drwm. Roedd sŵn glaw i'w glywed yn curo ar y to ac aeth yr awyr yn llaith y tu mewn i'r garej.

Dechreuodd y car gwyn besychu.

'O, mae'n gas gen i dywydd gwlyb,' meddai fo, 'ac mae'r hen garej 'ma'n llaith. Mae'n gas gen i awyr laith. Taswn i gartre mi fase 'na wres i sychu'r awyr. Ond does dim byd felly yma. Dyna sy'n dod o orfod aros ar hen fferm yn y wlad fel hyn.'

Ni thrafferthodd Moi i'w ateb. Doedd y glaw a'r lleithder yn poeni dim arno fo. Roedd o wedi hen arfer yn y garej ar bob tywydd.

Fore trannoeth agorwyd drws y garej a daeth tad Siân i mewn. Aeth i mewn i'r car gwyn a cheisio'i danio.

Yhy. Yhy. Yhy. Yhy.

Bu bron i Moi chwerthin yn uchel. Doedd yr hen gar gwyn, glân, er ei fod o'n meddwl ei hun gymaint, ddim yn gallu tanio. Roedd rhywbeth o'i le arno. Roedd y tywydd gwlyb yn ystod y nos a'r lleithder yn y garej wedi effeithio arno.

Daliodd tad Siân i drio am beth amser, ond doedd dim yn tycio. Chychwynnai'r car gwyn ddim.

'O diar, be wnawn ni rŵan?' meddai tad Siân. 'Mae hi bron yn amser mynd i'r eglwys a dydi'r hen gar gwirion 'ma ddim am danio. Wfft i bethau benthyg ddweda i!'

Trodd ei sylw at Moi.

'Does ond un peth amdani,' meddai. 'Mi fydd yn rhaid inni fynd yn y Metro.'

Roedd Moi wrth ei fodd pan glywodd o hyn. Ond roedd o'n dal yn flin fod tad Siân wedi bwriadu cael car arall yn ei le ar ddydd y briodas, felly fe benderfynodd na wnâi yntau danio'n syth chwaith.

Ceisiodd tad Siân ei danio, ond ddigwyddodd dim. Ceisiodd wedyn. Na, wnâi o ddim tanio.

'O diar, be sy'n bod ar bopeth y bore 'ma? Unwaith eto, ac os na wnaiff o danio'r tro yma, mi fydd yn rhaid inni gerdded i'r eglwys.'

Ond fe wnaeth Moi yn siŵr ei fod o'n tanio'r tro olaf!

Doedd dim amser i olchi Moi, a char digon budr aeth â Siân i'r briodas y diwrnod hwnnw. Ond roedd dau ruban gwyn ar y bonet ac roedd pawb ar y ffordd yn troi i edrych ar y Metro bach coch.

Wrth fynd drwy'r dref, dyna Siân yn troi at ei thad:

'Wyddoch chi be, 'Nhad,' meddai, 'dwi'n falch mai yn y Metro bach yr ydyn ni'n mynd heddiw. Mae o'n gymaint gwell na hen gar benthyg. Mae o fel un o'r teulu.'

Roedd Moi uwchben ei ddigon. A phan glywodd o glychau'r eglwys yn canu fe wyddai mai hwn oedd diwrnod mwya'i fywyd.

LLADRON YNG NGHWM-PEN-LLO

T. LLEW JONES

Roedd 'na dŷ mawr henffasiwn yng Nghwm-pen-llo, a hen wraig fach garedig a chyfoethog iawn yn byw ynddo. Miss Huws oedd ei henw.

Un noson olau-leuad, ar ôl i Miss Huws fynd i'r gwely, a phan oedd pobman yn ddistaw, daeth dau leidr at ddrws cefn y tŷ mawr. Ni welodd neb hwy'n dod gan fod pobl a phlant Cwm-pen-llo i gyd yn cysgu'n dawel yn eu gwelyau.

Mog oedd enw un o'r lladron. Yr oedd ef yn dew ac yn gyfrwys iawn. Ben oedd enw'r llall. Yr oedd ef yn denau ac yn dwp, a dyma'r tro cyntaf iddo drio'i law ar fod yn lleidr.

Daeth sgrech oerllyd hen dylluan o frig coeden oedd yn tyfu yn ymyl y tŷ.

'Ow!' meddai Ben yn uchel gan roi naid mewn dychryn.

'Shshshshsh . . .!' meddai Mog yn ffyrnig. 'Wyt ti am ddeffro'r pentre i gyd?'

'Y . . . mae'n ddrwg gen i, Mog . . .'

'Bydd ddistaw!'

'O'r gore, Mog.'

'Sh!'

'Ond . . .'

'Shsh!'

Tynnodd Mog fwndel o allweddi allan o'i boced ac aeth at y drws. Am dipyn bu'n ceisio cael allwedd i ffitio'r drws, ond methodd.

'Dratio!' meddai dan ei anadl, 'Fe fydd raid i ni dorri ffenest.'

Ond y funud honno cydiodd Ben ym mwlyn y drws a'i droi. Agorodd y drws ar unwaith! Doedd e ddim wedi cael ei gloi! Pe bai'r ddau leidr ddim ond yn gwybod hynny, byddai'r hen Fiss Huws yn mynd i'r gwely'n aml heb gloi'r drws.

'A!' meddai Mog, 'Dilyn fi.'

'Fe wnes i'n dda on'd do fe, Mog?' Roedd Ben yn awyddus iawn i ddod yn lleidr cyfrwys fel ei gyfaill.

'Gneud yn dda—beth wyt ti'n feddwl?'

'Ond fe agores i'r drws . . .'

'Roedd e ar agor, w! Doedd e ddim wedi'i gloi!'

'Ond . . .'

'Ba! Does gan bobol ddim hawl gadael 'u drysau heb 'u cloi yn y nos. Maen nhw'n drysu lladron da fel fi.'

'Ond . . .'

'Sh!' meddai Mog, gan gerdded yn ddistaw i mewn i'r tŷ. Aeth Ben yn ofnus ar ei ôl.

Yna roedd y ddau'n sefyll mewn cegin fawr. Roedd digon o olau-leuad yn dod trwy'r ffenestr iddynt allu gweld seld fawr a honno'n llawn o lestri prydferth, a silff ben tân, â llestri ar honno hefyd.

'Edrych am y *safe*,' meddai Mog yn ddistaw bach.

'*Safe*? Y . . . sut beth yw *safe* 'te, Mog?' gofynnodd Ben.

'Caton pawb! Rhyw leidr pert wyt ti, ontefe? Ddim yn gwbod beth yw *safe*! Wel . . . mae'n debyg i . . . yn debyg i . . . wel, yn debyg i focs mawr . . . wedi'i neud o haearn.'

'O? Diolch, Mog. Bocs mawr . . . wedi'i neud . . . o haearn . . .'

'Sh!'

'O—sori, Mog.'

'Sh!'

Dechreuodd Ben gerdded o gwmpas yr ystafell fawr i chwilio am y *safe*. Druan o Ben! Welodd e ddim o'r mat trwchus oedd ar lawr y gegin. Cydiodd blaen ei droed yn ei ymyl a dyma fe'n cwympo'n bendramwnwgl i'r llawr. Wrth gwympo fe drawodd ei ysgwydd yn erbyn hen gadair siglo Miss Huws—nes i honno gwympo hefyd, ar ben y bwced glo yn ymyl y lle tân. Sŵn! Wel, chlywsoch chi 'rioed y fath glindarddach yn eich bywyd! Cododd Mog ei ddwy law at ei ben a dechreuodd dynnu'i wallt ei hunan, fel dyn wedi drysu. Ar y llofft roedd Miss Huws wedi dihuno. Beth oedd y sŵn oedd hi wedi'i glywed? Doedd hi ddim yn siŵr. Cododd o'i gwely'n ddistaw a dechrau gwisgo.

Ar lawr yn y gegin roedd Ben wedi codi ar ei draed unwaith eto. Yn awr edrychai ym mhob twll a chornel am y *safe*. Yn sydyn gwelodd . . . focs mawr wedi'i wneud o haearn . . . un uchel . . . mor dal ag ef ei hun . . . yn sefyll yn erbyn y wal.

'A!' meddyliodd, 'Dyma fi wedi dod o hyd i'r *safe*. Fe fydd Mog yn falch . . .'

'Dyma hi, Mog!' meddai'n isel.

'Dyma hi, beth?' gofynnodd Mog yn dawel ond yn ffyrnig.

'Y *safe*, Mog.'

'A!' meddai'r lleidr tew, gan ddod ato ar unwaith. Edrychodd ar y *safe* roedd Ben wedi'i ffeindio.

'Twpsyn! Twpsyn! Twp!' meddai.

'Ond . . . Mog . . .'

'Nid *safe* yw hon'na'r ffŵl!'

'O? Beth yw hi 'te?'

'Y ffridj.'

Yr eiliad honno clywodd y ddau sŵn traed Miss Huws yn dod i lawr y grisiau o'r llofft. Doedd dim amser i redeg allan.

'Rhaid i ni gwato!' meddai Mog. Aeth i lawr ar ei fol ar y llawr ac i mewn o dan y bwrdd oedd yng nghanol yr ystafell. Gan fod lliain dros y bwrdd a hwnnw'n hongian i lawr ar bob ochr, roedd e wedi cael lle da iawn i ymguddio.

'Mog!' meddai Ben, a'i lais yn crynu.

'Sh!' meddai llais Mog o dan y bwrdd.

Yn awr roedd golau yn y golwg o dan y drws—yn profi bod Miss Huws yn ymyl. Ni wyddai Ben ble i droi. Clywodd sŵn traed Miss Huws yn dod at y drws. Mewn eiliad fe fyddai yn ei agor a'i weld e'n sefyll ar ganol y llawr. Cydiodd yn nrws y ffridj a'i agor. Yna roedd e tu mewn i'r ffridj a'r drws wedi'i gau ar ei ôl. Daeth Miss Huws i mewn i'r ystafell a gwasgu botwm y golau. Edrychodd o gwmpas y gegin. Gwelodd y gadair siglo'n gorwedd ar ben y bwced glo.

'Ow!' meddai'n uchel, 'Mae lladron wedi bod yn y tŷ! Rhaid i fi ffonio Sarjiant Glasgot ar unwaith.'

Aeth i ben pella'r ystafell lle'r oedd bwrdd bach a ffôn arno. Eisteddodd yn ymyl y ffôn â'i chefn at Mog y lleidr tew, a oedd yn ei gwylio'n slei o dan waelod y lliain bwrdd. Clywodd hi'n dweud, 'Helô! Sarjiant? Fi sy 'ma—Miss Huws. Mae lladron wedi bod yn y tŷ 'ma. Efalle 'u bod nhw 'ma nawr. Dewch ar unwaith os gwelwch chi'n dda.'

Gwelodd Mog ei gyfle. Os oedd e'n mynd i ddianc, byddai'n rhaid iddo fynd nawr tra oedd yr hen wraig yn brysur ar y ffôn. Sleifiodd allan o dan y bwrdd ac aeth am y drws ar ei draed a'i ddwylo.

'O'r gore, Sarjiant, dwy funud. Diolch yn fawr i chi. Fydda i'n eich disgw'l chi.'

Rhoddodd yr hen wraig y ffôn i lawr. Y funud honno diflannodd y lleidr tew trwy'r drws.

Y tu mewn i'r ffridj fawr ni allai Ben, druan, weld na chlywed dim oedd yn mynd ymlaen y tu allan. Ond fe deimlai'n oer iawn ac roedd ei ddannedd yn clecian. Ond roedd arno ofn agor y drws serch hynny.

Cododd yr hen wraig y gadair siglo oddi ar y llawr ac edrychodd o gwmpas i weld a oedd rhywbeth wedi cael ei ddwyn. Yna clywodd gnoc ar y drws. Roedd Sarjiant Glasgot wedi dod.

'Wel, Miss Huws, ble mae'r lladron?' gofynnodd, gan dynnu'i lyfr bach o'i boced.

'Wel . . . y . . .' meddai'r hen wraig, 'Diolch i chi am ddod, Sarjiant . . . ond rwy'n ofni . . . efalle . . . 'u bod nhw wedi mynd.'

'Wedi mynd, Miss Huws? Ydych chi'n siŵr 'u bod nhw wedi bod 'ma? Nid breuddwydio wnaethoch chi, iefe?'

'O na, na, Sarjiant, wir i chi. Fe glywes i sŵn o'r llofft a phan ddois i lawr roedd y gadair siglo wedi . . .'

Yr eiliad honno agorodd drws y ffridj. Edrychodd Miss Huws a'r sarjiant yn syn pan welsant ryw greadur gwyn . . . â rhew drosto i gyd yn cerdded yn stiff allan ohoni. Am foment roedd y sarjiant wedi cael gormod o sioc i ddweud dim bron.

'Beth . . . byb—byb—byb?' meddai.

'O, druan bach!' meddai Miss Huws.

Ond erbyn hyn roedd y sarjiant wedi dechrau deall pethau.

'Druan bach, Miss Huws!' meddai, 'Ond dyma'r lleidr! Wedi bod yn cwato yn y ffridj!'

Cydiodd Sarjiant Glasgot yn Ben a'i ysgwyd.

'Na, Sarjiant,' meddai'r hen Fiss Huws garedig, 'Mae e wedi rhewi.'

'Eitha reit ag e!' meddai'r sarjiant, 'Lleidr yw e!'

'Dwy i ddim yn credu'i fod e wedi dwyn dim byd,' meddai Miss Huws.

'Y—y—y—y—naddo,' meddai Ben. Erbyn hyn roedd arno gywilydd ei fod wedi meddwl dwyn dim o dŷ'r hen wraig garedig yma. Erbyn hyn hefyd roedd e wedi dechrau drwgdybio bod Mog wedi mynd a'i adael.

'Ond mae e wedi torri mewn i'ch tŷ chi, Miss Huws!' Tynnodd Sarjiant Glasgot ei bensil allan yn barod i ysgrifennu yn y llyfr bach.

Gwenodd Miss Huws arno. 'Na, dyw e ddim wedi *torri* mewn i'r tŷ 'ma, Sarjiant, roedd y drws cefn ar agor.'

'Ond . . .'

'Twt, twt, Sarjiant. Nawr, os yw e'n barod i addo na fydd e ddim yn mynd i dai pobol i ddwyn dim byd byth eto, rwy'n awgrymu'n bod ni'n gadael iddo fynd. Mae e wedi cael 'i rewi am 'i ddrygioni'n barod.'

'Ond . . .!'

'O ie, Sarjiant . . . mae gen i hen jwg fach fan hyn . . . rwy'n gwybod fod eich gwraig yn hoff o hen lestri . . . rwy i am iddi 'i chael hi . . .'

Trodd Sarjiant Glasgot at Ben.

'Wyt ti'n addo?' gofynnodd.

'Ydw, wir i chi, *dim byth mwy* . . .'

'Wel bant â thi 'te!'

A gyda'r gair dyma fe'n codi'i esgid-polîs fawr ac yn rhoi cic i Ben yn ei ben-ôl, nes bod hwnnw druan yn mynd allan trwy'r drws cefn fel bwlet.

A wir i chi, fe gadwodd Ben at ei air hefyd, ac aeth e byth wedyn gyda'r hen Fog twyllodrus, yn nyfnder nos, i ladrata o dŷ neb.

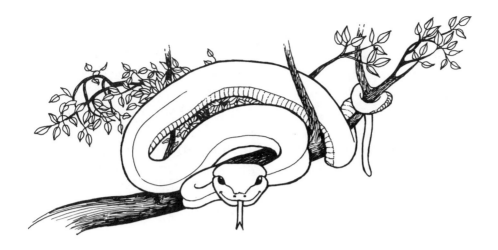

SUT Y COLLODD Y NEIDR EI CHOESAU

PEGGY APPIAH, addaswyd gan GLENYS HOWELLS

Un diwrnod, amser maith yn ôl, yn India'r Gorllewin, daeth yr anifeiliaid i gyd at ei gilydd, pob un wan jac ohonyn nhw, a phenderfynu clirio'r goedwig ac adeiladu fferm. Gan fod hyn yn golygu cymaint o waith, daethant i'r casgliad mai'r peth gorau i'w wneud oedd rhannu'r gwaith—a rhannu'r cynnyrch hefyd, yn nes ymlaen.

Codasant yn gynnar y bore cyntaf, ac i ffwrdd â nhw i'r goedwig i ddechrau ar y gwaith. Prysurodd y neidr ar eu hôl i ymddiheuro na allai hi fynd gyda nhw y bore hwnnw; roedd ganddi rywbeth pwysig iawn i'w wneud gartref.

Gweithiodd yr anifeiliaid yn galed—fel lladd nadroedd!—drwy'r dydd, dan ganu ac adrodd jôcs wrth ei gilydd. Roedd hi'n syndod mor fuan y torrwyd cefn y gwaith, a throesant am adref fin nos yn fodlon iawn eu byd.

Yr ail fore, derbyniwyd ymddiheuriad gan y neidr drachefn. Roedd ei mam yn sâl ac ni allai'i gadael ar ei phen ei hun. Ac felly'r oedd hi bob dydd. Roedd gan y neidr wastad ryw esgus—roedd hi wastad yn rhy brysur i helpu'r lleill. Ond wedi iddyn nhw fynd at eu gwaith, sleifiai hithau ar eu hôl a dringo i ben coeden uchel i'w gwylio.

Ac roedd hi'n feirniadol iawn ohonyn nhw hefyd. Ac yn siŵr y gallai hi wneud yn well na nhw, bob yr un ohonyn nhw. Crwydrai o gwmpas yn dweud wrthyn nhw sut i wneud hyn a sut i wneud arall, ond gan osgoi gwneud unrhyw waith ei hunan. Gan nad arhosai'n hir yn yr un man, meddyliai'r lleill i gyd ei bod yn gweithio yn rhywle arall.

'Nid fel'na mae palu, y twpsyn!' meddai wrth y carw. 'Fel hyn.'

Ac i ffwrdd â hi at y nesaf.

'Does gen ti ddim syniad sut i blannu pethau,' meddai wrth yr afr. 'Cymer di gyngor gen i . . .'

'Mi ddylet ti chwynnu mewn llinell syth, nid dros bob man fel rwyt ti'n ei wneud,' meddai wrth rywun arall.

Doedd neb yn gwneud dim yn iawn.

Ond, er bod y neidr yn gwybod popeth, wnaeth hi'r un strôc o waith ei hunan—fe wnaeth hi'n siŵr o hynny.

O'r diwedd, roedd y tir wedi'i glirio a'i balu, a'r cnydau wedi'u plannu. Daeth y glaw a thyfodd y cnydau'n gyflym. Tywynnai'r haul hefyd a chyn bo hir dechreuodd y chwyn dyfu a bu'r anifeiliaid wrthi'n brysur yn chwynnu a chwynnu a chwynnu.

Daeth yn amser cynhaeaf ac roedd yr anifeiliaid ar ben eu digon.

Ond, un bore, pan aethant allan i'r caeau, gwelsant fod y cnydau gorau wedi cael eu dwyn. A digwyddodd yr un peth drannoeth—a thrennydd—a thradwy. Roedd yr anifeiliaid i gyd o'u co'n las ulw.

'Pwy sy'n cymryd mwy na'i siâr o'n cnydau ni?' meddent yn ddig.

Galwyd pwyllgor brys ac etholwyd Anansi yn gadeirydd am ei fod yn enwog am ei ddoethineb a'i gyfrwystra, a'i allu i orchfygu anifeiliaid mwy a chryfach nag ef ei hun. (Roedd Anansi'n ddyn *ac* yn bry' copyn—cnaf cyfrwys, twyllodrus a barus, ond hoffus yr un pryd. Pan fyddai mewn perygl gallai droi'n bry' copyn a dianc i ddiogelwch ei we.)

Gadawodd Anansi i'r anifeiliaid eraill drafod y mater ac wedi iddynt gau pen y mwdwl dywedodd: 'Mae gen i gynllun, ond wna i mo'i ddatgelu ar hyn o bryd rhag ofn mai un ohonon ni sy'n dwyn y cnydau. Rhowch ganiatâd i mi ddal y lleidr yn fy ffordd fy hunan.'

Cytunodd pawb.

Anfonodd Anansi hwy adref a dweud wrthynt am gadw draw o'r fferm am rai dyddiau. 'Byddwch yn amyneddgar,' meddai. 'Mi fydda i wedi dal y lleidr o fewn wythnos.'

Gorchmynnodd Anansi ei fab i fynd i nôl tri llond baril o dar o'r pentref nesaf. Wedi iddi nosi, aethant draw i'r fferm. Roedd hi'n noson olau leuad braf. Arllwysodd y ddau'r tar o gwmpas y mannau hynny lle'r oedd y cnydau'n tyfu orau. Yna dringodd Anansi i ben coeden uchel i gadw gwyliadwriaeth. Roedd hi'n dawel iawn a bu ond y dim iddo syrthio i gysgu.

Ganol nos, clywodd sŵn traed llechwraidd yn y pellter. Bob hyn a hyn roedd y sŵn yn peidio, fel petai rhywun yn gwrando'n astud i wneud yn siŵr nad oedd 'na neb o gwmpas. Clustfeiniodd Anansi. Clywodd rywun yn nesáu at y goeden.

Cyn bo hir, clywodd Anansi sŵn rhywun yn gwingo ac yn ochneidio. 'Aha!' meddai wrtho'i hun, 'Dwi wedi dal y lleidr!' Arhosodd yn ei unfan, heb symud yr un gewyn, a chyn bo hir adnabu lais y neidr yn siarad ac yn rhegi wrthi'i hun. Roedd traed y neidr wedi glynu'n sownd yn y tar, a gwyddai Anansi na allai byth ddianc heb help.

Sleifiodd i lawr y goeden yn dawel, ac adref â fo i'w wely i gysgu tan y bore. Ben bore trannoeth galwodd yr holl anifeiliaid ynghyd ac adrodd yr hanes wrthynt. Rhybuddiodd hwy i droedio'n ofalus oherwydd y tar, ac i fynd â rhawiau gyda nhw fel y gallent orchuddio'r tar â phridd. Fel y nesaent at y fferm, clywent lais y neidr yn galw nerth esgyrn ei phen am help.

Roedd yr anifeiliaid o'u co'n lân. Cyn pen dim, roedden nhw wedi amgylchynu'r neidr ac yn ei chwipio'n galed.

'Waeth iti heb ag ymbil am drugaredd,' meddent wrthi. 'Rydyn ni wedi penderfynu dy adael di yma am noson arall, i wneud yn siŵr dy fod ti wedi dysgu dy wers yn iawn.'

Ac i ffwrdd â nhw i gasglu'r cnydau, ac i orchuddio'r tar â phridd.

Daethant yn ôl yn y bore, gyda rhaffau a ffyn. Wedi iddyn nhw wneud llwybr o bridd dros y tar a chlymu rhaffau am y neidr, dechreuasant dynnu â'u holl egni. Tynnu a thynnu—hynny fedren nhw. Gwthiasant ffyn o dan ei chorff a thynnu eto, ond yn ofer. Roedd hi'n hollol sownd.

O'r diwedd, penderfynasant dynnu gyda'i gilydd.

Tynasant a thynasant a thynasant.

A thrwy'r amser roedd y neidr yn cael ei hymestyn a'i hymestyn a'i hymestyn.

Ac yna'n sydyn, gyda gwaedd fawr, daeth y neidr yn rhydd. Llaciodd y rhaff a chwympodd yr anifeiliaid yn bendramwnwgl ar ben ei gilydd. Wedi iddyn nhw godi ar eu traed, edrychasant yn syn ar y neidr. Doedd ganddi ddim coesau! Roedd hi wedi'u gadael nhw ar ôl yn y tar—ac roedd ei chorff wedi cael ei ymestyn cymaint nes ei fod o'r un ffunud â chlamp o bry' genwair mawr.

71

Cariodd yr anifeiliaid y neidr adref, ac ymhen amser fe wellodd ei chlwyfau, ond aeth hi byth yn ôl i'w hen siâp, a hyd y dydd heddiw mae hi'n gorfod cropian o gwmpas ar ei bol yn llechwraidd, ac yn fawr ei chywilydd.

BETH A'R BABI BLODAU

GWENNO HYWYN

Swatiodd Beth yn braf dan y blancedi. Roedd hi bron â marw eisiau cysgu ac, a dweud y gwir, roedd hi'n gorfod ei phinsio'i hun dan y dillad bob hyn a hyn er mwyn cadw'n effro i glywed stori Dad.

'Roedd Lleu yn drist iawn, iawn am nad oedd ganddo fo ddim gwraig. Ond un diwrnod, pwy ddaeth heibio ond ei yncl o, Gwydion, oedd yn ddewin clyfar dros ben a phan welodd o Lleu'n eistedd â'i ben yn ei blu, roedd o'n gwybod yn iawn beth oedd yn bod. "Paid â phoeni, Lleu," meddai fo. "Mi wna i wraig iti. Mi wna i wraig iti o flodau." Wel, doedd Lleu, wrth gwrs, ddim yn credu bod y ffasiwn beth yn bosib ond, wir i ti, mi aeth Gwydion allan i'r caeau ac mi gasglodd o lond lle o flodau. Ac efo'r blodau, mi wnaeth o wraig i Lleu—y ferch dlysa a welodd neb erioed. Blodeuwedd oedd ei henw hi—am ei bod hi wedi'i gwneud o flodau, rwyt ti'n gweld—ac mi syrthiodd Lleu mewn cariad efo hi'n syth. Mi briododd y ddau. A dyna ddiwedd y stori. Nos da, Blodyn!'

72

'Aaa!' Roedd Beth wedi blino'n lân. 'Dad, wneith Mam ddod i fyny i ddeud "Nos da" wrtha i?'

'Na. Dim heno. Mae Mam wedi blino braidd. Cysga dy orau rŵan.'

A rhoddodd Dad sws glec ar dalcen Beth cyn mynd allan a chau'r drws y tu ôl iddo fo.

Swatiodd Beth yn is dan y blancedi. 'O! Pam mae Mam wedi blino bob munud? Dwi'n gwybod bod ei bol hi'n fawr ac mae'n siŵr bod cario babi o gwmpas yn eich bol yn beth blinedig ofnadwy. Ond dydi hi byth yn chwarae pêl efo fi rŵan nac yn mynd â fi i nofio. Dydi hi ddim yn dod i fyny i ddeud "Nos da" wrtha i hyd yn oed. O! Dw innau wedi cael llond bol ar y busnes babis 'ma! Mi fydd hi'n braf cael chwaer fach ond, wir, mi liciwn i tasai hi'n dod heno er mwyn i Mam gael bod yn hi'i hun eto ac er mwyn i mi gael cwmni i chwarae.'

Ac yna, mi gafodd Beth syniad! Y syniad mwya ardderchog o anhygoel o ffantastig a gafodd neb erioed!

'Mi fedra i *wneud* babi! Os medrodd y dewin 'na—beth oedd ei enw fo hefyd?—ia, Gwydion. Os medrodd Gwydion wneud gwraig i Lleu, mi fedra i wneud babi i Mam. Wedyn, fydd dim rhaid iddi hi fynd i'r 'sbyty na dim. Y cwbl fydd raid imi'i wneud fydd casglu blodau a'u gosod nhw mewn siâp babi ac wedyn ysgwyd ffon hud uwch eu pennau nhw. Mi goda i'n gynnar, gynnar fory tra bod Mam a Dad yn dal i gysgu. Mi fydd o'n syrpreis anhygoel iddyn nhw.'

Plymiodd ei phen dan y dillad a chyn pen chwinciad chwannen, roedd hi'n cysgu'n sownd.

Pan gododd Beth yn gynnar, gynnar y bore wedyn, doedd 'na ddim smic o gwbl i'w glywed yn y tŷ. Mi sleifiodd fel llygoden fach, mor ddistaw ag y medrai hi, i lawr y grisiau ac allan drwy'r gegin i'r ardd.

'Reit 'ta. Pinc ydi'r rhan fwya o gorff babi. Ei fol o a'i freichiau fo a'i goesau fo a'i wyneb o—maen nhw i gyd yn binc. Well imi chwilio am flodau pinc.'

Roedd 'na rosod yn tyfu yn un rhan o'r ardd ac yno'r aeth Beth yn syth. Mi gafodd hi dipyn o drafferth i ddewis petalau ar gyfer gwneud y babi. Roedd ambell rosyn yn binc tywyll iawn—a doedd arni ddim eisiau i'r babi edrych fel tasai fo wedi dal y frech goch. Ar y llaw arall, roedd pinc rhai o'r rhosod braidd yn olau—bron yn wyn—a doedd arni ddim eisiau i'r babi edrych fel tasai fo ar daflu i fyny chwaith! Ond roedd 'na rai

petalau oedd yr union liw iawn, heb fod yn rhy dywyll nac yn rhy olau—
ac mi aeth ati'n brysur i'w casglu nhw.

Wedyn, roedd yn rhaid meddwl am wallt i'r babi. Roedd 'na
ddigonedd o ddant y llew melyn yn tyfu ar y lawnt, ond rywsut doedd
hi ddim yn meddwl y basen nhw'n addas i wneud gwallt babi bach ac mi
benderfynodd gymryd rhai o'r rhosod melyn oedd yn tyfu i fyny wal y tŷ.
Ond yn anffodus, doedd 'na ddim blodau'n tyfu'n isel ar y goeden ac mi
fu'n rhaid iddi hi nôl cadair o'r gegin er mwyn medru cyrraedd y petalau.
Hyd yn oed wedyn, fedrai hi ddim cyrraedd yn iawn. Roedd yn rhaid iddi
hi sefyll ar flaenau'i thraed ac ymestyn ei breichiau'n uchel, uchel i fyny.

'W! Fedra i ddim cyrraedd! W! Bron iawn! Dyna ni. O'r diwedd! Aw!
Aw!'

Wrth iddi hi gydio mewn blodyn, trodd y gadair a syrthiodd Beth i
ganol y goeden rosod bigog.

'Aw! Aw!'

Ond feiddiai hi ddim crio rhag deffro Mam a Dad a difetha'r syrpreis.
Daliodd ei gwynt am funud i wrando. Na, roedd y tŷ'n berffaith ddistaw
o hyd.

Yn ofalus iawn, cariodd y petalau pinc a'r petalau melyn i'r gegin. Yna,
estynnodd ddarn mawr o bapur gwyn a'i roi ar ganol y bwrdd.
Cymerodd y petalau pinc i ddechrau a gosod rhai ohonyn nhw'n bentwr
i wneud siâp bol. Yna, cymerodd fwy i wneud siâp wyneb a breichiau a
choesau. Gosododd y petalau melyn yn ofalus ar dop y pen a safodd yn
ôl i edrych.

'Hm. Ddim yn ddrwg o gwbwl. Ond fedrwch chi ddim cael babi heb
geg. Mae ceg yn rhan bwysig iawn o fabi—efo honno mae o'n bwyta ac
yn crio.'

Aeth allan i'r ardd eto i chwilio am flodau coch i wneud gwefusau'r
babi. A wyddoch chi beth? Er bod 'na flodau pinc a melyn ac oren a
phiws, doedd 'na ddim un blodyn coch yn yr ardd o gwbl! Wyddai Beth
ddim beth i'w wneud ond yna, yn sydyn, cofiodd am ardd Mr Tomos,
drws nesaf. Roedd gardd Mr Tomos fel pin mewn papur a doedd o ddim
yn rhy hapus i neb gerdded ynddi hi heb sôn am gasglu blodau. Ond mi
sbeciodd Beth dros y wal a beth welodd hi ar y cowt o flaen y tŷ ond
blodau coch llachar mynawyd y bugail yn tyfu mewn potiau mawr.
Roedd 'na flodau glas—rhai bach n'ad-fi'n-angof—yno hefyd.

'Yr union liw i wneud llygaid i'r babi! *Rhaid* imi fynd i'w nôl nhw!'

Yn araf ac yn ofalus iawn, iawn, dringodd i ben y wal a neidiodd i lawr yr ochr arall. Roedd llenni llofft Mr Tomos wedi'u cau ond feiddiai Beth ddim gwneud smic. Sleifiodd fel cysgod ar draws y lawnt a dros y cowt. Cyrhaeddodd y potiau blodau, saethodd ei llaw allan i gipio dau flodyn bach glas a llond llaw o flodau coch. Roedd hi wedi'u cael nhw! Trodd i fynd ond, wrth wneud hynny, bachodd ei throed mewn rhaw fach roedd Mr Tomos wedi'i gadael wrth y potiau. Clec! Saethodd y rhaw ar draws y cowt a'r munud hwnnw, agorodd ffenestr llofft Mr Tomos uwchben Beth.

'Beth ydi'r sŵn 'na? Pwy sy'n tresbasu? Hei! Pwy sy 'na?'

Swatiodd Beth yn ei chwrcwd rhwng y potiau blodau. Yn ffodus, roedd hi'n ddigon agos at y tŷ, a welodd Mr Tomos moni hi. Roedd hi'n teimlo'n stiff i gyd yn ei chwrcwd yn fan'no ac roedd y blodau'n gwneud iddi deimlo eisiau tisian. Cododd un llaw i wasgu'i thrwyn yn dynn, dynn. Feiddiai hi ddim tisian, feiddiai hi ddim . . .

'O wel, mae'n rhaid mai rhyw gath felltith oedd 'na!'

Caeodd Mr Tomos y ffenestr a'r un eiliad, rhoddodd Beth ffrwydriad o disian—ATISHW!

Daliodd ei gwynt. Na, doedd Mr Tomos ddim wedi clywed. Brysiodd Beth yn ôl dros y wal ac i'r gegin.

Aeth ati wedyn i osod y blodau coch ar wyneb y babi blodau i wneud gwefusau iddo fo.

'Mae o'n edrych yn reit dda. Dim ond y llygaid rŵan. Dau flodyn bach glas. Dyna ni. W! Mae o'n ffantastig! Dw i'n siŵr na chafodd y dewin Gwydion 'na ddim cystal hwyl arni hi!'

Yr unig beth oedd yn aros oedd gwneud i'r babi ddod yn fyw ond, a dweud y gwir, doedd gan Beth fawr o syniad sut i fynd o'i chwmpas hi.

'Mae'n siŵr bod gan Gwydion ffon hud. Hm. Wel, does 'na ddim peth felly yn tŷ ni. Mi fydd raid i lwy bren wneud y tro.'

Cymerodd lwy bren o'r drôr a'i chwifio yn ôl ac ymlaen uwchben y babi blodau.

Whish. Whish. Whish.

Ddigwyddodd dim byd. Wnaeth coesau'r babi ddim symud, na'i freichiau fo. Wnaeth ei geg mynawyd y bugail o ddim agor a wnaeth ei lygaid n'ad-fi'n-angof o ddim blincio.

'Ella bod Gwydion yn deud rhywbeth.'

Chwifiodd Beth y llwy bren eto ond y tro yma, safodd yn hollol syth, hoeliodd ei llygaid ar y babi blodau a siaradodd yn glir ac yn uchel,

'Flodau melyn, coch a phinc—
Trowch yn fabi! Rŵan! 'Mhen chwinc!'

Chymerodd y blodau ddim sylw ohoni hi. Wnaeth y babi blodau ddim symud na gwneud sŵn—dim ond gorwedd yn hollol lonydd ar y bwrdd.

'Mae'n rhaid bod y Gwydion 'na yn gwybod rhyw air hud. Does 'na ddim ond un peth amdani. Mi fydd raid imi ofyn i Dad beth ydi'r gair. Mi fydd yn difetha'r syrpreis ond mi fydd Mam a Dad wrth eu boddau'r un peth.'

Dringodd y grisiau ac agorodd ddrws llofft Mam a Dad. A safodd yn stond. Doedd 'na neb yn y gwely mawr! Roedd o'n hollol wag. Ac roedd y tŷ'n berffaith ddistaw o hyd.

'Mam! Dad!'

Agorodd drws y llofft sbâr a daeth Nain ar frys ar hyd y landin i roi'i breichiau am Beth.

'Dyna ti 'nghariad i. Popeth yn iawn. Mi fu raid i Mam a Dad fynd i'r 'sbyty yng nghanol y nos.'

A'r munud hwnnw, cyn i Beth ddeall yn iawn beth oedd yn digwydd, clywodd sŵn car yn aros y tu allan, sŵn drws y tŷ yn agor, sŵn Dad yn rhedeg i fyny'r grisiau.

'Beth! Beth! Mae gen ti frawd bach. Oes wir! Y brawd bach dela gafodd neb erioed! Tyrd! Mi gei di ddod efo fi i'r 'sbyty rŵan i'w weld o a Mam.'

Brawd. Ond fedrai Beth ddim teimlo'n siomedig. Roedd unrhyw fabi'n well na'r un. A, tasai hi'n bod yn berffaith onest, roedd babi go iawn dipyn yn well na'r pentwr o flodau llonydd ar ganol bwrdd y gegin.

'Aros funud, Dad!'

A rhedodd i'r gegin i sgubo'r babi blodau i fag cyn i neb ei weld. Daeth Dad trwodd ar ei hôl hi a gafael yn dynn amdani.

'Tyrd, Blodyn! Tyrd i weld dy frawd bach!'

LLEWELYN

PHILIPPA PEARCE, addaswyd gan BRENDA WYN JONES

Dyma i chi stori am eneth fach oedd ddim yn hoffi mynd i'r ysgol. Bob bore byddai'n hwyr yn cychwyn, a hyd yn oed wedyn fyddai hi byth yn brysio rhyw lawer.

Un bore, a hithau'n mynd ling-di-long fel arfer, beth feddyliech chi ddaeth i'w chyfarfod hi? Llew! Ie, llew mawr melyn yn llenwi'r llwybr o'i blaen. Roedd yn sefyll yno'n syllu arni a'i lygaid yn disgleirio. A phan agorodd ei geg i chwyrnu arni, gallai weld ei ddannedd mawr gwynion oedd fel cyllyll mawr miniog.

'Rydw i'n mynd i dy fwyta di . . .' chwyrnodd.

'O, na,' llefodd yr eneth fach, a'i chalon yn ei gwddf.

'Aros!' gorchmynnodd y llew. 'Dydw i ddim wedi gorffen eto. Rydw i'n mynd i dy fwyta di OS NA cha i ddod i'r ysgol efo ti.'

'O, na,' meddai'r eneth fach eto. 'Chei di ddim. Chawn ni ddim mynd ag anifeiliaid anwes i'r ysgol. Dyna'r rheol.'

'Nid anifail anwes ydw i,' chwyrnodd y llew yn ddig.

Sylwodd yr eneth fach fod ei gynffon yn dechrau chwifio'n ôl ac ymlaen—*swish! swash!*

'Fe gei di ddweud mai ffrind ydw i. Tyrd, neu fe fyddwn ni'n hwyr.'

'O'r gorau,' cytunodd yr eneth fach, wedi sychu'i dagrau erbyn hyn. 'Fe gei di ddod, ond rhaid i ti addo dau beth i mi. Rhaid i ti addo peidio â bwyta neb. Dyna'r rheol.'

'Fe ga i chwyrnu, gobeithio?'

'Cei, mae'n debyg.'

'A rhuo?'

'Os oes raid i ti.'

'Iawn. Beth arall sy raid i mi addo?'

'Fy nghario i ar dy gefn yr holl ffordd i'r ysgol.'

'Croeso.' A gorweddodd y llew i lawr ar y palmant i'r eneth fach gael dringo ar ei gefn. Gafaelodd hithau'n dynn yn ei fwng mawr blewog ac i ffwrdd â'r ddau i lawr y ffordd tua'r ysgol, yr eneth fach a'r llew.

Erbyn iddyn nhw gyrraedd roedd y gloch wedi canu a'r athrawes wrthi'n galw enwau'r plant. Tawodd yn sydyn pan welodd yr eneth fach a'r llew yn cerdded i mewn i'r dosbarth. Syllodd yn gegagored ar y llew a syllodd y plant i gyd hefyd.

'Chewch chi ddim dod ag anifail anwes i'r ysgol,' meddai o'r diwedd.

'Nid anifail anwes ydi o, ond ffrind i mi,' atebodd yr eneth fach yn syth. Roedd hi wedi sylwi bod cynffon y llew yn dechrau chwifio'n fygythiol eto—*swish! swash!*

'A beth ydi enw'ch ffrind?' holodd yr athrawes, gan ddal i syllu'n amheus ar y llew.

'Llewelyn,' meddai'r eneth fach. 'Llew i'w ffrindiau.'

'Llew-el-yn.' Ysgrifennodd yr athrawes yr enw'n ofalus ar y cofrestr cyn mynd ymlaen i alw'r enwau.

'Beti Bwt?'

'Yma,' meddai llais bach o'r cefn.

'Llewelyn?'

'Yma,' mwmiodd y llew, heb agor ei geg bron. Doedd o ddim am i neb weld ei ddannedd mawr gwynion oedd fel cyllyll mawr miniog.

Trwy'r bore hwnnw eisteddodd y llew yn ufudd ar ei gadair wrth ochr yr eneth fach, yn edrych fel rhyw gath fawr flewog, a'i gynffon wedi'i chyrlio dros ei bawennau blaen. Ddywedodd o'r un gair, dim ond ateb cwestiynau'r athrawes heb agor ei geg bron. Dim chwyrnu, dim rhuo.

Amser chwarae aeth yr eneth fach a'r llew allan i'r buarth. Safodd pob plentyn yn stond, gan syllu ar y ddau am funud. Yna aeth pawb ymlaen i chwarae fel arfer. Arhosodd yr eneth fach yn y gornel a'r llew wrth ei hochr.

'Pam na chawn ni chwarae fel pawb arall?' gofynnodd y llew.

'Dydw i byth yn chwarae ar y buarth,' cyfaddefodd yr eneth fach.

'Mae'r bechgyn mawr yn rhedeg o gwmpas yn wyllt ac yn fy ngwthio i o hyd.'

'Wnân nhw ddim fy ngwthio *i*,' chwyrnodd y llew.

'Mae 'na un bachgen mawr, y mwyaf un. Tal Iestyn ydi'i enw fo. Mae o'n fy nhaflu i i'r llawr o hyd ac o hyd.'

'Ble mae o? Dangos o i mi,' meddai'r llew.

'Dacw fo.'

'A! A dyna Tal Iestyn aie? Hm, fe gofia i.'

Yr eiliad nesaf canodd y gloch ac aeth pawb yn ôl i'r dosbarth—y plant i gyd, yr eneth fach a'r llew. Tynnu llun ac ysgrifennu'n brysur y bu pawb wedyn tan amser cinio. Roedd y llew am wneud llun o'i ginio am fod arno gymaint o eisiau bwyd.

'Fydd 'na gig?' gofynnodd yn obeithiol.

'Na, pysgod a sglodion heddiw,' sibrydodd yr eneth fach.

Dysgodd hi'r llew sut i afael mewn pensil a gwneud llun pysgodyn. Edrychodd y llew ar y llun ac meddai, 'Mae'n well gen i gig.'

Ysgrifennodd yr eneth fach y geiriau o dan y llun iddo.

Amser cinio o'r diwedd ac eisteddodd y llew wrth y bwrdd gyda'r eneth fach. Roedd yn bwyta'n gyflym, gyflym a chyn i neb arall ddechrau bron roedd wedi llowcio'i ginio a llyfu'i blât yn lân. 'Mae'n well gen i gig,' ochneidiodd.

Ar ôl cinio, rhedai'r bechgyn mawr yn wyllt o gwmpas y buarth. Rhedodd Tal Iestyn, y bachgen mwyaf un, yn syth at yr eneth fach. Dechreuodd redeg o'i chwmpas mewn cylchoedd, gan ddod yn nes ac yn nes o hyd.

'Dos i ffwrdd,' rhybuddiodd y llew yn isel, 'neu fe fyddi di'n siŵr o daflu fy ffrind i'r llawr.'

'Na wnaf,' oedd yr ateb herfeiddiol a chlosiodd yr eneth fach at y llew gan guddio y tu ôl iddo. Dal i redeg yr oedd Tal Iestyn, yn nes ac yn nes o hyd.

Yna chwyrnodd y llew. Pan welodd y bachgen ei ddannedd mawr gwynion a'r rheini fel cyllyll mawr miniog fe stopiodd yn stond. Syllodd a syllodd heb symud cam.

Yna agorodd y llew ei geg yn fawr, nes bod y bachgen yn gallu gweld i lawr ei gorn gwddf. Roedd fel twnnel mawr tywyll yn barod i'w lyncu. Dechreuodd grynu.

Rhuodd y llew.

Rhuo a RHUO a RHUO.

Rhedodd yr athrawon allan i'r buarth. Rhoddodd pob plentyn ei ddwylo dros ei glustiau, pawb ond Tal Iestyn. Fe drodd y bachgen mwyaf un ar ei sawdl a dechrau rhedeg am ei fywyd. Rhedeg adref bob cam at ei fam.

Daeth yr eneth fach allan o'i chuddfan ac meddai, 'Wel, am fabi mam! Fydd arna i byth ei ofn o eto, diolch i ti.'

'Fe allwn i fod wedi'i lyncu ar un llwnc,' meddai'r llew, 'mae arna i gymaint o eisiau bwyd. Ond roeddwn i wedi addo peidio ac fe fyddet ti'n dweud y drefn.'

'Fe fyddai'i fam yn dweud y drefn hefyd. Tyrd, mae'r gloch wedi canu.'

'Dydw i ddim am aros y pnawn 'ma,' meddai'r llew.

'Cofia ddod ddydd Llun 'te,' meddai'r eneth fach.

Ddywedodd y llew ddim byd, dim ond cerdded yn araf i lawr y ffordd o'r golwg.

Ddaeth y llew ddim i'r ysgol ddydd Llun, ond fe ddaeth Tal Iestyn. Cerddodd ar draws y buarth at yr eneth fach.

'Ble mae dy ffrind efo'r geg fawr?' holodd.

'Dydi o ddim yma heddiw,' meddai hithau.

'Fydd o'n dod i'r ysgol eto?'

'O, bydd. Ryw ddiwrnod. Felly gwylia dy hun, Tal Iestyn!'

YR ORYMDAITH

MARY VAUGHAN JONES

Un diwrnod fe ddaeth pob anghenfil yn y wlad at ei gilydd i gerdded mewn gorymdaith. Roedd ar yr angenfilod eisiau dweud rhywbeth wrth y bobl. Roedd pob anghenfil wedi dechrau meddwl mai pethau rhyfedd oedd pobl.

Roedd y ddau anghenfil yn ogof yr ystlumod wedi dechrau meddwl hynny.

Roedd y saith anghenfil yn y pwll diwaelod yn meddwl yr un fath.

Roedd yr angenfilod yng ngwaelod y môr hefyd yn meddwl mai pethau rhyfedd oedd pobl, ac wrth iddyn nhw agor a chau'u cegau i ddweud hynny wrth ei gilydd, fe fyddai'r môr yn berwi a'r tonnau'n codi'n uchel.

Roedd angenfilod y creigiau duon, sydd yn angenfilod call iawn, yn meddwl erstalwm mai pethau rhyfedd oedd pobl, ac roedd pob anghenfil ym mhob llyn yn meddwl bod pobl yn bethau rhyfedd iawn.

Roedd y ddau anghenfil yn ogof yr ystlumod yn dweud: 'Bob tro y byddwn ni'n mynd allan o'r ogof ac yn mynd am dro ar hyd y ffordd, fe fydd y bobl yn rhedeg i ffwrdd yn lle dod aton ni am sgwrs.'

Roedd y saith anghenfil yn y pwll diwaelod yn dweud yr un fath.

Roedd yr angenfilod yng ngwaelod y môr hefyd yn dweud yr un fath, a'r môr yn berwi a'r tonnau'n codi'n uchel wrth iddyn nhw siarad am y peth.

Roedd angenfilod y creigiau duon, sydd yn angenfilod call iawn, wedi dod i lawr o'r creigiau un waith hefyd, ac wedi synnu wrth weld y bobl yn rhedeg i ffwrdd yn lle dod atyn nhw i siarad.

Roedd un o angenfilod y llynnoedd yn codi'i ben o'r dŵr ambell waith, ac un diwrnod roedd dyn wedi sefyll ar lan y llyn i dynnu llun yr anghenfil.

Ond pan ddaeth yr anghenfil allan o'r llyn a mynd at y dyn, gan feddwl gofyn iddo fo am gael gweld y llun pan fyddai'n barod, roedd y dyn wedi gollwng ei gamera i'r dŵr ac wedi rhedeg oddi wrth y llyn am ei fywyd.

Roedd anghenfil y llyn yn methu'n lân â deall pam roedd y dyn wedi gwneud hynny.

Am fod yr angenfilod i gyd yn methu deall pam roedd pobl yn rhedeg i ffwrdd oddi wrthyn nhw, dyma nhw'n penderfynu cael gorymdaith i ddangos bod ar angenfilod eisiau bod yn ffrindiau â phobl.

'Rhaid i ni i gyd gasglu at ein gilydd a cherdded yn orymdaith ar hyd y ffyrdd,' meddai'r ddau anghenfil o ogof yr ystlumod.

'Rhaid i ni weiddi ar y bobl a dweud wrthyn nhw am ddod aton ni i siarad,' meddai'r saith anghenfil o'r pwll diwaelod.

'Rhaid i ni ofyn iddyn nhw ddod i weld ein cartrefi,' meddai'r angenfilod o waelod y môr.

'Rhaid i ni wneud posteri i'w cario,' meddai angenfilod y creigiau duon, sydd yn angenfilod call iawn.

'Fe fydd y bobl yn falch o weld gorymdaith mor fawr,' meddai pob anghenfil ym mhob llyn.

Ymhen chwech wythnos roedd yr angenfilod yn barod i gychwyn ar eu gorymdaith.

Roedden nhw i gyd wedi casglu at ei gilydd

  o ogof yr ystlumod,

  o'r pwll diwaelod,

  o waelod y môr,

  o'r creigiau duon

  ac o'r llynnoedd.

Y tu draw i'r mynydd uchaf yn y wlad roedd yr orymdaith yn cychwyn. Roedd yr orymdaith mor hir nes ei bod yn cyrraedd o waelod y mynydd un ochr, dros gopa'r mynydd ac i lawr i waelod y mynydd yr ochr arall.

Roedd yr angenfilod wedi glynu posteri anferth ar eu cefnau.

CROESO
i
bawb
i
ogof yr ystlumod

Dewch aton ni
i siarad
at lan y llyn

Dewch
i'r pwll diwaelod
am dro

Dewch aton ni
i'r creigiau duon
am sgwrs
CROESO

Plymiwch
i
waelod y môr
i
weld
ein cartrefi

Wrth ddechrau cerdded ar hyd y ffordd roedd yr angenfilod yn taflu waliau i lawr, yn sathru'r cloddiau ac yn codi coed o'u gwraidd wrth wthio heibio iddyn nhw.

Fe ddaeth yr orymdaith at bentref a dechrau gwthio trwy'r stryd. Roedd ochrau'r angenfilod yn rhwbio yn erbyn y siopau ac yn cracio'r ffenestri. Roedden nhw'n sathru ceir oedd wedi'u parcio ar ochr y stryd. Roedd y banc a swyddfa'r post yn crynu wrth i'r angenfilod weiddi a thrio dweud wrth y bobl fod arnynt eisiau bod yn ffrindiau â nhw.

Ond doedd yna ddim pobl i wrando ar yr angenfilod. Roedd y bobl i gyd wedi gweld yr orymdaith yn dod at y pentref ac roedd pawb wedi rhedeg i ffwrdd am eu bywyd.

Roedd yr angenfilod yn methu deall pam roedd y bobl wedi rhedeg i ffwrdd fel hyn.

'Fe fydd y bobl yn y dref fawr yn siŵr o wrando arnon ni,' meddai'r angenfilod.

Ac ymlaen â'r orymdaith ar hyd y ffordd fawr i'r dref. Roedd yr orymdaith yn llenwi'r ffordd fawr, o un ochr i'r llall, a'r traffig yn methu pasio. Roedd y traffig yn troi'n ôl ac roedd ceir a faniau polîs yn rasio yno. Ond pan welson nhw'r orymdaith, dyma'r plismyn i gyd ym mhob car ac ym mhob fan yn troi'n ôl hefyd ac yn rasio i ffwrdd am eu bywyd.

Ar ôl mynd i mewn i'r dref roedd yr orymdaith yn llenwi'r sgwâr mawr ac yn llenwi'r strydoedd i gyd, y parc a gorsaf y rheilffordd. Roedd yr archfarchnad yn crynu wrth fod cymaint o angenfilod yn symud o'i chwmpas. Roedd pont y dref wedi mynd yn fwa ar i lawr yn lle bod yn fwa ar i fyny fel arfer, ar ôl i'r angenfilod ei chroesi. Roedd yr angenfilod yn cerdded rhwng y bysiau yng ngorsaf y bysiau. Roedd hi'n anodd dweud pa rai oedd yn fysiau a pha rai oedd yn draed. Ac yn y cae pêl-droed, roedd y standiau ar ddwy ochr wedi'u gwasgu at ei gilydd, a'r darn glaswellt wedi'i wasgu yn y canol rhwng y standiau, a'r cwbl wedi disgyn yn fflat ar lawr nes bod y cae pêl-droed yn edrych fel brechdan laswellt anferth.

Ond roedd yr angenfilod yn hapus ac yn codi'u cefnau i ddangos y posteri am eu bod yn meddwl y byddai pobl y dref yn siŵr o ddod atyn nhw i ddarllen y posteri.

Ond ddaeth dim un o bobl y dref yn agos at y posteri. Doedd yna neb ar ôl yn y dref. Roedd y bobl i gyd wedi rhedeg i ffwrdd neu wedi dianc o'r dref mewn ceir wrth weld yr orymdaith yn dod. Ac fe fu'n rhaid i'r angenfilod fynd yn ôl i'w cartrefi heb i neb wrando arnyn nhw a heb i neb ddarllen eu posteri.

Fe aeth y ddau anghenfil o ogof yr ystlumod yn ôl adref gan ddweud wrth ei gilydd mai pethau rhyfedd oedd pobl.

Fe aeth y saith anghenfil o'r pwll diwaelod yn ôl i'w cartrefi wedi synnu'n fawr fod pobl yn bethau mor rhyfedd.

Roedd yr angenfilod o waelod y môr wedi rhyfeddu gormod i ddweud dim wrth ei gilydd ac, am unwaith, roedd y môr yn dawel a'r tonnau'n esmwyth.

Roedd angenfilod y creigiau duon, sydd yn angenfilod call iawn, yn dechrau meddwl bod ar bobl ychydig bach, bach o ofn angenfilod, ac mai dyna pam roedden nhw'n rhedeg i ffwrdd.

A phan glywodd angenfilod y llynnoedd hynny, roedden nhw wedi synnu'n fawr iawn.

'Dyna'r peth rhyfeddaf eto,' meddai pob anghenfil ym mhob llyn.

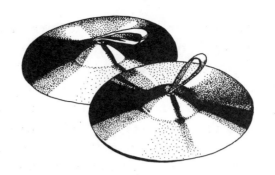

DIWRNOD MAWR DUDWAL JONES

RHIANNON IFANS

Dudwal Jones oedd seren Safon 2. Pan fyddai'r athrawes yn gofyn cwestiwn i Dudwal Jones, doedd o byth yn gwybod yr ateb ond ef, yn bendant, oedd seren Safon 2. Roedd Dudwal Jones yn gallu gwneud un peth, ac yn gallu ei wneud yn iawn. Beth oedd hwnnw? CRASH! Gallai daro'r sumbalau pres nes bod waliau'r dosbarth yn siglo, a dyna pam yr oedd y plant i gyd mor hoff o Dudwal Jones.

Roedd Dudwal i gael taro'r sumbalau pres yn swyddogol, o flaen pawb, yng nghyngerdd Nadolig yr ysgol. Byddai PAWB yn fan'no—byddai pawb yn yr ysgol yno, mam pawb yn yr ysgol, tad pawb yn yr ysgol, nain pawb yn yr ysgol, taid pawb yn yr ysgol, ffrindiau pawb yn yr ysgol, pawb yn y byd bron, nes bod neuadd yr ysgol yn orlawn at sil ei ffenestri.

Bu Dudwal Jones yn ymarfer fel fflamia am tua thair wythnos cyn diwrnod y cyngerdd, nes bod waliau ei ystafell wely yn reit wan rhwng yr holl sŵn a'r siglo. Wrth ymarfer fe safai Dudwal yn stond am amser hir, hir heb symud llaw na throed. Yn ei ben, roedd yn gallu clywed cerddorfa fawr Safon 2 yn chwarae 'O deuwch ffyddloniaid'. Sythai ei gefn pan glywai nodau 'O deuwch ac addolwn' am y tro cyntaf, codai un fraich ac un sumbal i'r awyr pan glywai hwy am yr eildro, a phan glywai'r canu am y trydydd tro gostyngai ei law arall a'r sumbal arall at ei benglin. Roedd yn barod. Unwaith y clywai'r nodyn olaf, 'CRASH!' meddai'r sumbalau pres â'u holl nerth. Lledai gwên dros wyneb Dudwal Jones wrth glywed y sŵn yn llanw'i glustiau nes eu bod yn chwyddo y tu mewn iddo fel balwnau mawr cochion. Roedd Dudwal Jones wrth ei fodd yn ymarfer.

Wrth i ddiwrnod y cyngerdd ddechrau dod yn nes roedd Dudwal Jones yn dechrau mynd yn nerfus. Wrth i'r diwrnod ddod yn nes o lawer roedd Dudwal Jones yn mynd yn fwy nerfus o lawer, nes o'r diwedd fe aeth i deimlo'n ddigon rhyfedd. Gwnâi bethau rhyfedd, gwelai bethau rhyfedd a chlywai bethau rhyfedd. Roedd byth a hefyd yn cau'i fysedd yn y drws am ei fod byth a hefyd â'i feddwl ar y sumbalau pres.

'AW!' gwaeddai Dudwal dros y tŷ, ond doedd neb yn cymryd dim sylw ohono. Roedd pawb wedi hen arfer clywed sŵn drwg yn dod o ystafell wely Dudwal Jones.

Aeth i fwyta'n flêr hefyd. Un amser te, roedd yn meddwl cymaint am ei sumbalau, dechreuodd daro dau hanner ei rolen byrgar yn ei gilydd nes bod y byrgar yn sglefrio ar ei lin a'r sôs coch yn sglefrio i lawr ei fresys coch, dros ben-glin ei drywsus melfaréd gwyn, newydd, i lawr careiau ei *trainers,* a syrthio'n byllau ar lawr.

Un amser gwely roedd yn meddwl cymaint am daro'r sumbalau, fe glywai'r dŵr yn y pibau gwres canolog yn canu pob math o ganeuon doniol ac fe gododd Dudwal Jones o'i wely, nôl y sumbalau, ac ymarfer i sŵn y dŵr.

'Taw, Dudwal!' meddai'i fam, ond doedd Dudwal ddim wedi dweud dim byd.

Fore'r cyngerdd fe gododd Dudwal am hanner awr wedi pump. Roedd ei athrawes wedi dweud wrtho fod pobl o bob rhan o Gymru yn dod i'r cyngerdd a bod pawb i fod i edrych yn smart, ac felly fe gododd Dudwal Jones yn gynharach na chŵn Caer er mwyn iddo gael paratoi. Roedd am ymolchi ei wyneb hefo sebon yn ogystal â dŵr; roedd am lanhau ei ddannedd cefn yn ogystal â'r ddau oedd yn y golwg.

Roedd hynny i gyd yn llawer iawn, iawn o waith. Ond yn fwy na hynny, roedd ganddo un peth pwysig i'w wneud. Ar achlysuron arbennig byddai Dudwal Jones yn rhoi jel ar ei wallt. Heddiw oedd diwrnod pwysicaf ei fywyd, ac roedd am gael ei wallt yn smart. Rhedodd y jel drwy'i wallt nes bod ei ben fel draenog.

'Smart iawn, Dudwal Jones,' meddai wrtho'i hun yn y drych.

Roedd yn barod erbyn chwech o'r gloch y bore. Fe eisteddodd ar ei wely ac ymarfer tan chwarter i naw, ac wedyn fe aeth i'r ysgol. Bu'n ymarfer hefo'r plant eraill yn y bore, ac erbyn dau o'r gloch, amser y cyngerdd, roedd popeth yn barod ar gyfer pawb yn yr ysgol a'u neiniau a'u teidiau o bob rhan o Gymru benbaladr, a phawb yn y byd, bron.

Doedd o ddim yn gyngerdd da iawn—ac yr oedd yn rhy hir o lawer, ond fe wnaeth pawb fwynhau'u hunain yn ardderchog. Er cymaint o hwyl a gafodd pawb, Dudwal Jones wnaeth fwynhau'i hun fwyaf. Mwynhaodd weld dosbarth y babanod yn canu, mwynhaodd eu gweld yn clapio er eu bod yn clapio yn y lle anghywir a Mrs Jones yn ysgwyd ei phen arnynt yn ôl ac ymlaen hefo curiad y garol. Mae'n siŵr y byddai wedi chwifio'i dwylo arnynt i stopio clapio tasai hi ddim yn canu'r piano yr un pryd, meddyliodd Dudwal.

Mwynhaodd weld ei ffrind mawr Catrin Samantha yn baglu wrth fynd i fyny'r grisiau i'r llwyfan i ddarllen Mathew dau. Roedd Catrin Samantha yn gorfod gwisgo ffrog laes fel angel ac fe fachodd ei throed yn y les ar y godre. Tarodd ei phen yn y llawr a sgrechian mwrdwr. Rhedodd ei mam ati i'w chodi ar ei thraed a chodi'r lastig am ei chanol ac mi roedd popeth yn iawn wedyn.

Mwynhaodd weld Bugail Chwech yn bachu mewn hoelen nes bod ei benwisg yn llithro oddi ar ei ben yn araf bach wrth iddo fynd yn ei flaen i warchod y defaid. Hongiai ei benwisg yn siomedig iawn ar y bachyn drwy gydol yr amser y bu Bugail Chwech yn rhoi anwes i'r ŵyn bach, ond dim ots, fe aeth y ddrama yn ei blaen yn ardderchog er gwaethaf hynny.

Tro Dudwal Jones oedd hi nesaf. Roedd wedi eistedd yn amyneddgar drwy'r cyfan, ond o'r diwedd fe ddaeth yn amser cloi'r cyngerdd. Cododd cerddorfa Safon 2 a mynd i'w safleoedd arferol ar gyfer 'O deuwch ffyddloniaid'. Canai'r gynulleidfa yn uchel ac yn egnïol iawn ac roedd sŵn y gerddorfa yn cryfhau ac yn cyffroi'n raddol ar gyfer yr uchafbwynt. Cyn hir roedd pob offeryn yn canu yn ei nerth, yn arbennig yr offerynnau taro. Roedd pob offeryn o'r drwm bas i'r blociau Tsieineaidd yn seinio'i orau glas.

Roedd Dudwal Jones yn sefyll yn ei le, ac yn barod. 'O deuwch ac addolwn,' canodd pawb am y tro cyntaf. Sythodd Dudwal Jones ei gefn. 'O deuwch ac addolwn,' canodd pawb am yr eildro. Cododd Dudwal Jones un fraich ac un sumbal yn uchel i'r awyr. 'O deuwch ac addolwn,' canodd pawb am y trydydd tro. Gostyngodd Dudwal Jones ei fraich arall a'r sumbal arall yn isel at ei ben-glin.

'. . . Grist o'r nef.'

'CRASH!' meddai Dudwal Jones.

Tarodd y sumbalau pres yn erbyn ei gilydd â'r fath nerth fe ollyngodd Dudwal un ohonynt o'i law. Syrthiodd y sumbal ar ben pen moel y prifathro oedd wedi dod i sefyll yn union o dan Dudwal Jones er mwyn diolch i bawb a gymerodd ran yn y cyngerdd. Roedd Mr ap Emyr y prifathro yn meddwl bod rhywun wedi ei saethu yn ei ben ac fe syrthiodd ar ei ddau ben-glin ar lawr a thrio cuddio o dan ei gadair rhag i rywun ei saethu eto. Bu'n rhaid i Mrs Jones adael y piano i berswadio Mr ap Emyr ei fod yn dal yn fyw. Rhoddodd Mrs Jones blastar mawr pinc ar ben moel Mr ap Emyr ac ymhen dim o dro yr oedd yr anaf wedi gwella'n iawn.

Chwerthin dros y lle wnaeth Dudwal Jones. Dyma ddiwrnod gorau'i fywyd ac roedd wedi mwynhau pob munud ohono'n llawn.

DIGRI A DIFRI

MEINIR PIERCE JONES

Fuoch chi erioed yn Llandudno, a chael reid ar gefn mul? Mae yna ddegau o fulod yn cario plant ar hyd y traeth yno bob haf, rhai tew a rhai tenau, rhai hen a rhai ifainc. Ac un mul bach llwyd del a hen ŵr boliog yn ei dywys o. Yncl Jac ydi hwnnw a Digri ydi'r mul. Am ei fod o'n greadur bach mor hapus y cafodd Digri ei enw. Hwyl a haul ydi pob dim iddo fo.

Mae gan Digri ffrind. Difri. Mul bach brown difrifol ydi hwnnw. Welwch chi byth mohono fo ar lan y môr efo'r plant. O, na! Dda ganddo fo ddim tywod a ffair a chadw reiat. Bob dydd yn yr haf mi fydd Yncl Jac yn codi'n fore, fore, yn gosod Difri rhwng llorpiau'r drol, ac wedyn yn ei chychwyn hi i ffarm Llannerch i nôl letys a chabaits ac ati i'w cario i'r farchnad yn y dref. Ac mae'r mul bach brown wrth ei fodd. Gwaith ydi'i bethau fo.

Ond er bod Digri a Difri mor wahanol maen nhw'n ffrindiau pennaf.

Un dydd Sadwrn ym mis Medi y llynedd roedd Yncl Jac wedi bod ar fynd drwy'r dydd. Roedd o a Difri wedi cario dau lwyth i'r farchnad yn y bore a dim ond sandwij sydyn o Marks & Spencer gafodd o i ginio cyn ei throi hi am y traeth efo Digri. Roedd hi'n bnawn braf ond doedd yna ddim llawer o blant o gwmpas.

'I-ô, i-ô,' nadodd Digri'n siomedig.

'Wel, fel'na mae hi'r hen foi,' meddai Yncl Jac wrth iddyn nhw droi am adref. 'Mi fyddan ni yma eto'r flwyddyn nesa.'

Ar ôl cyrraedd cae crwn, cartre'r mulod, rhoddodd Yncl Jac afal bob un i Digri a Difri a dweud ta-ta. Roedd o wedi blino ac yn edrych ymlaen at baned o de a seibiant bach. Agorodd ddrws y tŷ a beth welodd o ar y mat ond amlen binc a sgwennu mawr arni: YNCL JAC, 9 STRYD GLANRAFON, LLANDUDNO. Edrychodd yn graff ar y sgrifen. 'Dim bil trydan ydi hwn, na bil dŵr.' Dyma roi'r llythyr ar y bwrdd a gwneud tebotaid mawr o de. Eisteddodd yn y gadair freichiau wedyn ac agor yr amlen yn araf.

Fan'ma
Blaena Ffestiniog
Dydd Gwenar

Annwyl Yncl Jac,
Mae toileda ysgol ni wedi torri'n racs ac mi rydan ni wedi cael ein hel adra am wythnos. Dowch i aros atan ni. Mae Taid yn deud bod angan gwylia yng ngwynt y mynydd arnach chi. Welwn ni chi ddydd Sul.

Cofion chwilboeth,
Elin a Hefin a Gwenno

x x x

O.N. Cofiwch ddŵad â mul.

'Wel, wel.' Plant Ifan, mab brawd Yncl Jac, oedd Elin a Hefin a Gwenno. Ffarm braf yn y Blaenau—Glennydd—oedd eu cartref nhw. Doedd Yncl Jac ddim wedi gweld y tri ers oes pys. Gwyliau?

'Oes 'ma bobol?'

'Dicw? Tyrd i mewn, fachgan.'

'Pa hwyl?'

'Yli be ddaeth efo'r post y bora 'ma. Be wna i, d'wad?'

'Wel mynd 'te, yr hen dwl lal i ti. Mi fyddi wrth dy fodd efo'r hen blant. 'Tawn i yn dy le di, mi awn i . . .'

'Aet, m'wn.'

'Dos.'

O'r diwedd, dyma Yncl Jac yn cytuno i fynd i'r Blaenau. Ond mi roedd yna un peth yn ei boeni fo. Pa ful âi o efo fo—Digri ynteu Difri? Mi fu'n methu cysgu am oriau y noson honno. Doedd o ddim yn licio gwneud gwahaniaeth rhwng dau ful bach mor dda. Ond Difri oedd wedi gweithio galetaf drwy'r haf, yn tynnu llwythi trwm yn y drol. Roedd hi'n fyd braf ar Digri'n cario plant ar hyd y prom. Ia, Difri fyddai'n cael mynd ar ei wyliau. Ac ella y basai fo o help ar y ffarm. Ar ôl penderfynu cysgodd Yncl Jac yn sownd.

Cododd yn gynnar drannoeth, llowcio paned, rhuthro i nôl injia roc i'r plant ac wedyn am y cae crwn ar wib. Gosododd Difri rhwng llorpiau'r drol a rhoi moronen fawr i Digri. Roedd y mul bach llwyd yn edrych yn drist a dagrau lond ei lygaid mawr brown wrth weld y lleill yn cychwyn hebddo fo. Doedd Difri ddim yn edrych yn hapus iawn chwaith, ond wedyn doedd o byth yn edrych yn hapus iawn.

'Hitia befo, Digri bach. Dy dro di fydd hi y flwyddyn nesa.'

Ac i ffwrdd â Difri ac Yncl Jac. O, roedd hi'n daith hir—lot o geir ar y ffordd a'r haul yn taro'n boeth. Erbyn iddyn nhw gyrraedd roedd hi'n amser te: carnau Difri'n brifo ac Yncl Jac yn chwys domen dail. A dyna falch oedden nhw o weld giât lôn Glennydd o'r diwedd, ac Elin a Hefin a Gwenno yn eistedd ar y stêj laeth.

'Helô! Haia! O, dyma chi! Hwrê!' Neidiodd y tri i lawr a llamu i'r drol. 'Ji-yp, ji-yp!'

Dyma Difri'n rhoi ochenaid fach ac yn troi ac edrych yn gas ar Yncl Jac. Doedd o ddim yn licio plant gymaint â Digri. Dim chwarter cymaint, a dweud y gwir. Roedd yn well ganddo fo gario moron a chabaits na rhyw hen blant. Ond tynnodd y drol i'r iard heb gwyno.

'O, del ydi o 'te, Yncl Jac! Gawn ni fynd am dro yn y drol bob dydd, cawn? A reidio o gwmpas y caea, ia?'

'Ia.' Edrychodd Yncl Jac ar Difri wrth iddo'i dynnu o'r llorpiau a'i arwain i'r cae dan tŷ. Roedd golwg flin iawn arno fo. Doedd o ddim yn mynd i fwynhau'r gwyliau yma o gwbl. Go drapia'r hen blant yna!

'Oes 'na ryw joban bach y caiff Difri 'ma ei gneud?' holodd Yncl Jac. 'Cario gwellt i'r sgubor neu datws o'r cae pella?'

'Dim un dim,' prepiodd Hefin. 'Mae gynnon ni dractor, 'ndoes—Ffyrgi bach. Dacw fo, ylwch.'

Edrychodd Difri'n filain ar y Ffyrgi bach ac yna ar Yncl Jac. Doedd peth fel hyn ddim yn wyliau o gwbl. Aeth pawb am y tŷ a'i adael o'n sorri ar ei ben ei hun bach.

Fore Llun mi gododd y plant ymhell o flaen pawb arall. A dyma fynd i'r cae dan tŷ efo'r penffrwyn i ddal Difri, a chael reid bach cyn brecwast.

Mi drion nhw ei hudo fo efo moron a siwgwr lwmp i ddechrau—weithiodd hynny ddim. Ac wedyn mi fuon yn rhedeg a rhedeg ar ei ôl o rownd y cae—ond ddalion nhw mohono fo!

'Hitiwch befo,' meddai Gwenno ar ôl tuag awr a hanner. 'Mi wnaiff Yncl Jac ei ddal o i ni ar ôl brecwast.'

''Rhoswch chi o'r golwg yn y gegin,' meddai Yncl Jac ar ôl clywed yr hanes. 'Wedi rhusio mae'r hen greadur. Mi alwa i arnoch chi ar ôl i mi'i ddal o.' Ac allan â fo.

Ymhen sbel dyma'r plant yn clywed Yncl Jac yn gweiddi, 'Baa-rod!' Rhedodd y tri allan a dringo i'r drol. Ond pan welodd o nhw dyma Difri'n pwdu. Llyncu mul! Wnâi o ddim symud yr un cam, yn ôl nac ymlaen.

'Ella'i fod o wedi blino ar ôl ddoe,' meddai Yncl Jac, 'a'n bod ni'n pedwar yn ormod o lwyth iddo fo.'

A dyma'i dynnu fo o'r drol.

'Fi gael reid 'ta,' meddai Gwenno bach. 'Jest y fi. Ylwch tena dwi, Yncl Jac. Fydda i ddim yn ormod o lwyth.'

Dyma nhw'n mynd i'r cae i gyd ac er ei fod o'n poeni'n ddistaw bach, rhag ofn, dyma Yncl Jac yn cytuno i roi cynnig arni.

'Dal di'r penffrwyn, Hefin,' meddai fo, 'ac mi goda i Gwenno ar 'i gefn o.'

'Wwaaa!' Y peth nesaf roedd Difri wedi brathu Hefin druan nes roedd o'n gweiddi 'Mwrdwr!' ac wedi codi'i goesau ôl a thaflu Gwenno nes ei bod hi'n un grempog ar ganol y cae.

Roedd ar Yncl Jac eisiau chwerthin ond wnaeth o ddim. Sbiodd ar Difri a sylwi'i fod o'n dangos ei ddannedd i gyd, fel hysbyseb Colgate.

'Dowch, mi adawn ni iddo fo,' meddai fo gan droi'i gefn ar y mul. 'Ella'i fod o wedi hario, wedi gweithio mor galad drwy'r ha', a bod 'i gefn o'n brifo.'

'A'i geg o,' meddai Hefin yn flin.

'Dwi am bicio i'r post,' meddai Yncl Jac toc. 'Rhaid i mi anfon teligram i Dicw drws nesa. Fydda i ddim yn hir.'

Ac i ffwrdd â fo i lawr y lôn a'r plant yn syllu arno fo'n mynd.

'Mi ddylan ni riportio'r mul twp 'na i'r Gymdeithas Atal Creulondeb i Blant,' meddai Hefin. 'Mae 'mawd i'n dal i frifo.'

'Dowch,' meddai Elin, 'mi awn ni i'r tŷ gwair i fyta'r injia roc ddoth Yncl Jac i ni.'

Roedd hi'n amser cinio erbyn i Yncl Jac gyrraedd yn ei ôl o'r pentref. Yr unig beth ddywedodd o amser cinio oedd:

'Rhaid i mi fynd i gwfwr y trên o Gyffordd Llandudno erbyn pedwar. Mae 'na ffrind i mi yn dŵad yma aton ni am dipyn bach.'

'Dicw drws nesa, mae'n siŵr,' meddai Gwenno wrth Elin dan ei gwynt. 'Bôring.'

Am chwarter i bedwar roedd Yncl Jac a'r plant yn barod ac i ffwrdd â nhw i gyfarfod y trên. Pan gyrhaeddodd o'r diwedd dim ond dau ddyn a dynes dew efo rycsac ar ei chefn ddaeth allan ohono fo.

'Mae'n rhaid bod eich ffrind chi wedi colli'r trên, Yncl Jac,' meddai Gwenno.

''Rhoswch chi, rŵan. Efo'r lygej bydd o, yn y tryc pella 'cw. Mi a' i draw,' meddai Yncl Jac, ac i ffwrdd â fo.

Edrychodd y plant ar ei gilydd mewn syndod.

'Dowch yma,' gwaeddodd Yncl Jac arnyn nhw toc ar ôl iddo fo agor drws y tryc. 'Dyma fo, ylwch.'

Cerddodd y tri ato fo o dow i dow. Doedd arnyn nhw ddim llawer o eisiau gweld rhyw hen ddyn fel Dicw drws nesaf. Fyddai Yncl Jac ddim am wneud dim efo nhw ar ôl iddo fo gyrraedd, dim ond siarad ac yfed te.

Ond dim Dicw drws nesaf oedd yn y tryc efo'r lygej. Rhythodd Elin a Hefin a Gwenno mewn rhyfeddod.

'Dyma Digri,' cyhoeddodd Yncl Jac, 'wedi dŵad am 'i wylia i Flaena Ffestiniog. Mi gewch reidio Digri drwy'r dydd glas ac mi fydd wrth 'i fodd. Ac mi gaiff Difri orffwys.'

'Na cheith wir,' meddai Hefin. 'Mae goriad y Ffyrgi bach ar goll. Fedrwn ni ddim cael hyd iddo fo yn unlla. Mi fydd raid i Difri gario tatws o'r cae i'r cwt.'

'Taw, fachgan,' meddai Yncl Jac a chrafu'i ben fel tasai fo'n meddwl.

Mewn chwinciad roedd y genod ar gefn Digri a Hefin yn eu tywys nhw i fyny'r lôn am adref.

'I-ô, I-ô,' meddai Digri'n hapus dros y wlad. Cododd clustiau Difri pan glywodd o'r nadu. Ac mi gododd ei galon hefyd.

'O, diolch byth,' meddai fo'n ddistaw bach wrtho'i hun, 'Dyna beth oedd tric da! Mi gaiff Digri gario'r plant 'na drwy'r dydd rŵan a siawns na cha inna gario tatws. I-ô, I-ô,' meddai yntau'n uchel wedyn. 'I-ô, croeso!' Ac anghofiodd am y poen bol a gafodd ar ôl bwyta'r hen oriad yna.

A dyna'r gwyliau gorau a gafwyd erioed yng ngwynt y mynydd—Digri a Difri'n brysur bob dydd ac yn cysgu'n glòs yn ei gilydd bob nos yn y cae dan tŷ. Ac Yncl Jac yn chwyrnu'n braf yn y llofft orau, yn meddwl mai *fo* oedd wedi bod yn glyfar!

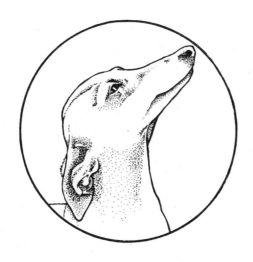

GELERT CI LLYWELYN

adroddwyd gan T. LLEW JONES

Yr oedd gan y tywysog Llywelyn Fawr gi hela o'r enw Gelert. Nid oedd ci cystal ag ef yn yr holl wlad. Yr oedd yn ffyddlon i'w feistr, yn fwyn a chyfeillgar yn y tŷ, ond yn ffyrnig a di-ildio pan fyddai'n hela.

Un diwrnod penderfynodd Llywelyn fynd i hela'r carw yn un o'r fforestydd mawr yn Eryri. Aeth â'i wraig a'i fab bychan gydag ef. Buont yn hela'r carw drwy'r dydd, ac o'r diwedd daliodd y cŵn ef mewn llannerch wastad yn y coed.

Ar ôl dal y carw, sylweddolodd y tywysog ei bod wedi mynd yn rhy hwyr iddynt ddychwelyd i'r plas y noson honno. Byddai'n tywyllu'n fuan iawn, a byddai'n beryglus teithio drwy'r fforest yn y nos, gan fod bleidd-iaid rheibus yn byw yng Nghymru yn y dyddiau hynny, heb sôn am ladron a dynion drwg.

Felly penderfynwyd codi pabell yn y coed a chysgu yno dros nos.

Fore trannoeth daeth un o'r gweision at y tywysog a dweud ei fod wedi gweld carw mawr arall yn ymyl y babell. Cododd awydd ar y tywysog i hela hwnnw hefyd, cyn dychwelyd i'r plas. Nid oedd hyn wrth fodd ei wraig o gwbl. Yr oedd arni ofn y byddai rhyw niwed yn digwydd iddi hi a'i morwyn a'i phlentyn tra byddai ei gŵr a'i weision i ffwrdd yn hela.

'Fe gaiff un o'r gweision aros gyda chi,' meddai Llywelyn. Ond wedi edrych, yr oedd y rheini wedi cychwyn yn barod i chwilio am y carw.

95

Bu'r tywysog yn meddwl am dipyn. Yna dywedodd, 'Fe adawa i Gelert yma i edrych ar eich ôl chi. Ddaw dim niwed i chi wedyn.'

A hynny a fu. Aeth â'r ci mawr i mewn i'r babell a'i osod wrth ymyl crud ei fab.

'Aros! Gwylia!' meddai, a deallodd y ci ar unwaith. Gorweddodd i lawr yn dawel yn ymyl y crud, ac aeth y tywysog allan ar ôl y carw.

Aeth amser heibio, a dechreuodd y dywysoges a'r forwyn feddwl ei bod yn bryd mynd ati i wneud bwyd i'r tywysog a'i wŷr. Gwyddent y byddent yn newynog iawn ar ôl hela drwy'r bore. Aeth y ddwy i lawr at nant fach a redai drwy'r coed heb fod ymhell i mofyn dŵr.

Cysgai'r baban bach yn ei gawell, a'r ci mawr yn ei ymyl. Yr oedd llygaid hwnnw ynghau hefyd, ond nid oedd yn cysgu.

Yna clywodd Gelert sŵn rhywbeth yn cerdded yn lladradaidd y tu allan i'r babell. Cododd ar ei draed. Cerddodd blaidd mawr du i mewn i'r babell. Roedd ei lygaid yn disgleirio, a'r rheini'n edrych i gyfeiriad y cawell. Chwyrnodd y ci'n isel. Ond nid oedd ofn tamaid o gi ar y blaidd.

Symudodd yn nes at y cawell. Neidiodd y ci am ei wddf, a dyna hi'n ymladd ffyrnig rhwng y ddau. Fflachiai dannedd gwynion y blaidd wrth geisio cael gafael yng ngwddf y ci. Rholiai'r ddau anifail ar y llawr gan chwyrnu'n filain ar ei gilydd. Wrth ymladd, fe drawodd y ddau'n erbyn y crud, gan ei ddymchwelyd. Cwympodd y tywysog bach allan ohono, ond ni chafodd niwed, gan fod digon o ddillad cynnes amdano. Yn wir, ddihunodd e ddim hyd yn oed!

Aeth y frwydr ofnadwy rhwng y ci a'r blaidd ymlaen am amser wedyn. O'r diwedd llwyddodd Gelert i gael ei ddannedd yn dynn am gorn gwddf y blaidd, ac er ei holl wingo, ni allai'r creadur ei ryddhau ei hunan. Yn awr ni allai anadlu, a chyn bo hir gorweddai'n farw ar lawr y babell. Ond yr oedd y ci dewr wedi'i glwyfo hefyd, a gwaed drosto i gyd.

Y Tywysog Llywelyn a ddaeth yn ôl i'r babell gyntaf. Yr oedd y carw wedi'i ddal, ac yn awr yr oedd yn awyddus i gychwyn yn ôl i'r plas.

Safai Gelert wrth geg y babell. Gwelodd y tywysog y gwaed, yna'r cawell yn y gornel, a hwnnw wedi'i ddymchwel. Doedd dim sôn am y baban! Yr oedd hwnnw o'r golwg dan y pentwr dillad ar y llawr.

Ar unwaith meddyliodd Llywelyn fod y ci wedi lladd ei fab, ac yn ei wylltineb tynnodd ei gleddyf a brathu'r creadur ffyddlon. Syrthiodd Gelert i'r llawr yn farw. Yna rhuthrodd Llywelyn at y pentwr dillad ar y llawr. Yn ofnus ac yn ofidus cododd hwy o un i un. Gwelodd y tywysog bach yn gorwedd yno â'i lygaid ynghau. Cydiodd ynddo, ac agorodd y plentyn ei lygaid gleision led y pen a gwenu ar ei dad.

Yr oedd e'n fyw ac yn iach! Ni allai Llywelyn ddeall. Yna gwelodd gorff y blaidd yn gorwedd yn llonydd y tu ôl i'r cawell.

Deallodd ar unwaith ei fod wedi cyflawni gweithred greulon ac ofnadwy iawn—yr oedd wedi lladd y ci a oedd wedi ymladd mor ddewr i achub ei fab bach.

Rhedodd Llywelyn allan o'r babell gan weiddi'n uchel yn ei ofid; ac am ddyddiau lawer ni allai neb ei gysuro. Hiraethai ar ôl Gelert ac ni allai faddau iddo'i hunan am yr hyn a wnaethai.

Claddwyd corff Gelert mewn dôl brydferth ar lan afon, a mynnodd Llywelyn osod maen uchel ar y bedd, i ddangos i bawb a ddeuai'r ffordd honno ym mha le y gorweddai corff y ci ffyddlonaf a fu erioed.

Galwyd y lle yn 'Bedd Gelert', ac y mae yna bentref yng ngogledd Cymru sy'n dwyn yr enw hwnnw hyd y dydd heddiw. Ac os ewch chi yno rywbryd, cofiwch fynd i lawr i'r ddôl sydd yn ymyl y pentref i weld bedd y ci a achubodd fywyd y tywysog bach.

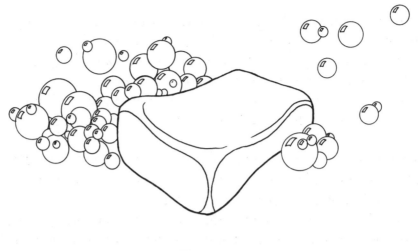

BILW

DOROTHY EDWARDS, addaswyd gan JINI OWEN

Roedd gan Annwen wallt melyn cyrliog a llygaid mawr glas ac roedd hi'n rhyfeddol o hardd. Dotiai pawb ati am ei bod bob amser mor lân a thrwsiadus, gyda phob blewyn yn ei le. Oedd, roedd hi fel pin mewn papur. Ond wedyn doedd hi byth yn gwneud stomp fel plant eraill; byth yn llyfu hufen iâ meddal na bwyta teisennau yn y stryd ond yn mynd â nhw adref i'w bwyta'n daclus ar blât. Fuasai hi byth yn *meddwl* eistedd ar y llawr. Pa ryfedd felly ei bod hi'n edrych fel dol?

Un gwahanol iawn oedd Bilw, brawd Annwen. Roedd o'n un garw am ddringo coed a rhwygo'i ddillad, gwlychu'i draed mewn pyllau dŵr a stompio mewn baw nes y byddai'n ddu o'i gorun i'w sawdl. A dweud y gwir, un blêr a budr iawn oedd Bilw.

'Mae hi'n bictiwr, yn ddigon o ryfeddod,' fyddai sylw Miss Elis bob amser pan alwai i weld mam Annwen a Bilw. 'Ond druan ohonot ti, Bilw,' dywedai, 'rwyt ti fel bwgan brain. Pam na fedri di fod yn debycach i dy chwaer?'

Plesiai hyn Annwen i'r dim a byddai'n gwenu o glust i glust, ond dianc i chwarae wrth yr afon wnâi Bilw rhag clywed Miss Elis yn rhygnu ymlaen am harddwch Annwen. 'Mae hi'n ddigon del i fod ar S4C,' dywedai. Ond gan nad oedd mam Annwen am iddi dyfu i fyny i fod yn ymffrostgar a balch atebai'n wylaidd, 'O na, choelia i fawr,' tra gwenai Miss Elis a nodio'i phen yn wybodus.

Un diwrnod roedd gan Miss Elis gyhoeddiad pwysig i'w wneud. 'Gobeithio na fyddwch chi'n ddig efo mi,' meddai, 'ond ddoe mi es i weld dyn sy'n cynhyrchu hysbysebion ar gyfer S4C. Fe soniais wrtho am Annwen ac roedd ganddo ddiddordeb mawr. Mae arno fo eisiau dod draw i'w gweld.'

Er nad oedd mam Annwen am iddi dyfu i fyny i fod yn ymffrostgar a balch, yn dawel fach fedrai hi ddim peidio â hoffi'r syniad chwaith, a chytunodd i'r ymweliad.

'Ardderchog!' bloeddiodd Miss Elis.

Wel, sôn am brysurdeb fu yno ar ôl hynny! I ddechrau, addawodd Miss Elis wneud ffrog newydd ddeniadol i Annwen. Roedd hi wrth ei bodd. 'Pwy fuasai'n meddwl?' meddai. 'Y fi—am fod ar y teledu,' a rhedodd ei bysedd yn freuddwydiol drwy donnau melyn ei gwallt gan syllu'n syn i'r gwacter gyda'i llygaid mawr glas. Chwerthin wnaeth Bilw. Fe chwardd-odd gymaint nes gwylltio Annwen yn gacwn, ac wedyn fe chwarddodd fwy fyth nes bod y dagrau'n llifo fel afon o lygaid ei chwaer. Bu raid i Bilw fynd i'w wely heb swper, a heb hyd yn oed ymolchi—ond doedd hynny'n poeni dim arno! Bobol, roedd o'n un blêr!

Daeth Miss Elis heibio i ddweud y byddai'r cynhyrchydd teledu yn galw yno ddydd Mercher.

Bu saith gwaith mwy o gynnwrf yno wedyn! Bu Mam wrthi'n glanhau'r tŷ—pob twll a chornel ohono. Bu'n sgwrio a rhwbio nes bod y cyfan yn sgleinio, fel swllt. 'Wfft i'r dyn S4C 'ma,' meddai Bilw. 'Dod i weld yr hen hogan Annwen 'ma mae o ac nid y tŷ.' Gan nad oedd neb yn cymryd sylw ohono cymerodd gegaid o ganol ei frechdan nes bod y menyn a'r jam yn glynu yn ei wyneb a'i wallt i gyd.

Bu Miss Elis yn ôl ac ymlaen sawl gwaith efo ffrog newydd Annwen. Y tro cyntaf, roedd hi'n rhy hir, yr ail dro'n rhy fyr ac wedyn roedd hi'n rhy dynn. 'Mae'n rhaid iddi fod yn berffaith erbyn dydd Mercher,' mynnodd.

Fel roedd hi'n prysuro yn y tŷ roedd Bilw druan fel petai o'n mynd yn futrach ac yn flerach. Bachodd ei siwmper wrth iddo wthio drwy'r drain a daeth ei ben-glin drwy'i drywsus wrth iddo lithro ar ei fol drwy hen beipen. 'Er mwyn popeth, dos i folchi,' meddai pawb, neu, 'Er mwyn popeth, rho ddillad glân amdanat.'

Wrth gwrs, roedden nhw'n rhy brysur i'w orfodi i wneud hyn ac roedd yntau'n rhy ddi-feind i wneud hynny ohono'i hun.

Yn y cyfamser, roedd ei fam yn dal yn brysur yn glanhau a'i dad yn gwneud ei orau i dacluso'r ardd. Galwai Miss Elis heibio bob awr o'r dydd a'r nos i gynnig gair o gyngor ac i sôn am y diwrnod mawr. Eistedd o dan y goeden yn y cysgod roedd Annwen rhag ofn iddi gael brychni haul.

O'r diwedd gwawriodd dydd Mercher a chyrhaeddodd y dyn mewn andros o gar mawr. Brensiach, roedd o'n grand! Roedd tad Annwen a Bilw wedi cymryd diwrnod o wyliau ac yn gwisgo'i siwt orau, ond doedd o ddim hanner mor grand â'r dyn teledu. Gwisgai mam y plant ei ffrog orau hefyd, ond edrych yn gyffredin iawn a wnâi hithau. Doedd hi ddim yn hawdd cystadlu efo siwt binc, tei las a sgidiau melyn y cynhyrchydd teledu barfog.

Gan mai Miss Elis oedd wedi trefnu'r cyfan aeth i nôl Annwen ar unwaith. Edrychai'r eneth yn harddach nag erioed yn ei ffrog newydd sbon.

'Pa hwyl?' meddai'r cynhyrchydd, 'Hon ydi'r eneth felly?'

'Ia,' atebodd Miss Elis, gan wenu'n llydan.

'Ydi hi'n medru actio?' gofynnodd wedyn.

Synnwyd Annwen gymaint gan hyn fel mai ei mam atebodd 'na' drosti. Aeth y cynhyrchydd ymlaen gyda'r holi.

'Ydi hi'n medru chwarae offeryn, neu ddawnsio neu ganu?'

Ac Annwen yn gorfod ateb, 'Na!' 'Na!' 'Na!' i bob un cwestiwn.

Yn rhyfedd iawn, doedd neb wedi gweld Bilw ers ben bore. Bu allan yn chwarae wrth yr afon, ac erbyn hyn roedd yn flerach yr olwg nag arfer gyda thwll arall wedi ymddangos yn ei siwmper, a haen arall o fwd dros ei goesau. Ac eto roedd o bron torri'i fol eisiau gwybod sut un oedd y dyn teledu, a sleifiodd yn dawel at y tŷ a sbecian o'r tu ôl i'r drws.

'Wel, Annwen, beth *fedri* di'i wneud?' gofynnodd y cynhyrchydd yn ddiamynedd.

'Mae pawb yn dweud 'mod i'n ddigon del,' meddai Annwen yn grynedig, 'ac felly y byddwn i'n . . . edrych . . . yn . . . ddel ar y teledu.'

Cododd y cynhyrchydd ei lais.

'Edrych yn ddel! *Edrych yn ddel!*' gwaeddodd. 'Does yna ddim prinder rhai sy'n *edrych* yn ddel. Rydw i'n chwilio am DALENT.'

Aeth â'r gwynt o hwyliau pawb—wel, pawb ond Bilw, a ddaeth i'r golwg ar yr union foment honno. Rhythodd y cynhyrchydd teledu arno a syllodd Bilw arno yntau.

'Bilw! Y gwalch blêr! Rhag dy gywilydd di! Dos i folchi'r munud 'ma,' gwaeddodd ei fam.

'NA!' meddai'r cynhyrchydd teledu gan ddal i lygadu Bilw. 'Fedri *di* actio tybed?'

'Wrth gwrs y medra i,' atebodd yntau. 'Fi oedd Barti Ddu yn nrama'r ysgol.'

'Fedri di ganu a dawnsio?' gofynnodd y dyn wedyn.

Gwenodd Bilw'n braf ac aeth ati yn y fan a'r lle i ddawnsio i gyfeiliant ei ganu'i hun.

Ysgydwodd ei fam ei phen mewn anobaith llwyr ac edrychodd ei dad yn ddu arno. Ond roedd y cynhyrchydd teledu wrth ei fodd.

'Ardderchog,' meddai. 'O'r diwedd! Bachgen hollol naturiol—un sy'n mwynhau stompio yn y baw.'

Eglurodd iddo fod yn chwilio ers tro am fachgen fel Bilw ar gyfer hysbyseb deledu am sebon.

'Beth amdani, Bilw?' gofynnodd.

'Dim ots gen i,' atebodd Bilw gan sythu a gwenu fel giât.

'Dewch â fo i'r stiwdio fory nesa,' meddai'r cynhyrchydd, 'a gofalwch mai fel hyn yn union y bydd o—yn faw i gyd.'

'Ew!' meddai'i dad, 'Bilw bach ni am fod ar y bocs. Pwy fuasai'n meddwl?'

'Fe *wyddwn* i ei fod o'n glyfar,' ychwanegodd ei fam.

A chwarae teg i Annwen roedd hithau'n falch iawn o'i brawd—er ei fod o mor flêr. 'Ga i dy lofnod di, Bilw?' gofynnodd.

Ac felly, drannoeth, i ffwrdd â Bilw, yn union fel ag yr oedd o, i'r stiwdio deledu i wneud yr hysbyseb, heb ymolchi na newid, yn fwd o'i gorun i'w sawdl.

Bu'r camerâu yn ei ffilmio yn golchi'r baw i gyd i ffwrdd ac roedd hi'n ffilm mor dda nes y gwerthodd werth cannoedd o bunnoedd o sebon. Dangoswyd yr hysbyseb sawl tro—gormod o weithiau meddai rhai pobl—ond doedd teulu Bilw byth yn blino arni. Bob tro y dôi'r hysbyseb ar y teledu byddent yn eistedd yn ôl ac yn gwenu'n foddhaus.

Ac mi ddigwyddodd un peth od iawn i Bilw wedi iddo wylio'r hysbyseb a gweld drosto'i hun fachgen mor landeg oedd o dan yr holl faw. O hynny allan, penderfynodd wneud ymdrech arbennig i'w gadw'i hun yn LÂN!

LEWIS A'R CLOWN

JANE EDWARDS

Roedd Lewis wedi bod yn ei wely'n sâl ers pythefnos. Roedd hynny'n amser hir i fod yn sâl. Ond erbyn hyn roedd o wedi gwella digon i gael codi. Roedd o'n teimlo'n ddigon da i fynd allan i chwarae. Ond châi o ddim mynd gan ei fam am ei bod yn oer ac yn bwrw glaw.

Fe fu'n bwrw glaw'n ddi-baid ers tridiau. Roedd Lewis wedi blino ar y glaw yn taro yn erbyn y ffenestr. Roedd o wedi blino gweld cymylau duon yn yr awyr. Roedd o wedi blino gweld y dŵr yn llifo'n ffrydiau i'r cwterydd.

Roedd ei fam yn gwneud ei gorau i'w gadw'n ddiddig. Fe fyddai'n darllen straeon o'r llyfrau yn y cwpwrdd mawr iddo. Fe fyddai'n chwarae'i gêmau efo fo—gêmau fel Liwdo, Teuluoedd Hapus a Snap.

Blinai Lewis yn fuan ar bob gêm. Blinai hefyd eistedd o flaen y teledu yn gwylio un rhaglen ar ôl y llall. Roedd y gwylio di-ben-draw yn ei wneud yn ddrwg ei hwyl ac yn peri i'w lygaid losgi.

'Dwi isio mynd allan i chwara,' cwynai'n ddi-baid. 'Pam na cha i fynd?'

'Mae hi'n bwrw glaw,' meddai'i fam, 'mi gei di fynd wedi i'r glaw beidio.'

Ond addo mwy o law a wnâi dyn y tywydd. Ac roedd Lewis bron iawn â thorri'i galon.

'Falle y gwnaiff un o'r bechgyn alw i dy weld ar y ffordd adre o'r ysgol,' ebe'i fam.

Ond doedd neb byth yn galw. Ac roedd Lewis yn teimlo'n unig iawn. Bron mor unig â'r bachgen cloff hwnnw a gafodd ei adael ar ôl yn Hamelin. Doedd neb yn cofio amdano.

Un pnawn roedd Lewis wrthi'n gwylio'r dynion yn trwsio gwifrau telegraff ar y polion yr ochr arall i'r ffordd. Roedd o'n tynnu llun buwch efo blaen ei fys yn yr ager ar y ffenestr. Yn sydyn dyma gloch y ffrynt yn canu. Roedd ei sŵn fel seiren dros y lle.

'Dos di i weld pwy sy 'na,' galwodd ei fam arno o'r gegin.

Aeth Lewis i'r drws, ac er mawr syndod iddo beth oedd yn sefyll yno ond clown. Ie, clown go iawn. Roedd ganddo glamp o drwyn coch, a llygaid fel dau afal gwyrdd. Roedd ei aeliau trwchus fel dau fwa du. Ac roedd ei wyneb yn wyn, wyn fel lliain cymun. Gwisgai het bigfain felen am ei ben. Roedd clychau arian yn tincial arni, wrth iddo symud ei ben yn ôl ac ymlaen. Gwisgai drywsus coch efo sêr o bob lliw arno fo, a chrys sidan gwyn.

'Beri Leri ydi fy enw i,' ebe'r clown, a gwenu fel giât. Roedd ei wefusau wedi'u peintio'n goch. 'Dydw i ddim am gael dod i mewn?'

Synnai Lewis ei glywed yn siarad Cymraeg. Roedd o wedi arfer meddwl mai Sais oedd pob clown. Ond dyma hwn yn siarad llond ceg o Gymraeg.

'Lle mae dy dafod di, fachgen?' ebe'r clown.

Aeth i'w boced a thynnu tafod goch allan. Roedd o wedi'i wneud o frethyn. Rhoddodd y tafod ar ei wefus isaf. Yna dechrau chwythu fel hen gi.

'Rydych chi wedi dŵad i'r tŷ rong,' ebe Lewis o'r diwedd. 'Dydyn ni ddim yn nabod clown.'

Cochodd at ei glustiau a chau'i geg yn glep.

'Falle nad wyt ti'n fy nabod i, ond rydw i'n dy nabod di,' ebe Beri Leri'r clown. 'Rydw i'n gwybod popeth gwerth ei wybod amdanat ti. Lewis Ifans ydi dy enw di. Mi fyddi di'n naw oed ym mis Rhagfyr. Ar hyn o bryd rwyt ti yn nosbarth Mr Emlyn. A does dim sy'n well gen ti na chwarae pêl-droed. Mi wnei di gefnwr go lew, meddan nhw i mi. A does 'na ddim trefn ar dîm yr ysgol er pan wyt ti wedi bod yn sâl.'

Roedd Lewis ar dân eisiau cael gwybod pwy oedd wedi dweud y pethau yma wrth y clown. Roedd o wrth ei fodd yn cael ei ganmol. Holodd y clown yn swil sut roedd o'n gwybod cymaint o'i hanes.

'Wel,' meddai Beri Leri, 'i bob man y bydda i'n mynd mi fydda i'n holi pwy sy wedi bod yn sâl wyt ti'n gweld. Ac yna, gan fod gen i gymaint o amser rhwng perfformiadau'r syrcas, mi fydda i'n ymweld â'r cleifion i drio codi tipyn ar eu calonnau nhw. Does dim byd sy'n well gen i na gwneud plant bach yn hapus, a phobol mewn oed, o ran hynny. A rŵan 'te, hysbys crysbys be am i ni fynd i dy stafell di am dipyn o hwyl a sbri.'

Galwodd Lewis ar ei fam i ddod i weld y sioe.

'Na, ewch chi'ch dau,' ebe hi, a golwg syn, syn ar ei hwyneb.

'Sut ydych chi, Mrs Ifans?' ebe Beri Leri.

Sychodd Mrs Ifans ei llaw yn ei barclod, er mwyn ysgwyd llaw â'r clown.

Chwarddodd Lewis nes bod ei ochrau'n brifo pan ddaeth llaw fawr Beri Leri'n rhydd yn llaw ei fam.

'Merched! Maen nhw'n torri popeth,' ebe Beri Leri, a rhoi winc fawr ar Lewis.

Dringodd Beri Leri'r grisiau ar ei ddwylo. Daliai Lewis ei wynt wrth ei weld yn gwneud campau mentrus efo'i goesau yn yr awyr, ac yna'n esgus syrthio.

Ond doedd dim rhaid i Lewis boeni dim. Roedd Beri Leri wedi hen arfer gwneud triciau fel hyn.

'Hwda,' meddai fo, a chymryd arno chwistrellu dŵr o ddryll am ben Lewis.

Doedd Lewis erioed wedi gweld y fath beth, ac ofnai ddeffro unrhyw funud a gweld mai breuddwyd oedd y cyfan. Ond os mai breuddwyd oedd hyn, dyma'r breuddwyd gorau a gafodd erioed.

Ceisiodd wneud rhai o'r campau a wnâi Beri Leri. Ceisiodd glymu'i freichiau am ei gefn. Ceisiodd wneud parsel bychan o'i gorff. Ond ar ganol yr hwyl dyma gloch y drws yn canu. A rhedodd Beri Leri i'r ffenestr i weld pwy oedd yno.

Canodd y gloch drachefn. Clywodd Lewis ei fam yn ateb. Sŵn plant oedd yno. Rhedodd Lewis i ben y grisiau i gael gwybod pwy oedden nhw.

'Edrych pwy sy wedi galw i dy weld di,' meddai'i fam yn hapus; a phwy oedd yno ond Dilwyn ac Owen a Huw a Maldwyn a Rhodri. Pump o'i ffrindiau pennaf.

'Dowch yma,' ebe Lewis yn gynhyrfus, 'dowch i weld pwy sy yn fy stafell i.'

Dychmygai'r syndod ar eu hwynebau wrth iddyn nhw weld Beri Leri.

104

A theimlai'n gynnwrf o'i ben i fodiau'i draed wrth feddwl mai ef oedd y cyntaf o'r criw i gael clown go iawn dan do ei dŷ. Roedd hi'n werth bod yn sâl er mwyn hyn.

Aeth â'r bechgyn i'w ystafell. Agorodd y drws led y pen. A dyna sioc gafodd y bechgyn wrth weld braich hir yn estyn llaw i'w cyfarch ac i ysgwyd llaw â nhw. Camodd rhai o'r plant yn ôl mewn braw.

'Dim ond Beri Leri'r clown sy 'na,' ebe Lewis dan chwerthin.

Safai'r bechgyn yn eu hunfan wedi'u swyno.

'Mae'n ddrwg gen i, fechgyn, ond fedra i ddim aros,' ebe Beri Leri, a sticio'r tafod hir ar ei wefus isaf. 'Mae'n rhaid i mi fynd, ond dyma i chi docyn bob un, i chi gael mynediad yn rhad ac am ddim i'r syrcas ddydd Sadwrn.'

Chwythodd falŵns ac enwau'r bechgyn arnyn nhw i bob man.

'A chofia ditha wella'n iawn,' meddai wrth Lewis. A smalio rhoi cic iddo yn ei ben-ôl. Yna syrthiodd fel brechdan ar y llawr.

Roedd nos Sadwrn yn hir iawn yn cyrraedd. Roedd y bechgyn yn eu seddau ymhell cyn ei bod yn amser i'r syrcas ddechrau. Roedden nhw'n hynod o ddistaw am y tro.

Daeth y ceffylau a'r cŵn i'r cylch i sŵn miwsig llethol. Ar ôl y cŵn daeth dynes y trapîs. Yna daeth Jwmbo'r eliffant i godi pwysau efo'i drwnc hir ac i chwythu dŵr am ben y corachod bach oedd wedi'u gwisgo fel clowniau.

Yna i guriadau'r drwm, daethpwyd â chaets y llewod i'r cylch. A rhoddodd Daniel, gŵr mawr cryf, wedi'i wisgo mewn gwisg llewpart, ei ben i mewn yng ngheg un o'r llewod. Munud i'w gofio am byth oedd hwnnw.

Syllai'r bechgyn mewn syndod ar y cyfan! Ond fel yr âi'r syrcas yn ei blaen roedd Lewis yn poeni nad oedd Beri Leri yno. Hwyrach ei fod yn sâl! Roedd sawl clown wedi bod yn rhedeg yn ôl a blaen o'r cylch. Ond chafodd Lewis ddim cip ar Beri Leri unwaith. Beth oedd yn bod, tybed?

Suddodd ei galon. Roedd pawb arall yn eistedd ar flaenau'u seddau ac yn dal eu gwynt wrth weld y gŵr a'r wraig hardd yn reidio beic ar lein uchel, ymhell bell uwchben. Ond teimlo'n drist a wnâi Lewis.

Ond yna'n sydyn, dyna'r miwsig yn stopio. Daeth sŵn gwirion, cyfarwydd o'r twnnel tywyll y tu cefn.

'Beri Leri, Beri Leri,' meddai Lewis yn llon wrth iddo adnabod ei lais.

'Beri Leri,' meddai'r bechgyn i gyd fel côr wrth weld y clown yn ei

105

drywsus coch, ei gap melyn pigfain a'i grys sidan gwyn. Symudai'i ben yn ôl ac ymlaen nes oedd y clychau'n tincial dros y lle.

Tynnodd arwyddion ffyrdd wrth y llath o'i esgidiau chwarter i dri. Yna chwistrellodd bersawr ar ben y dorf o gyhyrau'i freichiau. Roedd pawb yn rholio chwerthin.

'Mae arna i isio rhywun i fy helpu i,' meddai Beri Leri mewn tôn gall, gyfrifol. 'Pwy ga i i fy helpu i?'

Cododd y bechgyn a'r merched i gyd eu dwylo i fyny. Ond ni chymerodd Beri Leri unrhyw sylw o'u dwylo. Galwodd allan a'i lais fel cloch:

'Lewis Ifans, be am i ti ddod i'r cylch yma i roi help llaw i mi?'

Teimlodd Lewis ei hun yn cochi o'i gorun i'w draed. A chamodd dros y seddau i'r cylch i gymeradwyaeth y dorf enfawr, y bachgen hapusa'n bod.

Hon oedd ei noson o.

Ei noson o a Beri Leri.

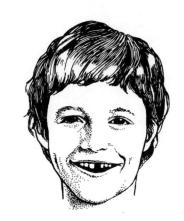

COLLI DANT

GLENYS HOWELLS

'Be sy 'na i de, Mam?' gofynnodd Dyfed, gan redeg nerth ei draed drwy giât yr ysgol. Roedd o ar ei gythlwng—wedi'r cyfan chafodd o fawr o ginio heddiw: dim ond tatws, a dweud y gwir. Roedd yn gas ganddo'r hen gig oer diflas 'na roedden nhw'n ei gael yn yr ysgol weithiau, a doedd o ddim yn hoffi pys slwts chwaith . . . na phwdin reis. Ych-a-fi!

Ond doedd wiw iddo gyfaddef wrth ei fam nad oedd o wedi bwyta'i ginio. A oedd mam pawb yn gwneud cymaint o ffŷs ynglŷn â bwyta, tybed? 'Be gest ti i ginio, pwt?' 'Fwytaist ti o i gyd?' Yr un hen gwestiynau cas ddydd ar ôl dydd. Ac roedd o'n amau bod Mrs Griffiths—y ddynes oedd yn gweini arnyn nhw amser cinio—yn cario clecs weithiau hefyd. Roedd hi'n byw drws nesaf ond un i Dyfed, ac yn ddigon o boen.

'Mi gawn ni fwyd yn gynnar heno, gan fod Dad i ffwrdd. Be hoffet ti gael?'

'W-w-w . . . sosej a tsips,' meddai Dyfed ar unwaith, ar ben ei ddigon. Doedd o ddim yn cael dewis yn aml.

Tra oedd Mam yn crafu tatws ac yn hwylio te i sŵn y radio, bu Dyfed yn troi tudalennau ei lyfr sticyrs pêl-droed, fel y gwnâi lawer gwaith y dydd.

'Glywaist ti hyn'na, Mam?' meddai'n sydyn. 'Mae Cymru'n chwarae heno—yn erbyn y Ffindir, am hanner awr wedi saith. Plîs ga i fynd â'r radio i'r llofft . . . plîs, Mam . . . PLÎS!'

'Sut ddiwrnod gest ti heddiw? . . . Fuest ti'n darllen i Miss Williams?'

'Wyst ti be, Mam, mi 'nillodd Spurs neithiwr—dwy gôl i ddim yn erbyn Arsenal, meddai Trystan.'

'Fuoch chi'n ymarfer ar gyfer y cyngerdd Nadolig?'

''Nillodd Everton hefyd. Maen nhw'n drydydd yn yr adran rŵan.'

'Bwyd yn barod!' meddai'i fam dan wenu. 'Tyrd rŵan!'

'Ac mae Lerpwl yn dal ar frig yr adran . . .'

Lerpwl—y 'Cochion'—oedd hoff dîm Dyfed. Roedd ganddo lun o'r chwaraewyr ar wal ei ystafell wely ac adwaenai bob un ohonynt wrth ei enw. Gobeithiai gael cìt Lerpwl yn anrheg Nadolig ac y câi fynd i weld gêm yn Anfield ryw ddiwrnod. Roedd Dad *wedi* addo.

'Tyrd, Dyfed, mae dy fwyd di'n oeri,' galwodd ei fam eto.

Bwytaodd Dyfed ei de bob tamaid.

'Be sy 'na i bwdin?' gofynnodd toc, pan oedd ei blât yn wag.

'Afal.'

'O na! Pam na chawn ni bwdin iawn? Tarten, neu grymbl . . . neu . . .? O olreit, mi gym'ra i afal,' meddai'n frysiog, wrth weld gwep ei fam yn disgyn.

Brathodd yn galed ar yr afal gwyrdd, mawr ac yn sydyn roedd yn ymwybodol fod tu mewn ei geg yn teimlo'n wahanol rywsut. Byseddodd ei ddannedd, bob yn un. Roedd un o'i ddannedd blaen wedi bod yn ysgwyd ers tro byd—ond roedd o'n ysgwyd mwy o lawer rŵan. Fe'i gwthiodd â'i dafod nes ei fod yn gorwedd yn fflat, bron, yn ei geg. Cofiodd beth roedd Siôn wedi'i ddweud wrtho yn yr ysgol un tro:

'Pan fyddi di'n chwech bydd dy ddannedd di'n cwympo allan.'

Bu Dyfed yn poeni'n hir ar ôl hynny, ac yn methu cysgu am hydoedd bob nos, nes i Rhys drws nesaf—oedd yn hŷn na fo ac wedi colli amryw o'i ddannedd—ddweud wrtho fod y tylwyth teg yn gadael 20c o dan y gobennydd am bob dant oedd yn dod allan. Ugain ceiniog! Roedd hynny'n ddigon i brynu paced o sticyrs pêl-droed neu *ddau* baced o Chewits!

Ar hynny, dyma gnoc ar ddrws y cefn.

'Ydi Dyfed yn dod allan i chwarae?' holodd Rhys.

'Dwi 'di cael digon ar yr afal 'ma, Mam,' meddai Dyfed, ac allan â fo, fel cath i gythraul, cyn i'w fam gael siawns i'w ateb.

Doedd Dyfed byth yn blino chwarae pêl-droed efo Rhys a'r bechgyn eraill oedd yn byw ar y stad. Roedd gan Huw ac Aled, oedd yn byw gyferbyn, bostyn gôl ar y lawnt a threuliai'r bechgyn oriau lawer yn ymarfer cicio i'r gôl.

Dechreuwyd ar y chwarae—Dyfed a Huw yn erbyn Rhys ac Aled. Roedd pawb ar eu gorau glas heno, a Rhys yn gwneud ei waith fel gôl-geidwad yn arbennig o dda, fel arfer. Roedd o, wrth gwrs, yn nhîm yr ysgol—y Mellt—ac yn derbyn hyfforddiant gan dad un o'r bechgyn eraill unwaith yr wythnos. Roedd hi'n amhosib cael y bêl heibio iddo ac i'r gôl heno.

Roedd Rhys ac Aled yn curo'r lleill yn rhacs pan alwyd ar y ddau frawd i fynd i gael bwyd.

'Mae'n siŵr bod fy nhe i'n barod hefyd,' meddai Rhys. 'Wela i di wedyn.' Ac i ffwrdd â fo â'i bêl newydd dan ei fraich. Pêl dda oedd hi hefyd ac, yn ôl Rhys, dim ond 99c gostiodd hi yn y siop newydd yn y dref.

Roedd Dyfed wedi bod eisiau pêl newydd ers wythnosau. Roedd yr hen un—a sawl un arall o'i blaen—wedi cael ei chicio i'r nant a'i chario i ffwrdd gan y dŵr cyn i neb fedru'i dal, ac roedd Mam a Dad yn gwrthod yn bendant brynu un arall iddo.

'Plîs, Mam, *plîs* ga i bêl newydd 'run fath ag un Rhys?' gofynnodd Dyfed, gan ruthro i'r tŷ â'i wynt yn ei ddwrn. 'Dim ond 99c ydyn nhw yn y siop newydd 'na yn y dre.'

'Faint o bres sy gen ti yn y moch?' holodd Mam. (Roedd gan Dyfed deulu cyfan o foch ar y silff-ben-tân—pum cadw-mi-gei a gafodd o'r banc, fesul un, fel y bu'n cynilo mwy a mwy o arian.)

Fe'u hestynnodd i lawr yn frysiog—cyn i'w fam newid ei meddwl—a gwagu'u cynnwys yn ofalus ar y carped.

Roedd rhywfaint o arian ym mhob un: deg ceiniog yn Woody, 15c yn Annabel, 31c yn Lady Hilary a 23c yn Maxwel. Doedd 'na ddim byd yn Syr Nathaniel ar wahân i'r darn dwybunt 'na gafodd o gan Nain rywdro ac na châi ei wario. Doedd hwnnw'n dda i ddim.

79c felly. 20c yn brin . . .

Ac yn sydyn fe gafodd o syniad. Syniad ardderchog.

'Ga i grystyn, plîs Mam?'

'Wel wir, does 'na ddim digon o fwyd i gael i ti heno!' meddai'i fam, gan estyn y dorth allan o'r tun bara.

Aeth Dyfed allan i'r ardd i fwyta'i grystyn. Anadlodd yn ddwfn a brathu'n galed arno. Dechreuodd ei gnoi ac yn sydyn reit clywodd ryw flas rhyfedd yn ei geg . . . a theimlodd rywbeth caled, fel carreg fach. Oedd, roedd ei ddant *wedi* dod allan o'r diwedd! Doedd o ddim yn edrych yn llawer o beth chwaith. Yn sicr, doedd o ddim yn werth ugain ceiniog. Mae'n rhaid bod y tylwyth teg 'na'n graig o bres—neu'n wirion bôst—yn gwastraffu'u harian ar y fath sothach. A beth yn y byd oedden nhw'n ei wneud â'r holl ddannedd, meddyliodd Dyfed, gan redeg i'r tŷ.

'MAM!' gwaeddodd nerth esgyrn ei ben. 'Mam! Rydw i wedi colli 'nant!'

Roedd Dyfed yn wên o glust i glust. Dyma'r peth gorau a ddigwyddodd iddo erioed! Roedd o'n fachgen mawr o'r diwedd—roedd ganddo fwlch rhwng ei ddannedd. Roedd o bron marw eisiau'i ddangos i Rhys . . . ac i Huw ac Aled a'i ffrindiau yn yr ysgol. Stwffiodd ei dafod i'r twll—roedd o'n teimlo'n anferth. Ond doedd o ddim yn brifo o gwbl . . . ac yntau wedi poeni cymaint.

A bore fory fe fyddai 'na 20c o dan y gobennydd—y cyfan roedd arno'i angen i brynu pêl yn union yr un fath ag un Rhys!

Y PEINTIWR MEDRUS

adroddwyd gan ALWENA WILLIAMS

Rhyw dro fe ddaeth angel i'r ddaear. Ei waith oedd lliwio'r byd, a oedd gynt yn llwydaidd. Er bod hon yn dasg anodd, roedd yr angel yn falch ei fod wedi'i ddewis ar gyfer y gwaith.

Wrth gwrs, roedd lliwiau'r paent oedd ganddo yn lliwiau hynod iawn. Ni allai'r glaw trymaf eu dileu. Ni allai'r haul mwyaf tanbaid eu pylu.

Pan welodd yr angel fod modd i'r blodau fod yn harddach, cynigiodd eu peintio. Roedden nhw wrth eu bodd. Dyna nhw'n derbyn y cynnig yn llawen.

I'r rhosyn fe roddodd yr angel y lliwiau pinc a choch. I aur y gors a blodau'r eithin fe roddodd liw melyn fel yr haul. Lliw yr awyr las a gafodd blodyn bach swil o'r enw n'ad-fi'n-angof. A chymysgodd yr angel las mwy dwfn ei liw i beintio clychau'r gog. Rhoddodd liw porffor hyfryd i'r fioled. Rhoddodd galon yr un lliw ag aur i lygad y dydd. Cafodd rhosyn y mynydd a bysedd y cŵn liwiau prin a chyfoethog ganddo.

Yna fe sylwodd yr angel fod blodau yn medru tyfu ym mhob man. Roedd blodau hyd yn oed ar furiau lle nad oedd ond haen denau o bridd. Blodau'r fagwyr oedd y rhain. Dyma gyfle da, meddyliodd yr angel, i roi dipyn o liw mewn llawer man. Felly dyna'r angel yn cau ei lygaid cyn trochi'r brws paent mewn mwy nag un pot paent. Yna cyffyrddodd â phetalau blodau'r fagwyr, nes eu bod yn loddest o liwiau—melyn, oren, coch a phorffor.

A dyna sut y rhoddodd yr angel liwiau i flodau'r ddaear, gan harddu'r byd i gyd.

Rhythodd yr adar mewn syndod ar waith y peintiwr medrus. Doedden

110

nhw ddim wedi gweld y fath liwiau cain erioed o'r blaen. A dyna nhw'n heidio at yr angel ac erfyn arno i'w lliwio hwythau hefyd.

'Gwna ninnau'n siriol a hardd fel y blodau,' medden nhw wrth yr angel.

Cytunodd yntau ar unwaith. Roedd ei fryd yn awr ar wneud yr adar yn hapus. Casglodd ei offer peintio at ei gilydd eto.

Camodd aderyn torsyth ato. Lledodd ei gynffon allan nes ei bod fel gwyntyll lydan. Y paun oedd yr aderyn hwn.

'Dyma blu gwerth eu peintio,' meddai'r angel gan ddechrau ar y gwaith yn syth. Peintiodd gynffon y paun yn las a gwyrdd symudliw. Yna rhoddodd batrymau, fel gemau gwerthfawr, ar flaenau'r plu. Y paun, o hyn allan, oedd y balchaf o holl adar y byd.

Cafodd teulu'r parot gyfoeth o liwiau hefyd—coch, melyn, glas a gwyrdd—lliwiau llachar bob un. Roedd y lliw a gafodd y caneri mor felyn â lliw blodau'r menyn a'r cennin Pedr. Er mai dim ond du a gwyn oedd y lliwiau a gafodd y bioden, edrychai'n olygus iawn.

Ar hyn, sbonciodd un o'r adar lleiaf oll at yr angel.

'Aderyn bychan, bach ydw i,' meddai mewn llais mwyn, 'a does neb yn cymryd fawr o sylw ohono' i.'

Gwenodd yr angel a dweud, 'Paid â phryderu. Mi ro i goron aur ar dy ben di.'

Dyma'r angel yn peintio crib yr aderyn bach gwyrdd yn felyngoch fel aur.

'Fe fydd pawb yn d'adnabod di fel y dryw eurben o hyn allan,' meddai'r angel wrtho.

Cafodd coch y berllan gapan du ar ei ben a phlu pinc tlws ar ei fron. Mae glas y dorlan ymhlith yr harddaf o'r adar ar ôl i'r angel beintio cefn yr aderyn pigfain hwn yn wyrddlas disglair a'i fron a'i draed yn goch.

Yna ehedodd clamp o aderyn mawr at yr angel a dweud yn bwysig, 'Yr eryr ydw i. Brenin yr adar. Rho i mi liwiau a fydd yn gweddu i frenin.'

'Mae paent lliwgar yn brin a does gen i ddim digon i beintio aderyn mor fawr â thi. Rwyt ti'n hen ddigon golygus eisoes,' meddai'r angel wrtho. 'Rhaid i ti fodloni ar blu brown yn unig.'

Wedyn clywodd yr angel lais undonog yn swnian y tu ôl iddo. Trodd ei ben a gweld aderyn braidd yn dew a chanddo draed gweog.

'Aderyn pâl ydw i ac mae pawb yn chwerthin am ben fy mhig fawr hyll i,' meddai'r aderyn yn ddorcalonnus.

111

'Druan ohonot ti,' meddai'r angel wrtho. 'Gad i mi feddwl am funud sut y medra i godi dy galon.'

Synfyfyriodd yr angel. Yna daeth syniad iddo fel fflach.

'Mae gen i ddigon o baent du ac o baent gwyn. Felly mi gei di ben a chefn du, bochau gwynion a bron wen. Mi allaf fforddio dipyn bach o liw iti. Mi beintiaf resi lliwgar ar yr hen big hyll yna.'

Ac felly y bu. Hyd heddiw mae pawb yn dotio at big amryliw yr aderyn pâl.

Yn y cyfamser, roedd jac-y-do direidus wedi bod wrthi'n lladrata o'r potiau paent. Efo fo roedd ei gefndyr, y frân dyddyn, yr ydfran a'r gigfran.

Wrth weld y lladron hyn, dechreuodd yr adar eraill sgrechian a llefain gan dynnu sylw'r angel.

Gwylltiodd yr angel gymaint nes cydio yn y brws mwyaf a feddai. Yna trochodd ef yn y paent du a tharo'r brws rywsut-rywsut ar hyd plu'r adar drwg.

'Dyna beth sydd i'w gael am ladrata! Y cnafon drwg i chi!'

Wedi iddo ddod ato'i hun, bu'r angel wrthi'n ddyfal yn peintio'r gwahanol adar. Roedd y paent yn prinhau erbyn hyn a rhaid oedd i'r adar oedd heb gael eu peintio fodloni ar ryw smotyn o liw yma a thraw ar eu cyrff.

Yn sydyn daeth robin bychan o rywle.

'Os gweli di'n dda, wnei di fy mheintio i ar unwaith?' gofynnodd y robin, bron colli'i wynt yn lân. 'Rydw i ar gymaint o frys. Mae gen i lond nyth o gywion bach a rhaid i mi frysio adref i'w bwydo nhw.'

Cydiodd yr angel mewn brws a rhoi llyfiad o baent coch ar fron y robin.

'Dyna hen ddigon i mi, diolch. Wna i ddim aros am ragor. Rhaid i mi fynd.' Ac i ffwrdd â fo ar amrantiad.

O'r diwedd fe ddarfu'r paent. Tybiai'r angel fod ei orchwyl ar ben. Ond clywodd ddwy aden yn curo uwch ei ben. Syllodd i fyny a gweld aderyn bach di-nod. Dechreuodd yr aderyn drydar yn gyffrous.

'O, beth wna i? O, beth wna i? Rwyt ti wedi anghofio amdana i! Oes gen ti un diferyn bach o baent ar ôl?'

'Pwy wyt ti felly?' gofynnodd yr angel.

'Dydw i'n neb o bwys. Fedra i ddim canu mor swynol â'r eos, na hedfan mor osgeiddig â'r wennol. Da ti, paid â 'ngadael i mor salw â hyn neu mi fydd raid i mi guddio am byth ymysg y dail.'

Syllodd yr angel arno mewn penbleth.

'Druan ohonot ti! Mae'r paent i gyd wedi darfod,' meddai'n drist wrtho. 'Rydw i newydd olchi'r potiau a'r brwsys yn lân. Rwyt ti'n rhy hwyr.'

Yna cafodd yr angel syniad sydyn. 'Mi wn i beth fedrwn ni ei wneud. Tyrd efo fi!'

Cydiodd yr angel mewn brws. Yna aeth o aderyn i aderyn gan gymryd y mymryn lleiaf o baent gwlyb oddi ar bob un a'i daro ar blu'r aderyn bach di-nod. Erbyn iddo orffen, roedd o'n aderyn bach prydferth. Ei enw ydi'r nico neu deiliwr Llundain. Mae amrywiaeth o liwiau yn ei blu—du, gwyn, brown, coch a melyn.

Weithiau ar ddiwrnod o hydref fe welwn y nico yn disgyn ar lwyn ysgall ac yn bwyta'r had. Wedyn mae'n canu'n llon fel petai'n diolch am bopeth a gafodd.

DIWRNOD TRIP

IESTYN ROBERTS

Un flwyddyn fe benderfynodd eglwys Llanfair Popty Mawr fynd ar eu trip Ysgol Sul i'r lleuad. Roedd pawb yn edrych ymlaen at y trip ac yn gobeithio na fyddai hi'n bwrw glaw ar y diwrnod mawr—fel roedd hi wedi gwneud heb stop ar bob un diwrnod trip ers ugain mlynedd.

Y cam cyntaf oedd cael roced iawn. Rhaid oedd cael un gyfforddus a di-sŵn, nid un o'r rheini oedd yn llosgi paraffîn ac yn chwyrnu fel hen dractor. Ar ôl chwilio a holi fe gawson nhw fenthyg un gan yr esgob. Cafodd ei gosod yng ngardd ffrynt y person, yng nghanol y coed rhosod, yn barod ar gyfer y diwrnod mawr.

Wel, bu pawb yn gweithio'n galed ar y roced. Bu hanner dwsin yn ei rhwbio â pholish nes ei bod yn sgleinio fel ceiniog newydd. Bu eraill yn glanhau'r ffenestri. Bu eraill wedyn yn golchi'r llawr. Wel, roedd golwg dda arni.

Roedd pob enaid byw yn edrych ymlaen am wibio trwy'r gwagle mewn cerbyd oedd yn fwy disglair na'r sêr.

Doedd y person yn gorfod gwneud dim. Y fo oedd yn gyrru, dych chi'n gweld! Felly roedd yn iawn iddo fo gael tipyn o seibiant cyn cychwyn.

O'r diwedd fe wawriodd y diwrnod mawr. Roedd yn rhaid cychwyn am wyth er mwyn bod ar y lleuad erbyn amser paned ddeg. Roedd hi'n tywallt y glaw wrth gwrs! Yn tywallt! Roedd hi'n bwrw hen wragedd a ffyn.

'Hidiwch befo,' gwaeddodd Williams Ding Dong y clochydd, 'hidiwch befo, 'mhlant i. Mi fydd hi'n siŵr o fod yn braf ar y lleuad. Lle sych iawn sydd yno yn ôl pob hanes.'

Y cyntaf i mewn i'r roced oedd Wil Martha. Bob un bore byddai Wil yn cyrraedd yr ysgol yn hwyr. Ond ar ddiwrnod trip doedd neb yn achub y blaen arno. Byddai yn y sedd ffrynt wrth ochr y dreifar bob un tro.

Ar ôl i bob un arall wthio i mewn a gwneud yn siŵr fod ganddo fo'i gadw-mi-gei yn ei boced, a'i dda-da, a'i fam, neu'i dad, neu'i fodryb, neu ddynes drws nesaf, dyna'r person yn rhoi bloedd dros y lle, yn union fel yr Archdderwydd yn yr Eisteddfod Genedlaethol,

'A yw pawb yn barod?'

'Pawb!' atebodd y criw gyda'i gilydd ac ar ôl rhyw bum munud o drio'r naill swits ar ôl y llall, daeth sŵn fel corwynt o rywle yn y ddaear odanyn nhw. Dyma'r roced yn codi'n araf i fyny i'r awyr a phob un o goed rhosod y ficerdy yn sownd wrthi.

'Mam!' Sgrech gan Glenys Tŷ Draw. 'Lle mae Mam?'

'Mae dy fam yma'n ddiogel, 'y ngeneth i,' meddai Williams Ding Dong. 'Paid â phoeni dy ben bach o gwbwl. Mae hi i lawr yn y gegin yn gwneud paned o goffi i'r ficer.'

Doedd neb yn sâl ar y ffordd. Peth rhyfedd oedd hynny, achos roedd pawb wedi bod yn sâl ar y bws pan aethai'r trip i Fagillt y flwyddyn cynt.

Ond dyna fo, roedd popeth yn mynd fel wats, y roced wedi codi heb lol a heb fachu yn nhŵr yr eglwys nac yn weiren teliffon Sarjant Rhys nac yn lein ddillad Leusa Pant Glas, wrth lwc, er bod sbectol y person wedi stemio i gyd wrth yfed coffi mam Glenys Tŷ Draw.

Aeth pawb ati i gyfrif eu harian ac i sôn am y pethau roedden nhw am eu prynu. Aeth Williams Ding Dong i gysgu. Doedd neb yn cymryd dim sylw o'r sêr oedd yn gwibio heibio'r ffenestri ar ras wyllt.

'Dacw fo,' gwaeddodd y person. 'Mae'r lloer yn dynesu.'

Edrychodd pawb ar ei gilydd am eiliad. Doedd neb yn gwybod yn iawn beth oedd ganddo dan sylw.

Ond wrth graffu drwy'r gwydr fe welson nhw'r lleuad ei hun. Roedd hi'n edrych fel rhyw bêl fawr wen oedd wedi cael ei chicio i ganol y mwd, a'r mynyddoedd yn rhesi arni fel dannedd crocodeil.

Roedd Wil Martha wedi'i gynhyrfu trwyddo. Dechreuodd neidio i fyny ac i lawr yn ei sedd.

'Pawb yn llonydd os gwelwch yn dda,' gwaeddodd y person. 'Tipyn o gamp ydi glanio ar y lleuad, wyddoch chi, heb gael rhyw hen goblyn ba . . . hrrrrm, rhyw blentyn bach yn neidio ac yn ysgwyd y peiriant fel corcyn yn y môr.'

'Ara' deg rŵan, ficer, peidiwch â bod yn rhy wyllt,' bloeddiodd Williams Ding Dong, wedi deffro'n llwyr ac yn gweld y lleuad yn rhuthro tuag ato. 'Brêc, ficer, brêc, da chi.'

'Peidiwch â phoeni dim, Mr Williams. Chwarae plant ydi peth fel hyn i rywun profiadol fel fi.'

'Ond rydych chi'n mynd ar eich pen i'r lle! Y tu ôl sydd i fod i lanio gynta mewn roced yntê?'

'Siŵr iawn, siŵr iawn,' meddai'r person.

Roedd o wedi anghofio hynny, a dweud y gwir. Roedd o'n meddwl ei fod o'n gyrru bws. Y rheswm ei fod yn dreifio o gwbl oedd mai pentref bychan iawn oedd Llanfair Popty Mawr.

Doedd dim digon o arian yn y lle i dalu gyrrwr. Felly y person fyddai'n gwneud y gwaith bob blwyddyn—am ddim wrth gwrs. A dweud y gwir doedd o ddim ffit efo injian dorri gwair yn yr ardd ffrynt, heb sôn am lywio roced drwy'r gwagle.

Ta waeth am hynny. Bang! Clec! Smwsh! Dyna nhw i lawr—y ffordd iawn hefyd, diolch i Williams Ding Dong, a phawb yn cael eu sgytio i fyny ac i lawr yn eu seti fel iô-iô. Ar ôl i bawb gael eu gwynt atynt, dyma ddechrau ar y rhestr 'Peidiwch!'

'Nawr, blant,' meddai'r person. 'Peidiwch â mynd i grwydro ar eich pennau'ch hunain. Peidiwch â bodio popeth yn y siopau. Peidiwch â bodio'r bobol chwaith, dydyn nhw ddim yr un fath â ni, cofiwch. Rhaid i chi wylio rhag ofn eu sathru nhw, maen nhw'n fychan iawn. Peidiwch â bod yn hwyr yn dod yn ôl. Mi fydda i'n cychwyn yn brydlon am saith o'r gloch. Wel, dyna ni, mwynhewch eich hunain, gwariwch eich arian, a hwyl fawr i chi i gyd. Nawr, pawb ar fy ôl i i chwilio am gaffi.'

Ond O, bobol bach, y siom a gafodd pawb! Roedd pob un siop ar y lleuad wedi'i chau a'i chloi.

Dim caffi. Dim siop tsips. Dim ffair. Dim pictiwrs yn agored yn unman. Roedd y lle'n hollol ddistaw. Roedd y tai i gyd yn wag a dim un enaid byw i'w weld yn unlle.

Ar ôl hir grwydro, eisteddodd pawb i lawr bron â llwgu. Roedd gan bawb ddigon o arian i dalu, ond doedd dim tamaid o fwyd i'w gael.

'O . . . o . . . o, mae 'mol i'n brifo,' llefodd Wil Martha. 'Rydw i'n marw o newyn.'

'Fedra i ddim deall y peth o gwbwl,' meddai'r person. 'Pob un siop ar gau a neb yn y tai! Os na welwn ni rywun o fewn hanner awr fydd dim i'w wneud ond mynd adre'n ôl.'

O, dyna weiddi ac ochneidio. Roedd hyn ganwaith gwaeth na chael glaw ar hyd y dydd.

'Beth am betrol, ficer?' gofynnodd Williams Ding Dong. 'Oes yna ddigon i fynd â ni'n ôl i Lanfair Popty Mawr?'

'Brenin y bratiau budron! Fedrwn ni ddim mynd heb hwnnw, mae'r tanc bron yn wag,' meddai'r person mewn braw a'i sbectol yn disgyn oddi ar ei drwyn. 'Pawb! Chwiliwch y lle am garej neu bwmp petrol. Brysiwch!'

Ond doedd dim diferyn i'w gael. Ar ôl oriau o chwilio roedd pawb wedi blino'n llwyr.

'Coffi,' meddai mam Glenys Tŷ Draw. 'Beth am hwnnw, ficer, yn lle petrol?'

'Coffi? Beth sydd ar eich pen chi, ddynes? Gyrru drwy'r gwagle ar lond tanc o goffi. Mae'r peth yn . . . yn . . .' Methodd y person â dweud yr un gair arall.

'Gwell na dim, ficer,' meddai Williams Ding Dong. 'Fyddwn ni ddim gwaeth â thrio. Cofiwch roi digon o siwgr i mewn.'

A dyna a fu. Berwi dŵr a thywallt powdwr coffi a siwgr y bu mam Glenys am ddwyawr.

'Mae'r tanc yn llawn,' gwaeddodd o'r diwedd.

Erbyn hyn roedd pawb yn eistedd mewn cylch ar y llawr yn edrych yn filain ar ei gilydd. Williams Ding Dong oedd yn cael y bai gan bawb. Y fo oedd eisiau trip i'r lleuad o'r dechrau. I Lansantffraid roedd pawb arall eisiau mynd, medden nhw.

'Wel,' meddai'r person, 'rydw i'n eitha parod i roi tro arni. Unrhyw beth ond inni gael mynd o'r lle melltigedig yma.' Ac wrth gerdded i fyny'r grisiau i'r roced, gofynnodd iddo'i hun, drosodd a throsodd: 'Ble ar y ddaear . . . na . . . na . . . ble ar y lleuad y mae pawb wedi mynd?'

Ond roedd pethau'n gwella. Ar ôl un tro ar y peiriant roedd y roced yn barod i gychwyn. Gwaeddodd ar y lleill drwy'r ffenestr, 'Dowch, yn sydyn nawr, hwyrach y medrwn ni gyrraedd adre cyn i'r siop tsips gau wedi'r cwbwl.'

Rhuthrodd pawb i mewn—pawb ond Williams Ding Dong. Roedd o'n hwyr yn cyrraedd.

'Ble buoch chi, Williams?' gofynnodd y person, gan godi'r roced oddi ar wyneb y lleuad a'i hanelu am Gymru. 'Bu bron iawn i ni fynd a'ch gadael chi.'

'Wel, ficer, wrth imi ddod i fyny'r grisiau, fe welais i un o bobol y lle yma . . .'

'Naddo 'rioed! Piti na fyddech chi wedi galw arna i. Mi hoffwn i'n fawr fod wedi cael gair efo fo.'

'Doedd dim amser. Roeddech chi ar gychwyn. Fe ofynnais i iddo ble'r oedd pawb, wrth gwrs.'

'Da iawn. Rydw i'n falch eich bod chi wedi cofio gofyn.' Edrychodd y person yn graff ar Williams a gofynnodd, 'Beth oedd yr ateb?'

'Wel . . .' Roedd gwên wan ar wyneb y clochydd. 'Yr ateb ydi fod pawb ar y lleuad wedi mynd am drip Ysgol Sul!'

'Be . . . be . . . I ble, deudwch?'

'Hymmmm . . . wel . . . i Lanfair Popty Mawr, ficer. Efallai y cawn ni godi llaw arnyn nhw wrth inni gyfarfod ein gilydd yn y gwagle.'

I Landudno yr aeth y trip y flwyddyn wedyn. Mewn trên!

Y BWGAN YN Y LLWYN RHODODENDRON

IRMA CHILTON

Y noson cyn i Philip gychwyn yn yr ysgol newydd, gwelodd fwgan yn codi o'r llwyn rhododendron ar y lawnt. Hen fwgan mawr fel niwlen ddu, yn ymestyn ei freichiau allan fel crafangau yn chwilio am ysglyfaeth. Ew! Collodd Philip ei wynt. Neidiodd i'w wely, tynnu'r gwrthban dros ei glustiau a swatio yno'n crynu drosto.

Erbyn y bore, roedd o bron wedi anghofio am y bwgan a chychwyn-nodd yn dalog am yr ysgol a Mam yn ei hebrwng. Siwrnai fer oedd ganddyn nhw, dim ond rhyw dri chan llath a doedd dim angen croesi'r ffordd.

'Mae'n gyfleus iawn,' meddai Mam, 'ac fe fyddi'n medru mynd ar dy ben dy hun ar ôl heddiw.'

Gwgodd Philip. Roedd o wedi arfer cael Mam yn gwmni iddo ar ei ffordd i'r ysgol. Ac fe gyrhaeddon nhw'n rhy fuan o lawer ganddo fo'r bore hwnnw hefyd. Drwy farrau'r ffens o gwmpas y buarth sbiodd yn gegrwth ar y torllwyth o blant cegog oedd yn gweiddi, yn ffraeo, yn ymladd, yn chwarae, yn chwerthin, yn rhedeg, yn neidio, yn prancio, yn cuddio ac yn gwau trwy'i gilydd fel . . . fel . . . nythaid o lynger. Gafael-odd yn dynnach yn llaw Mam.

Gyda hynny daeth y brifathrawes i'r buarth i hel pawb i mewn. Mrs James oedd ei henw hi. Roedd Philip wedi cwrdd â hi o'r blaen cyn gwyliau'r haf pan ddaethai Mam ag o yma i ymweld â'r ysgol. Daeth draw

119

atyn nhw'n wên i gyd. Closiodd Philip at Mam. Doedd o ddim am ei gadael hi.

'Sut 'dach chi, Mrs Lewis?' meddai Mrs James. 'A dyma Philip wedi cyrraedd. Tyrd di gyda mi,' meddai ac, yn gyfrwys iawn, heb iddo fo wybod sut, roedd *hi*'n gafael yn ei law, yn lle Mam. A chyn iddo dynnu anadl roedd Mam wedi ffarwelio ac yntau'n cael ei arwain ar draws y buarth ac i ddosbarth Mr Ifans.

Cafodd rannu bwrdd gyda bachgen o'r enw Roli Griffiths ond wir, doedd ganddo ddim diddordeb mewn cael sgwrs â Roli. Eisteddai'n drist gan syllu ar y llyfrau a gynigiai Mr Ifans iddo a chan feddwl am ei hen ysgol a'i ffrindiau yno. Brwydrai ei orau i gadw'r dagrau rhag disgyn.

Bu'n ddiwrnod hir. Bu ond y dim iddo gymryd y goes amser cinio. Fe fyddai'n well o lawer ganddo gael brechdan wy wedi'i ffrio'n feddal gan Mam na'r pasti a sglodion a gafodd yn yr ysgol. Ond fe ddaeth Mrs James ei hun i'w hebrwng i'r neuadd fwyta. Gofynnodd hi i Roli eistedd gydag o a chwarae gydag o wedyn, ond doedd ar Philip ddim awydd chwarae er i Roli ddweud bod ganddo grwban gartref. Doedd Philip ddim wedi gweld crwban byw yn agos ac fe fyddai wrth ei fodd yn gweld y crwban hwn—ond doedd ganddo ddim diddordeb heddiw.

Am hanner awr wedi tri, fo oedd y cyntaf allan o'r dosbarth a phan welodd o Mam yn aros amdano wrth y gât, fe hedodd tuag ati a thaflu'i freichiau am ei chanol.

'Dw i ddim yn dod fory, cofia,' rhybuddiodd hi.

Fore trannoeth bu'n rhaid iddo gychwyn i'r ysgol ar ei ben ei hun. Teimlai'n dipyn o lanc yn troi i godi llaw ar Mam wrth fynd ar hyd llwybr yr ardd. Sgwariodd ei ysgwyddau wrth nesu at y llwyn rhododendron. Ac yna, o gornel ei lygad dde, fe welodd y bwgan eto a chlywed siffrwd yn nail y llwyn fel petai rhywun neu rywbeth yn ymestyn ei freichiau. Dechreuodd ei galon bwnio'n gyflymach. Trodd ei waed yn ddŵr. Ond roedd o am fod yn ddewr. Wynebodd y gelyn yn gadarn—ond roedd hwnnw wedi diflannu gan adael dim ond amlinell annelwig o'i ffurf enfawr i ddangos lle y bu.

Roedd Philip yn chwys domen. Ceisiodd lithro heibio i'r llwyn ond wrth wneud, teimlodd gyffyrddiad oer ar ei wegil yn ei oglais ac yna'n gwasgu . . . Sgrechiodd a rhedeg 'nôl i'r tŷ, i freichiau Mam.

Bu'n rhaid iddi hi ei hebrwng i'r ysgol eto'r bore hwnnw. A'r un oedd yr hanes bob bore ar hyd yr wythnos. Roedd Mam yn siomedig.

'Rwyt ti bron yn wyth,' meddai, 'a dim ond herc, cam a naid sydd gen ti i fynd.'

Allai o ddim dweud wrthi am y bwgan. Fyddai hi ddim yn deall. Doedd pobl mewn oed ddim yn coelio mewn bwganod. Plygai'i ben pan fyddai hi'n ei ddwrdio, heb ddweud yr un gair.

Y bwgan oedd ei boen fwyaf bellach gan ei fod o'n dechrau cael ei draed dano yn yr ysgol. Roedd Roli'n un da am dynnu sgwrs ac roedd o wedi'i wahodd i'w gartref fore Sadwrn i weld y crwban. Clobyn oedd ei enw. Roedd ar Philip eisiau derbyn y gwahoddiad ond sut y gallai fynd heibio i'r llwyn rhododendron heb i'r bwgan estyn amdano a'i larpio? Gwnaeth esgus i beidio â mynd ond erbyn diwedd yr wythnos roedd yn edifar ganddo.

Brynhawn dydd Gwener roedden nhw ill dau wrthi'n peintio llun o'r gofod. Wrth gymysgu'r glas a'r melyn, gofynnodd Roli i Philip pam oedd ei fam yn dal i'w hebrwng i'r ysgol. Hen gwestiwn cas!

Ni chododd Philip ei ben o'i lun. Teimlai'n rhy swil i gyfaddef, hyd yn oed wrth Roli, fod rhywbeth yn codi ofn arno. Ond ar ôl llyncu'i boer ddwywaith neu dair, mwmliodd, 'Mae 'na fwgan yn y llwyn rhododendron.'

Doedd Roli ddim yn ei amau am eiliad.

'Ew, oes?' meddai. 'Hoffwn i weld bwgan.'

'Mae o'n hyll,' meddai Philip . . . ac am weddill y prynhawn bu'n ei ddisgrifio i Roli. Roedd gan hwnnw ddiddordeb mawr ac fe addawodd ddod draw'r bore wedyn i gael golwg ar y creadur drosto'i hun.

Fe ddaeth hefyd, toc ar ôl brecwast. A dyna lle buon nhw am hydoedd yn gwylio'r llwyn ond heb gael cip ar y bwgan cas.

'Cuddio mae'r gwalch,' barnodd Roli. 'Fe wn i sut i'w hel o allan.'

A dyna fo'n dechrau gweiddi a neidio a churo'r llwyn a'r lawnt nes bod pob man yn atseinio. Ymunodd Philip yn y reiat. Chafodd o erioed ffasiwn hwyl. Ymhen hir a hwyr, taerodd Roli iddo weld rhywbeth fel niwl yn codi o'r llwyn ac yn symud i lawr at y gât . . .

'Mae o'n dianc. Ar ei ôl o,' gwaeddodd.

Fe redodd y ddau nerth eu traed ar hyd y stryd, heibio i'r ysgol ac i'r parc.

'Rydan ni wedi'i golli o,' meddai Roli o'r diwedd. 'Hai lwc ar ei ôl o! Gad i ni fynd ar y sglefren.'

Fe gafodd y ddau fore wrth eu bodd yn y parc ac fe aeth Philip i weld Clobyn, y crwban, cyn cinio hefyd.

Ac er mai Roli, ac nid efô, a welodd y bwgan yn dianc, welodd o ddim cysgod blew y creadur fyth wedyn. Âi'n ôl ac ymlaen i'r ysgol, i'r parc ac i bobman heb boeni am ddim yn y byd. A phob tro y byddai Mr Ifans yn darllen stori am fwgan neu gawr byddai'n rhoi pwt i Roli. Roedd Roli'n gwybod sut i gael gwared ar y taclau!

CANTORION TREF BREMEN

addaswyd gan DYDDGU OWEN

Roedd gan ryw ŵr ful ac am flynyddoedd bu'r mul yma'n cario sachau'r gŵr i'r felin heb na grwgnach na chwyno. Ond erbyn hyn roedd yn dechrau nogio, ac o ddydd i ddydd roedd yr hen greadur yn mynd yn fwy a mwy anabl.

Penderfynodd ei feistr wneud hebddo, ond synhwyrodd y mul fod rhywbeth yn y gwynt, a ffwrdd â fo i lawr y ffordd i gyfeiriad Bremen. 'Yno,' meddai wrtho'i hun, 'siawns na chaf swydd fel un o gantorion y dre.'

Wel i chi, wedi tramwyo tipyn daeth ar draws ci hela mor fyr ei wynt â phe bai wedi chwythu'i blwc. 'Twt! Twt! Cesar,' meddai, 'pam wyt ti'n chwythu a phwffian fel yna?'

'O,' atebodd y ci, 'dim ond am fy mod yn hen, wel'di, ac yn gwanhau o ddydd i ddydd. Mae fy meistr am fy lladd am na allaf hela mwyach. Felly, rwy'n dianc, ond dwn i ddim ble yn y byd y galla i ennill fy nhamed.'

'Mi ddweda i wrthot ti be,' meddai'r mul, 'ar fy ffordd i Bremen ydw i, i fod yn un o gantorion y dre. Dere dithau gyda mi, ac fe all y ddau ohonom drefnu rhywbeth efo'n gilydd. Mi gana i'r liwt ac fe gei dithau daro'r drwm.'

Wel, cododd yr hen gi ei galon, a ffwrdd â nhw i lawr y ffordd.

Cyn bo hir, gwelsant gath yn eistedd ar ganol y ffordd a'i hwyneb fel ffidil o hir. 'A be sy'n dy boeni di, 'rhen Bwsi Meri Mew?' holodd y mul.

'O!' meddai'r gath, 'wyt ti'n disgwyl imi fod yn sionc a'r hen wraig acw am fy moddi? Dim ond am fy mod yn tynnu 'mlaen, a 'nannedd wedi colli'u min, a bod yn well gen i eistedd wrth y tân a chanu grwndi na chythru ar ôl y llygod. Mae'n wir imi ddianc cyn belled â'r fan hyn, ond mae cyngor da yn brin, a dwn i ddim ble i fynd nesa.'

'Wel—rhaid iti ddod hefo ni i Bremen. Rwyt ti'n ganwr eitha da liw nos, ac mae yna groeso iti ddod yn un o gantorion y dre efo ni.'

Tybiodd y gath fod hyn yn syniad da ac ymunodd gyda'r ddau.

Ymhen dim o amser roedd y tri yn mynd heibio i fuarth fferm, ac yno, yn clwydo ar ben llidiart, wele geiliog yn canu nerth ei ben.

'Rheswm annwyl! Rwyt ti'n gwneud digon o sŵn i fferru esgyrn unrhyw un,' ebe'r mul, 'be sy'n bod arnat ti?'

'Dyma lle'r ydw i wedi bod wrthi'n cyhoeddi tywydd teg ar gyfer dydd Sadwrn,' meddai'r ceiliog, 'ond am fod fory'n ddydd Sul, ac ymwelwyr yn galw, mae hen wraig y ffermwr yn gwbl ddidrugaredd. Dywedodd wrth y cogydd y bydd f'angen yn y cawl fory a heno maent am fy lladd. Dyna paham rwy'n defnyddio fy llais tra gallaf.'

'Hei! Hei! 'rhen Grib Goch,' ebe'r mul, 'pam na ddoi di hefo ni? Rydym ar ein ffordd i Bremen, a doed a ddelo byddi'n well allan yno nag mewn crochan gawl. Yn bendifaddau mae gennyt lais da, ac ond inni ffurfio grŵp gyda'n gilydd, cei weld y bydd tipyn o fri arnom.'

Yn naturiol cafodd y ceiliog ei blesio'n fawr, a ffwrdd â nhw ill pedwar.

Ond roedd Bremen yn rhy bell i'w gyrraedd mewn diwrnod; a hithau'n dechrau nosi penderfynasant aros mewn coedwig gerllaw. Gorweddodd y mul a'r ci dan goeden fawr, a dringodd y gath a'r ceiliog i fyny i'w changhennau, y ceiliog yn hedfan i'r brigyn uchaf, i'r lle mwyaf diogel. Cyn iddo gysgu edrychodd o'i gwmpas i bob cyfeiriad a meddyliodd ei fod yn gweld pelydryn bychan o oleuni yn y pellter. Galwodd i lawr i ddweud wrth ei gyfeillion ei fod yn siŵr fod yna dŷ yn weddol agos oherwydd fod yna lamp yn olau. 'O'r gore,' ebe'r mul, 'awn yn ein blaenau fymryn pellach. Mae'r hen lety yma yn ddigon tila beth bynnag.' Ac ychwanegodd y ci y buasai asgwrn neu ddau a thalp o gig yn gwneud byd o les iddo. Felly ymaith â nhw i gyfeiriad y goleuni ac wrth agosáu roedd hwnnw'n disgleirio'n fwy a mwy nes iddynt o'r diwedd ddod at dŷ yn perthyn i ladron a hwnnw'n oleuni i gyd.

Gan mai ef oedd y talaf, aeth y mul i gael cipolwg drwy'r ffenestr.

'Wyt ti'n gweld rhywbeth, Sbargo?' holodd y ceiliog.

'Ydw, neno'r tad,' meddai'r mul, 'mae'r bwrdd wedi'i osod, ac yn pwyso o ddanteithion, yn fwyd a diod, a lladron yn eistedd wrtho yn bwyta'n wancus.'

'Dyna be ydi bwyd i godi blys arnom ni'n pedwar,' ebe'r ceiliog.

'Eitha gwir,' atebodd y mul. 'Hen dro na fuasen ni yna.'

Closiodd yr anifeiliaid at ei gilydd i ddal pen rheswm ac i gysidro'r ffordd orau i gael 'madael â'r lladron. O'r diwedd dyna daro ar gynllun. Roedd y mul i sefyll â'i garnau blaen yn erbyn y ffenestr, y ci i neidio ar gefn y mul, y gath i ddringo ar war y ci, ac yn olaf, y ceiliog i hedfan fry a chlwydo ar ben y gath. Yna, pob un ohonynt i aros am arwydd cyn dechrau canu hefo'i gilydd. Udodd y mul, cyfarthodd y ci, mewiodd y gath, a chanodd y ceiliog. Yna, dyma nhw'n syrthio drwy'r ffenestr gan chwalu'r gwydr yn chwilfriw. Neidiodd y lladron ar eu traed mewn braw wrth glywed y fath dwrw, gan feddwl bod bwganod yn ymosod arnynt, a rhuthrasant nerth eu traed i'r goedwig. I mewn â'r pedwar ffrind ac eistedd yn gyfforddus wrth y bwrdd ac ymestyn at y bwydydd, pob un at ei hoff flasusfwyd gan lenwi'u boliau efo digon i'w cadw i fynd am dair wythnos.

Wedi i'r cantorion gael eu gwala, dyma ddiffodd y golau a chwilio am fan cysurus i gysgu. Dewisodd y mul gysgod y domen dail, gorweddodd y ci y tu ôl i'r drws, a'r gath ar yr aelwyd mor agos ag y gallai at y marwor cynnes, ac ehedodd y ceiliog i glwydo ar frig y to, a chan eu bod i gyd mor flinedig wedi helyntion y dydd, roeddynt yn cysgu ymhen dim.

Ryw dro wedi hanner nos, gwelodd y lladron nad oedd smic o olau yn y tŷ, a bod pob man yn ymddangos yn dawel. Dywedodd eu capten, 'Roeddem ar fai yn cynhyrfu fel yna.' A dyma fo'n gorchymyn un o'r dynion i ddychwelyd ar unwaith i weld sut yr oedd pethau.

Aeth hwnnw ac yn y tawelwch sleifiodd i mewn yn ddistaw bach. Yn nhywyllwch y gegin, syllodd y gath arno a meddyliodd yntau mai marwor oedd ei dau lygad, ac aeth atynt i danio golau, ond buan y llamodd hithau ato gan boeri a chripio'i wyneb. Cafodd y fath fraw nes rhedeg nerth ei draed i ddianc drwy'r drws cefn. Yno sangodd ar y ci a chael ei frathu yn ei goes. Ffwrdd â fo allan heibio i'r domen dail lle cafodd anferth o gic gan y mul. Deffrôdd y ceiliog. Cododd hwnnw ei galon a chanu'n groch o ben y to, 'Coc-a-dwdl-dŵ! Coc-a-dwdl-dŵ!' dros y lle.

Yna rhedodd y lleidr am ei fywyd gan weiddi, 'Â'm gwaredo! Mae yna hen wrach ddychrynllyd yn eistedd yn y tŷ yn poeri ac yn cripio efo'i hewinedd. Edrychwch ar fy wyneb. Ac wrth y drws fe anafwyd fy nghoes gan ddyn â chyllell, ac yn y buarth cefais fy nharo â phastwn gan gawr anferth. A lan fry ar ben y to eisteddai'r barnwr yn gweiddi, "Crogwch y tacle drwg! Crogwch y tacle drwg!" Felly i ffwrdd â fi, nerth fy nhraed.'

A byth wedyn roedd gan y lladron ormod o ofn i ddychwelyd yn agos i'r tŷ. Ac am Gantorion Bremen—roeddynt gymaint uwchben eu digon nes iddynt gartrefu yn y tŷ ac anghofio am eu siwrne.

A dyna'r stori, ac fe gafodd yr olaf i'w hadrodd lond plât o grempog am ei drafferth.

PARTI DOSBARTH

MARGARET JOY, addaswyd gan TEGWYN JONES

Un bore daeth Bethan i'r ystafell ddosbarth a bag papur lliwgar yn ei llaw. Roedd gwên fawr ar ei hwyneb wrth ei roi i Miss Prydderch.

'Gwddigodde ydyn nhw,' meddai.

'Gwddigodde?' holodd Miss Prydderch.

'Ie,' meddai Bethan gan nodio'i phen, 'gwddigodde i 'mharti i ddydd Sul.'

'O, *gwahoddiadau* i dy barti di,' meddai Miss Prydderch dan wenu. 'Rwyt ti bron yn chwech oed, yn dwyt? Well iti eu rhannu nhw nawr, Bethan.'

Roedd Bethan wrth ei bodd. Aeth o gwmpas yr ystafell yn dosbarthu'r amlenni i'w ffrindiau—pump o ferched a phump o fechgyn. Agorodd pob un o'r plant lwcus ei amlen ac edrych ar y gwahoddiad y tu mewn. Roedd lluniau melysion a balŵns arnynt, a llun clown yn codi'i law ac yn eu gwahodd i barti Bethan. Darllenodd Miss Prydderch wahoddiad Elin yn uchel.

> Annwyl Elin,
> A ddowch chi i 'mharti i ddydd Sul?
> O 3 o'r gloch hyd 6 o'r gloch yn 7 Heol-y-parc.
>
> Cariad mawr,
> Bethan.

'W-w-w!' meddai'r deg lwcus yn llawen, gan wenu'n braf ar Bethan. 'Fe fydd e'n barti mawr, *mawr,*' meddai. 'Mae dyn swyn yn dod yno i

126

wneud triciau, a bydd teisen anferth o fawr ar lun tedi, a bydd hetiau i bawb, a chwaraeon, a digon o felysion.'

'Mae 'mhen-blwydd i ddydd Gwener,' meddai Nia. 'Fe fydda innau'n chwech hefyd.'

Edrychodd Miss Prydderch yn y gofrestr, a dod o hyd i ben-blwydd Nia wedi'i ysgrifennu yno.

'Wel byddi wir, Nia, fe fyddi dithau'n chwech hefyd. Wyt ti'n mynd i gael parti fel Bethan?'

Ysgydwodd Nia ei phen. 'Mae Mam yn dweud na cha i ddim.' Edrychai'n siomedig iawn.

'Mae 'na ddau ben-blwydd yr wythnos yma felly,' meddai Miss Prydderch yn frysiog. 'Bydd Nia a Bethan yn chwech oed. Mae Bethan yn mynd i gael parti hyfryd gartref, ac fe gawn ninnau barti i Nia yma. Fe gawn ni barti dosbarth.'

'Hwrê,' gwaeddodd pawb, a sioncodd Nia drwyddi ar unwaith.

'Bydd raid i ni gael gwahoddiadau fel Bethan,' ychwanegodd Miss Prydderch. Rhoddodd gerdyn i bob un ac ysgrifennodd pawb yn ofalus:

Os gwelwch yn dda, dowch i barti yn nosbarth 1
brynhawn dydd Gwener.

Copïo o'r bwrdd du a wnaeth y rhan fwyaf ohonynt, ond Miss Prydderch a ysgrifennodd ar gerdyn Huw bach, ac yntau wedyn yn ysgrifennu dros ben ei hysgrifen hi. Yna aeth pob un ati i addurno'r cardiau fel y mynnai: roedd sêr a blodau ar rai a chathod a chwningod ar eraill; roedd rhai a rocedi arnynt, a deinosoriaid a hofrenyddion ac angenfilod.

Dewisodd pawb ffrind i gyfnewid gwahoddiad ag ef.

'A oes rhywun heb gael un?' gofynnodd Miss Prydderch. Roedd pawb wedi cael un. 'Da iawn. Cofiwch fod croeso i bob un ohonoch chi ddod i'n parti ni brynhawn dydd Gwener.'

Drannoeth daeth Miss Prydderch â darnau hir o bapur llwyd i'r ysgol. Yr oedd un ymyl i bob darn wedi'i dorri'n igam-ogam.

''Run fath â llif,' meddai Iori.

'Fel cefn draig,' meddai Lowri.

'Fel wigwam,' meddai Ieuan.

'Fel dannedd Jaws,' meddai Prys.

Cydiodd Miss Prydderch mewn darn a'i lapio o gylch ei phen.

'Fel CORON!' gwaeddodd pawb.

127

'Hetiau papur,' meddai Miss Prydderch. Wedi hynny bu pawb wrthi'n ddiwyd yn torri darnau o bapur arian a phapur sidan i addurno'r coronau. Staplodd Miss Prydderch bob un yn gylch i ffitio pen, a gadawyd hwy dros nos er mwyn i'r glud a oedd yn dal y gemau gael sychu.

Dydd Gwener oedd hi trannoeth ac yr oedd pawb yn gyffrous iawn wrth ddisgwyl am y parti. Yn fuan ar ôl llanw'r gofrestr ar ddechrau'r prynhawn, rhoddodd Miss Prydderch gasét yn y peiriant, a bu pawb yn prancio ac yn chwyrlïo ac yn gwibio i'r gerddoriaeth nes colli'u gwynt yn lân. Ambell waith byddai'u coronau'n syrthio i'r llawr, a dyna hwyl a sbri oedd hynny!

Yna buont yn chwarae gwahanol chwaraeon gan gynnwys Gêm Wynebau Digri, lle mae'n rhaid i chi geisio cael rhywun i chwerthin. Cafodd Bethan a Nia dro, ond gwnaeth rhai o'r bechgyn y fath stumiau ofnadwy â'u hwynebau nes bod y ddwy wedi chwerthin yn uchel.

Yna aeth pawb ati i osod y cadeiriau mewn hanner cylch. 'Mae fel pedol,' meddai Rhys.

'Lwc dda i 'mhen-blwydd i,' meddai Bethan.

'A phen-blwydd Nia,' meddai'r lleill i gyd.

Wedi i bawb eistedd, goleuodd Miss Prydderch gannwyll fawr mewn canhwyllbren.

'Dowch i ni ganu pen-blwydd hapus i'r merched,' meddai, ac ymunodd pawb bron i ganu:

> Pen-blwydd hapus i ti,
> Pen-blwydd hapus i ti,
> Pen-blwydd hapus i Nia,
> Pen-blwydd hapus i ti!

Yna canwyd yr un peth eto, ond i Bethan y tro yma. Yna dechreuodd rhai o'r bechgyn ganu:

> Pen-blwydd hapus i ti,
> Tatws meddal i mi,
> Bara menyn i mi wedyn,
> Pen-blwydd hapus i ti!

Ac yna fe ganon nhw gân arall:

> Pen-blwydd hapus i ti,
> Yn y sw gwelais i
> Fwnci tew yno'n eistedd,
> Roedd e'n debyg i ti!

Roedd Nia wrth ei bodd pan glywodd hyn a chwarddodd a chwardd-odd. Chwythodd y gannwyll a'i diffodd, a rhoddodd pawb glap iddi hi a Bethan, gan weiddi HIP HIP HWRÊ! dros y lle.

Yna rhoddodd Miss Prydderch blât i bob un. Nid platiau iawn oeddynt, ond platiau bisgedi siocled. 'Gwell na phlatiau cyffredin,' meddai pawb. 'Gallwch fwyta'r rhain!' Ar bob plât rhoddodd Miss Prydderch bentwr bach o felysion lliwgar. Ac yn olaf aeth i nôl hambwrdd ac arno gwpanau papur, a chafodd pawb gwpanaid o sudd oren.

Daliai Nia ei melysion yn dynn yn ei llaw. Roedden nhw'n dechrau mynd yn feddal ac yn glynu yn ei gilydd, ond doedd hynny'n poeni dim arni. Pan fyddai'r parti ar ben byddai'n rhedeg adref nerth ei thraed a'u rhannu gyda'i mam a'r babi.

Cododd Meirion ei gwpan i fyny, a gadael i'r diferyn olaf o sudd oren ddiferu ar ei dafod.

'Mae hwn yn barti da,' meddai.

'Ydi mae e,' cytunodd Nia, 'y parti gorau ges i 'rioed.'

'Rwy'n falch,' meddai Miss Prydderch.

YR HOSANGHENFIL

BERYL STEEDEN JONES

'Mam! Rydw i'n methu cael hyd i'm hosan las.'

'Wyt ti wedi edrych yn y cwpwrdd?'

'Ydw, ond dwi'n methu'i gweld hi'n unman!'

'Wel, chwilia eto. Rydw i'n brysur . . . yn chwilio am rif ffôn y dyn trydan 'na.'

Gwyddai Robin nad oedd llawer o bwynt gofyn eto. Pan fyddai'i fam â'r llyfr mawr melyn ar ei glin yn rhedeg ei bys i fyny ac i lawr y sgrifen fân, fyddai hi byth yn gwrando arno go iawn.

Daeth Siôn, brawd Robin, heibio ar ffrwst gyda dau o'i ffrindiau.

'Siôn! Wyt ti wedi dwyn un o'm sanau i?'

'Fi? I beth fuaswn i eisiau un o dy hen sanau di? Maen nhw'n drewi,' meddai Siôn, a oedd yn hoffi ei ddangos ei hun o flaen ei ffrindiau.

'Dydyn nhw ddim!'

'Ydyn, maen nhw! Drewi! Drewi! Drewi!'

Chwarddodd yr hogiau mawr.

'Wel, wyt ti wedi *gweld* un 'te? Hosan las tywyll?'

'Un *las*? Am un *goch* roeddet ti'n chwilio ddoe!'

'Rydw i'n gwybod hynny. Ac mi gollais i un werdd ddydd Gwener.'

Daeth golwg ryfedd, gyfrinachol dros wyneb Siôn.

'Rargol fawr! Paid â dweud. Wyt ti'n siŵr?' Rhoddodd winc fawr ar ei ffrindiau.

'Ydw, pam?' meddai Robin. 'Be sy, Siôn?'

'O na, well i mi beidio â dweud. Does arna i ddim eisiau dy ddychryn di.'

'Fy nychryn i? Be wyt ti'n feddwl?'

'Dim byd!' meddai Siôn. 'Dim byd o gwbwl. Dowch, hogiau!' A diflannodd drwy'r drws cefn gan gicio pêl-droed o'i flaen.

Roedd Robin mewn penbleth. Beth oedd Siôn yn ei feddwl?

'Hei! Arhoswch amdana i,' gwaeddodd Robin. 'Rydw i'n dod i chwarae hefyd . . . wedi imi gael hyd i'm sanau.'

Byddai'n rhaid rhoi cynnig ar Mam unwaith eto.

'Mam! Alla i ddim gweld yr hosan 'na'n unlle.'

Daeth ei fam i'r ystafell a golwg dweud-y-drefn ar ei hwyneb.

'Wel wir,' meddai hi wrth chwilio a chwalu drwy'r cwpwrdd crasu, 'dwn i ddim beth rwyt ti'n wneud efo dy sanau, Robin. Maen nhw fel tasen nhw'n diflannu oddi ar wyneb y ddaear. Dim ond wythnos diwetha y prynais i dri phâr newydd iti ac rwyt ti wedi'u colli nhw'n barod!'

'Ddim i gyd, Mam,' meddai Robin. 'Mae gen i un o bob pâr ar ôl.'

'Paid â siarad yn wirion, Robin. Dydi un o bob pâr yn dda i ddim, yn nac ydi? Mae'n rhaid iti fod yn fwy gofalus efo dy ddillad.'

'Ond dydw i ddim yn meddwl mai fi sydd wedi'u colli nhw,' cwynodd Robin yn ddistaw.

'O nage, wrth gwrs,' ebe'i fam. 'Mae 'na rywbeth yn rhywle yn eu bwyta nhw, mae'n siŵr! Hwde! Dyna iti hen bâr iti fynd i chwarae.'

Cipiodd Robin y sanau tyllog o law ei fam, eu gwisgo nhw'n sydyn, stwffio'i draed i'w esgidiau pêl-droed (heb drafferthu agor y careiau) ac allan â fo i ymuno â'r gêm.

Ond nid chwarae'r oedd y tri pan redodd Robin atynt. Roeddynt yn sefyll yn gwlwm bach ar y llecyn chwarae, yn siarad yn ddistaw ac yn piffian chwerthin.

'Gest ti dy sanau?' holodd Rhys, y talaf ohonynt, gan wenu fel giât.

'Wel, mi ges i'r rhain!' A dangosodd Robin ei draed i'r hogiau.

'O, reit dda!' meddai Rhys. 'Dydi "O" ddim wedi cael gafael ar y rheina felly.'

'Be?' Nid oedd Robin yn deall o gwbl.

'Dydi "O" ddim wedi bwyta'r pâr yna.' Pwniodd yr hogiau mawr ei gilydd.

'Bwyta? Pwy? Be 'dach chi'n feddwl?'

Ond chwerthin wnaeth yr hogiau a chicio'r bêl i ben draw'r llecyn glas a rhedeg ar ei hôl dan weiddi. Llusgodd Robin ar eu holau'n styfnig. Doedd o ddim yn hoffi cyfrinachau—neu o leiaf doedd o ddim yn hoffi cyfrinachau pan oedd o'n cael ei gau allan.

Digon di-hwyl oedd o weddill y prynhawn ac roedd o'n eithaf balch o'i gweld hi'n tywyllu a dafnau mawr o law yn disgyn tua chwech o'r gloch. Rhedodd yr hogiau mawr adref a bu'n ras am y tŷ wedyn rhwng Robin a Siôn. Siôn enillodd wrth gwrs.

Erbyn amser swper, roedd Robin wedi penderfynu holi a stilio a phlagio Siôn nes cael ateb i'w gwestiwn.

'Siôn, beth oeddet ti a'r hogiau'n ei feddwl?'

'Meddwl? Pryd?'

'O, rwyt ti'n gwybod . . . pan ddywedaist ti am rywbeth fuasai'n fy nychryn i . . . a phan soniodd Rhys am rywbeth sy'n bwyta sanau?'

'O, dim ond sôn am yr hosanghenfil oedden ni,' meddai Siôn yn ddidaro, ond roedd gwên fach slei yn ei lygaid.

'Hosanghenfil . . . Hosanghenfil . . . Beth yn y byd ydi hosanghenfil?'

Oedodd Siôn am eiliad.

'Wel . . . rwyt ti'n cofio'r neidr gantroed 'na ddangosais i iti—yn y bocs matsys?'

'Ydw.'

'Wel, mae'r hosanghenfil yn debyg i un o'r rheini ond ei fod yn ANDROS O FAWR!'

'Beth wyt ti'n feddwl . . . ANDROS O FAWR?'

'Ym . . . wyt ti'n cofio ci-plwm-pwdin Anti Bet?'

'Gelert? Ydw.'

'Tua'r un maint â hwnnw.'

'Ydi o'n cyfarth yr un fath â Gelert?'

'O nac ydi. Creadur distaw, slei ydi'r hosanghenfil ac mae'n byw fel arfer yng ngwaelod cwpwrdd dillad pobol. Ond mae'n dod allan yn y nos . . . yn snwffian o gwmpas ac yn mynd ar drywydd ei hoff fwyd . . . sanau. Ond fydd o byth yn cymryd dwy hosan ar y tro.'

'Pam?' Roedd Robin yn gwrando'n gegrwth ar ei frawd mawr.

'Am mai stumog wan sydd ganddo . . . 'run fath â Dewyrth Twm. Mae bwyta gormod ar y tro yn codi diffyg traul arno ac mae o'n mynd yn swp sâl.'

'O! . . . Ydi o'n beryg, Siôn?'

'Wel, a dweud y gwir, dwn i ddim. Dydi o ddim yn aros yn hir yn nhŷ neb beth bynnag. Rhyw wythnos ar y mwyaf.'

'Sut wyt ti'n gwybod?'

'Rhys ac Owain oedd yn dweud pnawn 'ma. Mi fuo fo yn nhŷ Rhys ryw fis yn ôl a chyn hynny roedd o wedi bwyta un o sanau Everton Owain.'

'Rargol, Siôn!' Daeth syniad OFNADWY i feddwl Robin. 'Wyt ti'n meddwl ei fod o ar ôl un o fy sanau Wrecsam i?'

'Efallai ei fod o! Well iti eu cuddio nhw.'

'Mi wna i—rŵan hyn,' meddai Robin, ac i ffwrdd â fo i fyny'r grisiau gan adael Siôn yn gwenu ar ei ôl. Cipiodd ei hoff sanau coch a gwyn a'u stwffio dan ei obennydd.

'Wfft iti'r hen hosanghenfil . . . chei di mo'r rheina beth bynnag!' meddai, gan wynebu'r cwpwrdd dillad yn gawr i gyd.

Ond yn nes ymlaen y noson honno, yn ei wely, nid oedd Robin yn teimlo fel cawr o gwbl. Byddai wedi hoffi gofyn i'w fam adael y golau ar y landin fel y gwnâi erstalwm cyn iddo gael ei ben-blwydd yn chwech . . . ond penderfynodd beidio. Doedd 'na fawr o hwyl ar ei fam. Roedd hi wedi bod yn disgwyl drwy'r dydd am y dyn trydan i drwsio'r peiriant golchi—a hwnnw heb gyrraedd.

Doedd Robin ddim yn hoffi'r tywyllwch a chododd yn ddistaw o'i wely i agor y llenni a gadael rhywfaint o olau'r lleuad i'r ystafell. Swatiodd yn yr hanner tywyllwch. Edrychai'r cwpwrdd dillad yn wahanol iawn i arfer yng nghanol y cysgodion. Cododd Robin yn araf ac â'i wynt yn ei ddwrn mentrodd at y cwpwrdd. Oedd, roedd popeth yn iawn. Roedd y drws wedi'i gau yn dynn. Gwibiodd yn ôl i'r gwely a sŵn ei galon yn pwmpio yn ei glustiau.

Yna, clywodd sŵn arall. Clustfeiniodd. Sŵn bach, bach, bach. Oedd rhywbeth yn symud y tu mewn i'r cwpwrdd dillad? Rhywbeth yn stwyrian? Rhywbeth yn snwffian? Rhywbeth yn chwilio am hosan i'w bwyta?

'Mam! Mam! MAM!'

Ond llais ei dad atebodd.

'Gad lonydd i dy fam, Robin. Mae hi wedi blino. Cer i gysgu—dyna hogyn da. Mae'n amser i hogiau bach gysgu rŵan.'

'Dydi hi ddim yn deg,' meddyliodd Robin. 'Rydw i i fod i gysgu achos 'mod i'n fach a dydw i ddim i fod i gael golau achos 'mod i'n fawr.' Doedd dim posib deall Dad a Mam weithiau. Ond teimlai'n well ar ôl clywed llais ei dad mor agos a syrthiodd i gwsg ysgafn.

Rywbryd, tua hanner nos, gwichiodd drws y cwpwrdd dillad ar ei echel. Roedd RHYWBETH yn ei agor. Yn ara' deg o blith y jîns, yr anoracs a'r crysau ymddangosodd pen mawr, hirsgwar, du a chymaint o draed yn sownd ynddo nes eu bod yn sathru ar sodlau'i gilydd. Roedd Robin mor syfrdan yn gwylio'r creadur yn ei ddatglymu'i hun fel na sylweddolodd fod y Pen wedi cyrraedd erchwyn y gwely'n barod. Yn sydyn gwelodd ddau lygad ffyrnig yn syllu'n syth i mewn i'w lygaid o. Trwy gornel ei geg anferth, hisiodd y creadur:

> Bob yn dipyn, igam-ogam,
> Clywaf oglau sanau Wrecsam.

Doedd dim angen iddo ddweud ddwywaith. Yn crynu fel deilen rhoddodd Robin ei law dan y gobennydd, gafael yn y sanau a'u lluchio nhw at yr anghenfil.

'Dyna nhw! Plîs, cer i ffwrdd. CER I FFWRDD!'

Llifodd golau drwy'r ystafell.

'Robin, be sy? Wyt ti'n iawn? Pam oeddet ti'n gweiddi?' Ei fam oedd yno yn ei choban a golwg bryderus ar ei hwyneb. Gan igian crio eglurodd Robin y cyfan am yr hosanghenfil. Gwenodd ei fam yn garedig.

'Does 'na ddim o'r fath beth yn bod o gwbwl! Cael hunllef wnest ti . . . dyna'r cyfan. Edrycha, mae drws y cwpwrdd dillad wedi'i gau'n dynn ac mae dy sanau di lle gadewaist ti nhw. Hosanghenfil, wir! Am beth wnei di feddwl nesaf? Gormod o deledu . . . dyna be sy'n bod!'

'Ond Mam . . . *ti* ddywedodd fod rhywbeth yn bwyta fy sanau i . . .'

'Dim ond ffordd o siarad oedd hynny, Robin. Doeddwn i ddim yn ei feddwl o, go iawn.'

'Ac mi soniodd Siôn hefyd . . .' ac adroddodd Robin beth roedd y bechgyn wedi'i ddweud.

'Wel, y rapsgaliwns iddyn nhw! Aros di i mi gael gafael ynddyn nhw— yn tynnu dy goes di fel'na!'

'O, na Mam! Plîs, paid! Does arna i ddim eisiau iddyn nhw wybod am yr hunlle!'

Am unwaith roedd ei fam yn deall a chyn iddi fynd yn ôl i'w llofft ei hun addawodd y byddai'n cadw'r cyfan yn gyfrinach.

Fore trannoeth, roedd hi'n halibalŵ yn y tŷ. Cyrhaeddodd y dyn i drwsio'r peiriant golchi cyn i'r teulu orffen eu brecwast yn y gegin. Dihangodd Siôn drwy'r drws cefn a darn o dôst yn ei law. Llyncodd Dad ei baned yn sydyn a'i gwadnu hi am y stydi o'r ffordd. Diflannodd Mam i fyny'r grisiau 'i'w gwneud ei hun yn barchus', gan adael Robin yn gorffen ei greision ŷd wrth y bwrdd ac yn gwylio'r dyn yn tynnu cefn y peiriant golchi.

Cyn bo hir, roedd y dyn ar ei gwrcwd ac roedd sgriws a darnau bach o fetel ar hyd y llawr ym mhobman. Ac yna rhoddodd y dyn un chwiban hir o syndod fel y daeth rhannau o berfedd y peiriant i'r golwg.

'Hei, tyrd yma, bychan, i weld hyn!'

Roedd Robin wedi bod yn ysu am fynd yn nes at yr achos ers meitin. Craffodd i grombil y peiriant golchi ac yno, yn y pen draw, beth a welai ond sanau—dwy neu dair ohonynt wedi mynd yn sownd yn y peirianwaith.

'Dyma achos yr holl drwbwl,' meddai'r dyn gan ddod â nhw i olau dydd unwaith eto, 'a dydyn nhw fawr gwaeth ar ôl eu hanturiaeth! Ond gresyn am y peiriant. Bydd yn rhaid imi roi darn newydd ynddo fo. Dydi ceisio bwyta sanau ddim yn gwneud lles i du mewn peiriant golchi!'

'Nac ydi,' cytunodd Robin, dan chwerthin.

Pan ddaeth ei fam i lawr, doedd hi ddim yn falch iawn o ddeall bod angen rhan newydd reit ddrud i'r peiriant golchi. Ond bu'n rhaid iddi wenu pan ddywedodd Robin,

'Felly, mi *oedd* 'na hosanghenfil yn y tŷ wedi'r cyfan, on'd oedd, Mam? Ac *roedd* ganddo fo stumog wan!'

Pan ddaeth Siôn i'r tŷ i nôl ei ginio dywedodd Robin, 'Doeddet ti ddim yn iawn am un peth beth bynnag, Siôn! Doedd yr hosanghenfil yn ddim byd tebyg i Gelert nac i neidr gantroed!'

'Y?' meddai Siôn, gan edrych yn hurt.

'Nac oedd,' meddai'u mam gan ymuno yn yr hwyl, 'roedd o'n fawr ac yn sgwâr ac yn wyn i gyd—ac un llygad mawr, mawr yn ei fol!'

'Beth?' meddai Siôn a golwg ddryslyd ar ei wyneb.

Rhoddodd Mam winc fawr ar Robin a chafodd un fwy fyth yn ôl. Eu cyfrinach nhw oedd hon!

MEISI

RAY EVANS

Un noson, ar ôl iddi dywyllu, dywedodd Meistres Llygoden-y-maes wrth Meisi a'r gweddill o'i phlant, 'Mae hi'n bryd i chi i gyd fynd allan i'r byd mawr ac ymorol drosoch eich hunain, ac i minnau ddechrau magu teulu arall.'

Ac allan â hwy, pob un i'w ffordd ei hunan.

Roedd Meisi'n falch o gael gadael yr hen nyth robin lle y cawsai'i magu. 'Dyna beth oedd dymp,' meddai wrthi'i hunan. 'Pan ddaw hi'n bryd i *mi* ddechrau codi teulu, mi fydda i'n ceisio paratoi cartref go iawn ar gyfer 'y mhlant!' Creadur bach di-ddiolch iawn oedd Meisi. Roedd hi eisoes wedi anghofio'r drafferth yr aethai'i rhieni iddo i wneud yr hen nyth yn glyd i'w teulu bach drwy roi to o fwsogl drosti.

Dechreuodd redeg, gan sboncio yn yr awyr o bryd i'w gilydd. Roedd yn greadur bach twt, ei chynffon bron cyhyd â'i chorff. Melyn tywyll oedd lliw'r ffwr ar ei chefn, ond roedd ei thor yn wyn. Clustiau hirgrwn oedd ganddi a llygaid mawr, tywyll.

'Mi a' i ymhell, bell i gael gweld beth wela i,' meddai'n hapus, gan gymryd y llwybr gydag ymyl y goedwig.

Pan ddaeth at ffrwd fach o ddŵr, nofiodd drwyddi heb unrhyw drafferth. 'O! Mae hyn yn sbort!' meddyliodd. Ar hynny, dyma chwa o arogl cryf iawn yn cyrraedd ei ffroenau. Gwyddai Meisi rywfodd ei bod

mewn perygl mawr, a rhedodd i gysgod y clawdd. Toc, dyma gorff llun-
iaidd, llwytgoch, gyda chynffon drwchus yn tuthio heibio.

Ond ni fu raid i Meisi ofni—am heno o leiaf. Roedd ysglyfaeth fwy a
phwysicach gan y creadur hwn mewn golwg. Ymhen rhai eiliadau
clywodd Meisi sŵn ieir yn sgrechian. Roedd yr ieir wedi bod yn ddigon
ffôl i glwydo allan yn y caeau yn lle yn y tŷ ieir.

'Gwynt teg ar d'ôl di'r cochyn!' gwaeddodd Meisi, nawr ei bod hi'n
gwybod ei bod hi'n ddiogel. 'Cadno wyt ti—mi glywais i Mam yn sôn
amdanat ti! Alli di ddim fy nychryn i!'

Yn nes ymlaen, clywodd siffrwd ym môn y clawdd, ac mewn hanner
amrantiad gwelodd ffurf yn ymlusgo'n gyflym tuag ati—ffurf a phen fflat
iddi, gyda llinell sig-sag yn rhedeg i lawr ei chefn. Arhosodd Meisi ddim
i astudio rhagor arni oherwydd gwyddai mai gwiber oedd hi, creadur
arall y clywsai lawer o sôn amdano. 'Cheith hi ddim gwneud pryd o fwyd
ohono' i!' meddyliodd.

Dringodd i fyny'r clawdd a neidio allan o afael y neidr i gangen coeden.
Teimlai'n hyderus iawn ar ôl maeddu dau o'i gelynion fel hyn.

Ychydig ymhellach ymlaen, gwelodd glawdd yn dew gan aeron.
Dringodd i fyny a chonio a chonio ar yr aeron nes dod o hyd i'r hadau
a'u llyncu. Cyn bo hir teimlai'n gysglyd iawn a dringodd i mewn i hen
nyth aderyn a oedd gerllaw. Wrth gwrs, doedd dim to o fwsogl ar y nyth
yma fel yr oedd ar ei hen gartref, ond er hynny roedd Meisi'n cysgu'n
braf ymhell cyn toriad gwawr. Pan ddihunodd roedd yr haul wedi
machlud a gadawodd hithau'r nyth.

Wrth chwilota o gwmpas, daeth o hyd i dwll wrth fôn clawdd. 'Mae
hwn yn edrych yn ddiddorol,' meddyliodd. 'Tybed i ble mae'n arwain?'

Wedi iddi gerdded ychydig fodfeddi, dyma'r twll yn ymledu allan i fod
yn wâl eang, gydag ystafelloedd yn agor allan i bob cyfeiriad. 'Nawr,
dyma beth *yw* cartref gwerth chweil!' meddai Meisi wrthi'i hunan.

Stordy oedd un o'r ystafelloedd, ac agorodd y llygoden fach ei llygaid
mewn syndod pan welodd yr holl ddanteithion a oedd yno—hadau
gwenith, hadau rhosod a hadau mwyar duon, afalau, cnau, mes, criafol
y moch, wyau adar, nadredd dall wedi trigo, blagur dant y llew a dail
meillion. Roedd yn ddigon i dynnu dŵr o'i dannedd. Cododd eisiau
bwyd mawr arni a dyma hi'n dechrau bwyta.

Yn sydyn, clywodd lais bach yn dweud, 'Bwyd ar gyfer y gaeaf yw

hwn'na—ar gyfer yr amser pan fyddwn ni'n teimlo'n rhy ddiog i fynd allan i chwilio am fwyd.'

Edrychodd Meisi i fyny a gweld llygoden fach arall.

'Does dim angen bwyta bwyd o'r stôr yn yr haf fel hyn,' ychwanegodd y llygoden. 'Dere gyda fi ac mi ddangosa i wely mefus rhagorol iti.'

Dilynodd Meisi hi allan o'r wâl, drwy'r twll i'r awyr agored. Ond prin cael amser i roi'i phen allan ar ôl ei ffrind newydd a wnaeth Meisi cyn iddi glywed siffrwd sydyn. Clywodd wich fach wrth i bâr o adenydd ddisgyn ar y llygoden. Roedd ei ffrind newydd yn dynn yng ngafael tylluan ac yn cael ei dwyn ymaith. Tynnodd Meisi ei phen yn ôl i ddiogelwch y twll, wedi cael ofn mawr.

Ond ofn neu beidio, roedd yn rhaid i Meisi gael bwyd. Daeth o hyd i'r gwely mefus a dechrau gloddesta. Ar doriad gwawr dychwelodd i'r wâl, a chysgu yno hyd fachlud haul. Daeth rhagor o lygod y maes yn ôl yno hefyd, i dreulio'r dydd. Roeddent yn falch o gwmni'i gilydd. Roedd y cartref newydd hwn ar waelod gardd fawr, paradwys o le gyda phob math o ffrwythau a oedd wrth fodd llygod y maes yn tyfu yno yn eu tymor—mefus, gwsberis, cyrens, afalau, gellyg ac eirin. Treuliodd Meisi'r haf a'r hydref yn y lle hyfryd hwn.

Ond diflannodd y ffrwythau o'r ardd yn eu tro. A doedd hi ddim mor bleserus i grwydro yn y nos ychwaith, gan fod barrug gwyn yn gorchuddio'r ddaear. Ac un noson, bu'n rhaid iddi ffoi am ei bywyd rhag un o'r gelynion eraill y rhybuddiodd ei mam hi rhagddo, sef y wenci.

Dechreuodd Meisi fynd yn anfodlon ar ei byd. 'Mi hoffwn i symud o'r lle yma,' meddai wrth ei chyfeillion un noson.

'Pam, beth sy'n bod arno fe?' gofynnodd un o'r lleill.

'Dymp yw e!' maentumiodd Meisi'n haerllug.

Anifeiliaid bach tirion, annwyl yw llygod y maes fel arfer, a doedd y lleill ddim yn hoffi clywed Meisi'n cwyno fel hyn.

'Roeddet ti'n ddigon balch o gael cartref yma, beth bynnag!' meddai un ohonynt.

'Ac rwy'n siŵr bod yr hen nyth robin yna lle cefaist ti dy fagu yn waeth dymp na'r wâl gysurus yma!' meddai un arall.

Roedd hynny, wrth gwrs, yn berffaith wir. Roedd un o'r llygod eisoes wedi adeiladu nyth fach gron allan o borfa wedi sychu ar gyfer ei theulu bach. Roedd hon mewn siambr ar wahân yn y wâl, ac roedd yn glyd iawn.

'Does dim bwyd yn yr ardd bellach,' cwynodd Meisi, 'a dim pleser rhodio ynddi yn y nos!'

'Wel, mae'r gaeaf wedi dod, on'd yw e?' atebodd llais bach amyneddgar, 'a does dim angen mynd allan. Mae digon o fwyd yn y stordy, ac mi allwn ni aros i mewn a gorffwys drwy gydol y tywydd oer.'

'Ie, aros i mewn sydd orau i ni, a bod yn dawel rhag ofn i'r wenci'n clywed ni—mae hi'n gallu gwthio i le bach iawn,' ategodd rhywun arall, gan grynu wrth feddwl am y peth.

'Mi wn i am le cynnes sy'n llawn o fwyd blasus!' Doedd dim troi'n ôl ar Meisi nawr. 'A ddaw dim un gelyn yn agos yno—dim wenci, cadno, gwdihŵ, gwiber na draenog!'

Dechreuodd y llygod eraill chwerthin yn galonnog. Arhosodd Meisi ddim i ddarganfod beth oedd y jôc, dim ond rhuthro allan yn ei chyfer. 'Mi ddysga i chi, y twpsod!' gwaeddodd.

Aeth ar ei hunion i'r lle a welsai y noson cynt—sef cartref perchennog yr ardd, Meistres Poli Pari. Dim ond unwaith yr oedd hi wedi mentro mor agos i'r tŷ o'r blaen. Fel roedd hi'n chwilota am fylbiau a hadau blodau wrth ddrws y cefn, roedd y drws wedi agor, a chwa o awel gynnes wedi anwesu'i chorff. Meistres Poli Pari oedd wedi agor y drws a thaflu gweddillion pryd o fwyd yn y bin sbwriel. Yna roedd hi wedi cau'r drws yn glep, gan adael Meisi yn y tywyllwch ac yn yr oerfel drachefn. Ond nid cyn i gymysgedd o'r arogleuon mwyaf dieithr a hyfryd ddod i'w chyfeiriad—cig moch wedi'i ffrio, sosejys, tatws, picau bach poeth, caws wedi'i bobi a phob math o arogleuon cinio eraill nad oedd Meisi erioed wedi medru'u dychmygu. Am rai eiliadau wedi i'r drws gau, nid oedd wedi gallu symud o'r fan gan ei bod yn teimlo mor gyffrous. 'Gwyn fy myd pe bawn i'n gallu byw yn y lle hyfryd yma!' meddyliodd wrth droi i ffwrdd. 'Mi fyddwn yn ddiogel ac yn gynnes ac ni fyddai arnaf fyth eisiau bwyd.'

Heno roedd ei chyfle wedi dod. Aeth yn nes at y tŷ y tro hwn, gan lechu yn y cysgodion. Pan agorodd y drws, llithrodd i mewn heb i Meistres Poli Pari ei gweld. Cymerodd dipyn o amser iddi ddod yn gyfarwydd â golau llachar y gegin, a threuliodd rai eiliadau yn cripian gyda gwaelod y celfi.

Yna, yn ddisymwth, teimlodd Meisi rywbeth yn ymestyn ati ac yn ei bwrw i'r naill ochr. Cyn iddi sylweddoli beth oedd yn digwydd, dyma hi'n cael ei bwrw i'r ochr arall. Meddyliodd Meisi fod diwedd y byd wedi dod. Edrychodd i'r chwith ac i'r dde. Roedd dwy wal o ffwr bob ochr iddi a phan geisiodd symud ymlaen, dyma'r ddwy wal yn symud hefyd ac yn rhwystro'i llwybr. Yna'n sydyn dyma'r ddwy wal yn diflannu a dechreu-odd Meisi redeg. Ond cyn iddi gyrraedd y drws, dyma'r ddwy wal yn ymddangos eto, a charcharu Meisi drachefn. Edrychodd i fyny mewn penbleth ac arswyd mawr. Crwydrodd ei golygon i fyny dros beth a ymddangosai yn fynydd o ffwr du a gwyn. Ac yn agos i gopa'r mynydd roedd dau lyn mawr gwyrdd, a dau lyn llai, du yng nghanol pob un ohonynt.

Sylweddolodd ei bod ar drugaredd gelyn yr oedd wedi llwyr anghofio amdano. 'Unwaith yr ei di dan balfau cath, mi fydd wedi canu arnat ti!' Roedd ei mam wedi dweud y geiriau yna wrthi fwy nag unwaith. 'Mi fydd hi'n chwarae â thi am amser hir, gan dy fwrw di'n ôl ac ymlaen rhwng ei phalfau, ond dy fwyta di wneith hi yn y diwedd.'

Cath oedd hon yn ddiamau. Ei phalfau oedd y ddwy wal ffwr, a'i llygaid milain oedd y llynnoedd. Cyn hir, byddai'i dannedd meinion yn crensian drwy esgyrn Meisi. Llewygodd y llygoden fach wrth feddwl am y peth.

Sŵn sgrech Meistres Poli Pari a oedd erbyn hyn wedi dychwelyd i'r tŷ a ddaeth â hi ati'i hun. Roedd yn sgrech annaearol, yn atseinio rownd a rownd y gegin, gan achosi i'r sosbenni grynu ar y silffoedd.

'Help!' gwaeddodd Meistres Pari, 'Llygoden! Mwrdwr! Help!' A dyma hi'n dringo i ben y ford gan dynnu'i ffrog hanner ffordd i fyny'i choesau. Roedd hi'n edrych yn ddigri iawn. Rhoddodd fraw hyd yn oed i'r gath a edrychodd i ffwrdd oddi wrth ei hysglyfaeth am ennyd.

Ac yn yr ennyd honno y gwelodd Meisi'i chyfle. Rhedodd allan drwy'r drws agored. Ymhen eiliad neu ddwy roedd yn ôl yn y wâl gyda'r llygod eraill.

'Wedi dod 'nôl i'r dymp 'ma, wyt ti?' gofynnodd un ohonynt. 'Beth ddigwyddodd i'r cartref newydd roeddet ti'n ei frolio?'

'Rown i'n meddwl y byddet ti wedi gwneud ffrindiau mawr â'r gath erbyn hyn,' meddai un arall, 'ac na fyddet ti ddim yn dychwelyd at dwpsod fel ni!'

A dyma'r llygod i gyd yn chwerthin am ben Meisi.

Ond creaduriaid bach mwynaidd yw llygod y maes. Cyn hir roeddent yn ffrindiau mawr â Meisi unwaith eto, a threuliasant aeaf cysurus iawn gyda'i gilydd yn y wâl glyd.

CODI BWGANOD

MARGARET MAHY, addaswyd gan ALWENA WILLIAMS

Tu allan roedd hi'n hollol dywyll, ond tu mewn roedd gan y bechgyn lantar gannwyll a honno'n taflu golau gwan, aflonydd ar ochrau brown y babell. Doedd dim modd gweld llawer—dim ond siapiau hir y sachau cysgu a'r blancedi, a siapiau crwn pennau ar obennydd.

Robin ac Alun oedd y ddau siâp hir; roedden nhw'n gorwedd wrth fflap y drws, a oedd wedi'i glymu'n ôl heno. Roedden nhw wedi dweud wrth Iolo, brawd bach Robin, fod arnyn nhw eisiau cadw golwg ar yr ardd a gwylio'r sêr. Esgus oedd hynny, a dweud y gwir, iddyn nhw ill dau gael bod efo'i gilydd wrth y drws a gorfodi Iolo druan i gysgu ar ei ben ei hun ym mhen draw'r babell. Blancedi oedd drosto *fo*; doedd ganddo'r un sach gysgu. Doedd ei siâp o ddim mor hir chwaith am mai bachgen bach oedd o—dim ond saith oed a'r ddau arall wedi cael eu deg.

Ddoe y cawson nhw'r babell. Amser cinio y cyrhaeddodd y parsel, un mawr ac arno'r enwau Mr Robin Jones a Mr Iolo Jones. Torrodd Robin y llinyn ac agor y papur llwyd. Pabell! Pefriai'i lygaid gan syndod a llawenydd. Ac nid pabell las neu oren mohoni chwaith—fel y rhai a welwch chi fel arfer mewn maes gwersylla— ond pabell frown a allai fod yn eiddo i Indiad neu i ryw arwr mentrus.

Mi gawson nhw beth wmbreth o hwyl yn ffitio'r polion i'w gilydd ac yn gosod y babell yng ngwaelod yr ardd yng nghysgod y gwrych. A sôn am gyffro wedyn wrth sylweddoli eu bod nhw am gael cysgu allan ynddi hi, drwy gydol y nos!

142

'Geith Alun ddod hefyd, Mam?' gofynnodd Robin. Alun oedd ei ffrind gorau, ei gymar ym mhob antur.

'Wrth gwrs y ceith o, os bydd ei rieni o'n fodlon,' atebodd ei fam dan wenu.

'A finnau hefyd!' gwaeddodd Iolo, yn benderfynol o gael ei big i mewn. Fe wyddai'n iawn, pan fyddai Alun a Robin efo'i gilydd, nad oedd *o*'n neb—neb ond brawd bach i'w adael ar ôl a'i anwybyddu. 'Robin *a* fi biau'r babell, yntê?' ychwanegodd.

Edrychodd Robin arno'n surbwch. 'Gei di ddod rywdro arall,' meddai. 'Mi fydd 'na ddigon o gyfle eto.'

Trodd ei fam ei phen yn sydyn.

'Paid â bod mor hunanol, Robin,' meddai. 'Wrth gwrs y ceith Iolo gysgu yn y babell heno. Os nad oes 'na le i Iolo, does 'na ddim lle i Alun chwaith.'

A dyna sut y bu hi i'r tri ohonyn nhw fod yn y babell, Alun a Robin, a Iolo ar ei ben ei hun yn y pen draw yn edrych yn fychan ac yn unig yn y cysgodion aflonydd.

Yn slei bach rhoddodd Alun bwt i Robin, yn arwydd ei fod yn mynd i roi'r cynllun cael-gwared-o-Iolo ar waith. Roedd y ddau fawr wedi bod yn cynllunio hyn ar eu ffordd adref ar gefn eu beiciau y pnawn hwnnw, wedi i'r tri fod yn chwarae ar lan yr afon.

'Mae plant bach yn andros o ofnus yn y twllwch, wsti,' oedd geiriau Alun, a'i wallt coch fel pigau draenog ar ei ben, a'i lygaid yn gul yn erbyn y gwynt. Roedd o wedi cymryd cip tuag yn ôl i weld a oedd Iolo o fewn clyw, ond roedd hwnnw yn ei fyd bach ei hun fel arfer, yn eu dilyn o hirbell gan chwibanu'n braf.

'Pan glywith dy frawd bach di un o fy straeon arswyd enwog i, mi fydd o'n siŵr o redeg i'r tŷ at Mami, a ddaw o ddim ar gyfyl y babell byth eto, gei di weld. Wedyn mi gawn ni wledd. Mi ddo i â thun ffrwythau, ac agorwr tun, a bananas . . . Ac mi oedd 'na sosejys yn sbâr ar ôl cinio heddiw. Mi ddo i â'r rheini hefyd.'

'Mi bryna innau baced o fisgedi,' meddai Robin. 'Mae gen i ddigon o bres i hynny.'

Wrth gofio'r sgwrs, gwthiodd Robin ei law o dan y gobennydd i deimlo'r paced bisgedi a guddiwyd yno. Trodd Iolo'i ben pan glywodd sŵn y papur yn clecian. Rhoddodd Robin bwt i Alun; roedd hi'n amser iddyn nhw ddechrau ar y cynllun. Agorodd Alun ddrws bach y lantar a chwythu'r gannwyll. Aeth pobman yn ddu fel bol buwch.

'Hei!' meddai Alun, 'Mae gen i stori. Stori arswyd . . .'

'Dos yn dy flaen,' meddai Robin. 'Deuda hi. Does arna i ddim ofn.'

'Na finnau chwaith,' meddai llais main Iolo o gefn y babell.

'Mae'n dda gen i glywed hynny,' meddai Alun, 'achos mae hi'n stori arswyd go iawn . . . am ryw fachgen bach o'r enw Iolo. Gwrandewch rŵan!

'Roedd Iolo'n byw mewn hen dŷ tywyll ar fin coedwig fawr. Roedd y goedwig hefyd yn hen ofnadwy, ac yn dywyll ofnadwy—'run fath â'r babell 'ma—a phob math o sŵn dychrynllyd i'w glywed yno. Mi fyddai 'na bobol yn mynd i mewn i'r goedwig weithiau, ond doedd neb byth yn dod allan ohoni. Roedd 'na lygod mawr yn byw yn y goedwig, llygod mawr gymaint â chathod . . .'

Tawodd Alun er mwyn cael saib i feddwl am y darn nesaf a thorrwyd ar y distawrwydd—er syndod i'r ddau arall—gan lais Iolo.

'Pan oedd y llygod mawr yn rhedeg o gwmpas y lle,' meddai, 'roedd eu traed nhw'n gwneud sŵn siffrwd 'doedden . . . fel sŵn dail,' ychwanegodd, wrth glywed sŵn y gwynt yn chwibanu drwy'r gwrych y tu allan.

'Hy!' meddai Alun yn sarrug, 'Ac mi wyddost ti, m'wn, be arall oedd yn byw yn y goedwig?'

'Gwn. Mi wn i'n iawn, Alun.'

'Gwranda di'r bychan, pwy sy'n deud y stori 'ma?' meddai Alun yn gas. Yna gofynnodd yn araf, 'Wel 'te, be arall *oedd* yn byw yno?'

'Pryfed cop,' meddai Iolo. 'Pryfed cop mawr, blewog . . . pob un gymaint â phêl-droed . . . ond yn flewog fel mop golchi llestri . . . mopiau golchi llestri duon, anferth yn rhedeg yn fân ac yn fuan ar hen goesau main, cam . . .'

Torrodd Alun ar ei draws. 'Cau dy geg, wnei di? *Fi* sy'n deud y stori 'ma yntê? Iawn? *Doedd* 'na ddim pryfed cop yn byw yn y goedwig. Draig oedd yn byw yno.'

Aeth Alun yn ei flaen i ddisgrifio pa mor fawr a pha mor ddychrynllyd oedd y ddraig, ond ei siomi a gafodd Robin yn y stori. Am ryw reswm, doedd y ddraig ddim hanner mor arswydus â phryfed cop blewog yn rhedeg o gwmpas yn fân ac yn fuan. Ar hynny, clywsant sŵn TAP! TAP! TAP! o'r tu allan i'r babell, fel petai traed bach sionc yn rhedeg ar hyd y canfas. Tawodd Alun a gwrando'n astud.

'Dim ond y gwynt sy 'na,' meddai Iolo'n dawel, 'yn chwythu rhyw hen frigyn o'r gwrych. Dos yn dy flaen, Alun.'

Roedd yn arw gan Robin dros Iolo, yn gorwedd yn fan'no mor ddiniwed a'i lygaid duon, crwn fel botymau esgid yn rhythu i'r tywyllwch. Doedd 'na ddim gronyn o ysbryd antur yn Iolo rywsut. Doedd ganddo fo ddim syniad am y byd mawr a'i beryglon. Yn wir, roedd o'r math o fachgen a fyddai'n dewis aros yn y tŷ i ddarllen chwedlau tylwyth teg yn hytrach na chwarae ymladd rhwng y llwyni eithin neu lamu dros y twyni tywod a'r gelyn wrth ei sodlau. Ddylen nhw mo'i ddychryn o, druan bach, a'i yrru o allan o'r babell. Fo oedd biau'i hanner hi wedi'r cwbl, yntê?

Ta waeth, meddyliodd Robin. Mi geith o ddigon o gyfle eto. Wrth iddo symud ei ben, clywodd sŵn caled, siarp y paced bisgedi dan ei obennydd.

'Ac yna, un noson . . .' meddai Alun, a'i lais yn ddigon i godi arswyd ar rywun, 'roedd y bachgen bach ar ei ben ei hun yn yr hen dŷ tywyll pan . . . be 'dech chi'n feddwl ddigwyddodd?'

'Mi ddaru rhywun guro ar y drws,' meddai Iolo mewn chwinciad, 'dair gwaith, yn araf, araf, CNOC CNOC CNOC, fel'na.'

'Ac mi wyddost ti, Mistar Gwybod-pob-peth, pwy oedd yno, debyg?' meddai Alun.

'Gwn,' atebodd Iolo'n ddigyffro. 'Mi agorodd y bachgen bach y drws a phwy oedd yno ond rhyw ddyn mewn dillad duon o'i gorun i'w sawdl. Roedd o'n *edrych* 'run fath â dyn, beth bynnag, ond allech chi ddim bod yn siŵr, achos roedd 'na rywbeth du dros ei wyneb o, fel sgarff sidan du. Wyddoch chi be ddeudodd o? Dyma fo'n deud, "Mae'r amser wedi dod, fachgen bach, i ti fy nilyn i."'

Tawodd Iolo, a heblaw am sŵn y gwynt, roedd y babell mor dawel â'r bedd.

'Ddaru'r bachgen bach ei ddilyn o?' gofynnodd Robin. Doedd o ddim wedi bwriadu gofyn, ond roedd rhyw ysfa yn ei orfodi o. Roedd yn *rhaid* iddo fo gael gwybod.

Ni ddywedodd Alun yr un gair.

Roedd llais Iolo yn freuddwydiol a phell wrth ateb: 'Do, mi ddaru o ddilyn y dyn. Doedd ganddo fo ddim dewis. Ac wedi iddo fynd drwy'r drws, mi gaeodd hwnnw'n glep ar ei ôl o, a'r giât hefyd, a chyn pen dim roedden nhw yn y goedwig, a sŵn llygod mawr a phryfed cop o'u cwmpas nhw ym mhob man.'

'Hei . . .' dechreuodd Alun.

'Be?' meddai Iolo.

'O, dim byd. Dos yn dy flaen,' atebodd Alun yn swta.

'Ac roedd 'na *bethau*'n dod ar eu holau nhw,' meddai Iolo, gan wneud ei lais yn ddwfn ac yn ddiarth. 'Y dyn oedd ar y blaen, a'r bachgen yn ei ddilyn, a bob tro y byddai o'n edrych tuag yn ôl fe welai lygaid yn nesu ato fo, ond wyddai o ddim llygaid be oedden nhw.'

'Be oedden nhw 'te?' gofynnodd Robin mewn llais bach.

'Dim ond pethau!' meddai Iolo'n ddifrifol. 'Rhyw fath o fwganod efo llygaid main, coch. A dyma nhw'n cyrraedd llannerch yng nghanol y goedwig, ac roedd tân yn llosgi yn fan'no—nid tân melyn, ond tân *glas*. Roedd y fflamau i gyd yn las, las.'

Gwrandawai'r ddau arall yn astud ar Iolo.

'Roedd 'na dri o bennau—dim ond pennau. Dim cyrff, dim breichiau, dim coesau. Pennau'n tyfu allan o'r ddaear o gwmpas y tân.' Tawodd am eiliad eto. Roedd Alun a Robin yn anadlu'n ddwfn. 'Roedd y pennau'n hyll, yn andros o hyll ac roedd gwên ar wyneb pob un . . .' Gwnaeth Iolo'i orau i feddwl am eiriau digon cryf i ddisgrifio'r wên. '. . . a honno'n fwy dychrynllyd na dim byd welsoch chi erioed,' meddai o'r diwedd. 'Roedd y pennau'n felyn hefyd, cofiwch, 'run fath â thri lwmpyn anferthol o gaws. Mi edrychodd un o'r pennau ar y dyn a deud, "Rwyt ti wedi dod â bwyd i ni felly?"

'Atebodd y dyn, "Do, tamaid o gig brau a blasus heno."

'"Diolcha am hynny," meddai'r pen, "neu mi fase raid i ni fod wedi dy fwyta *di*."

'"Mi gawn ni goblyn o wledd dda heno, frodyr," meddai'r ail ben. "Fy nhro i ydi hi i yfed ei waed o."

'Yna agorodd y trydydd pen ei geg, a honno cyn lleted â llidiart, a'i llond hi o ddannedd pigog fel nodwyddau dur, rhai'n fyr a'r lleill yn hir. Ni lefarodd o'r un gair. Dim ond sgrechian nes bod y goedwig yn diasbedain . . .'

Âi llais Iolo'n uwch ac yn uwch, a'r eiliad honno, bron wrth dwll clust Robin, daeth sŵn nadu gwichlyd o gyfeiriad bôn y gwrych. Neidiodd Alun ar ei draed dan weiddi mewn braw, a rhuthro fel peth gwirion allan o'r babell heb hyd yn oed gamu allan o'i sach gysgu.

'Y pen!' bloeddiodd Robin, gan frysio ar ei ôl. Roedd yntau wedi dychryn cymaint nes bod ei stumog o'n troi a'i holl gorff yn crynu. O dan y gwrych roedd 'na bennau melyn mawr efo dannedd fel nodwyddau yn aros amdano fo, yn barod i gladdu'u dannedd yn ei gnawd a'i fwyta fel petai'n afal aeddfed.

Doedd neb ond Iolo ar ôl yn y babell. Lluchiodd y blancedi oddi amdano a brysio i sbecian drwy'r fflap. Gwelai Alun a Robin, yn dal yn eu sachau cysgu ac yn llamu a baglu fel dau gangarŵ gwallgo ar draws y lawnt.

'Mae hi'n diweddu'n hapus!' gwaeddodd arnyn nhw.

Yna gwthiodd ei law o dan obennydd Alun a chael gafael ar y sosejys oer oedd wedi'u cuddio yno. Clywai leisiau wrth ddrws cefn y tŷ.

'Twt lol! Cathod yn cwffio!' meddai'i dad. 'Arswyd y byd! Os ydi cathod yn cwffio yn codi ofn arnoch chi, fyddwch chi byth ddigon dewr i gysgu allan mewn pabell, myn coblyn i!'

Gwenodd Iolo o glust i glust yn y tywyllwch wrth ymbalfalu am y paced bisgedi o dan obennydd Robin, ei frawd mawr.

Y WOMBAT

RHIANNON IFANS

Roedd Tomos Wiliam Wombat yn sâl, sâl.

'O-o-o,' cwynai Tomos Wiliam Wombat wrth rowlio o gwmpas bwrdd y gegin a gafael yn ei fol. 'O-o-o, dwi'n sâl, sâl.'

'Beth sy'n bod arnat ti, y wombat dwl?' meddai'i fam.

'Fy mol i sy'n crynu,' meddai Tomos Wiliam.

'Paid â bod yn dwp,' meddai Mrs Wombat. 'Fedar dy fol di ddim crynu. Mae gen ti flew trwchus drosot ti i gyd i dy gadw di'n gynnes.'

'Y tu mewn sy'n crynu, siŵr,' atebodd Tomos Wiliam.

'O. Wel, mi fydd yn rhaid i ti fynd i'r gwely ar unwaith felly,' meddai'i fam, 'ac aros yno nes iddo fo stopio crynu.'

Yn ei wely, fe swatiodd y wombat bach o dan y cwrlid. A dyna'r union fan lle y gwelodd Tomos Wiliam Wombat lygoden. Fe dyfodd y llygoden ac fe dyfodd, nes ei bod yn fwy na Tomos Wiliam. Gafaelodd y wombat yn ei chynffon a'i phlygu i siâp car. Ar yr un pryd yn union fe ymddangosodd traffordd ar waelod y gwely. Felly i ffwrdd â'r wombat a'r llygoden ar Antur Fawr.

'Beth ydi d'enw di?' gofynnodd Tomos Wiliam Wombat i'r llygoden.

'Esyllt-Oswallt-Wallti-Ollt,' atebodd honno.

'B-E-TH?!' meddai Tomos Wiliam Wombat.

'Esyllt-Oswallt-Wallti-Ollt. Pam?' meddai Esyllt-Oswallt-Wallti-Ollt.

'O, dim,' meddai Tomos Wiliam Wombat.

Ymhen dau funud a hanner o yrru'n wyllt, daeth y drafffordd i ben. Roedden nhw yn Llandudno.

'Mae 'na ffair yn fan'cw,' meddai Tomos Wiliam Wombat. 'Tyrd!'

'Syniad da,' meddai'r llygoden, 'ond mi fydd yn rhaid i ti blygu fy nghynffon i'n ôl gyntaf rhag ofn iddyn nhw feddwl mai un o'r ceir clatsio wedi dianc ydw i.'

Sythodd Tomos Wiliam Wombat gynffon ei ffrind, ac ymlaen â hwy trwy'r clwydi i'r ffair. Roedd yno sŵn mawr, mawr a gweiddi a rhuo a chadw stŵr a jigio a chwyrlïo rownd a rownd mewn cylch ac wedyn stopio'n stond.

Y funud y stopiodd y miri-go-rownd, fe neidiodd y ddau ffrind ar gefn bob-i geffyl a rasio rownd a rownd y cylch fel pethau gwallgo, a gwneud stumiau ar ei gilydd, yn dibynnu pwy oedd yn ennill y ras ar y pryd. Esyllt-Oswallt-Wallti-Ollt enillodd yn y pen draw. Fe chwarddodd honno dros y wlad, a gwneud stumiau dipyn bach yn gas ar Tomos Wiliam Wombat. Doedd o ddim yn hoffi hynny o gwbl.

Ond cyn iddo ddisgyn oddi ar ei geffyl ar ddiwedd y ras gwelodd Tomos Wiliam fwth paffio.

'Fyddi di fawr o iws fel paffiwr, Esyllt-Oswallt-Wallti-Ollt,' meddai wrthi.

'Gei di weld, Tomos Wiliam Wombat,' meddai hithau.

Pan ganodd y gloch i ddechrau'r rownd, dyma'r hwyl yn dechrau. Yno y buont yn ymladd yn galed—yn gafael yn ffyrnig yng ngwalltiau'i gilydd, a thra agorai un ei geg i weiddi byddai'r llall yn crafu'r tyllau yn ei ddannedd. Dechreuodd y ddau hitio'i gilydd ar eu pennau hefo morthwylion mawr o weiren bigog nes bod pantiau mawr yn eu pennau a'r llwch lli'n hyrddio allan o'u clustiau fel coesau ŷd o ddyrnwr Medi, gan dyfu'n frigau rhedyn i lawr o dan eu ceseiliau. Ond doedd dim ots gan Tomos Wiliam Wombat.

'Mi dy saetha i di,' meddai wrth Esyllt-Oswallt-Wallti-Ollt.

'Na wnei di wir,' meddai'r llygoden. 'Mi dy saetha i di yn gyntaf.'

A rhedodd y ddau allan o'r bwth paffio ac at y rheilen saethu. Baglodd Tomos Wiliam Wombat dros goesyn candi-fflòs a syrthio ar ei wyneb i jam coch oedd i fod i fynd i ganol do-nyt. S-B-L-O-J!!

Aeth pob man yn dawel, dawel tra oedd Tomos Wiliam Wombat yn y fath bicil. Cododd ei wyneb o'r jam a thrio agor ei lygaid, ond roedd ei amrannau wedi glynu at ei gilydd. Ceisiodd anadlu ond roedd ei drwyn yn llawn o jam coch. Fe fyddai wedi hoffi crio, ond bod ei geg yn llawn o jam hefyd.

'Paid â phoeni dim, Wombat,' meddai Esyllt-Oswallt-Wallti-Ollt. 'Mi wna i dy folchi di.'

Roedd ganddi hances yn ei phoced, a phunt. Aeth i brynu potelaid o bop gwyn a dechrau golchi trwyn Tomos Wiliam Wombat hefo fo. Yna arllwysodd y pop dros ei lygaid a sychodd hwy'n sych hefo'i hances. Erbyn hynny roedd y wombat wedi bwyta'r jam oedd yn ei geg, ac wedyn fe orffennodd y pop a sychu'i weflau.

'Dwi am gysgu dipyn rŵan,' meddai Tomos Wiliam Wombat.

'Mi ganaf innau gân i ti felly,' meddai Esyllt-Oswallt-Wallti-Ollt. A dechreuodd sgrechian hwiangerdd newydd yn ei glust:

> 'Mae gen i feic Suzuki
> Sy'n gyrru ofn drwy'r fro,
> Mae gen i stereo swnllyd
> Sy'n gyrru Mam o'i cho';
> Os hoffech gael ar fenthyg
> Y naill neu'r llall o'r rhain
> Fe gym'raf yn gyfnewid
> Wn mawr i saethu chwain.'

Sgrechiodd Esyllt-Oswallt-Wallti-Ollt ei chân drosodd a throsodd yng nghlust y wombat nes bod hwnnw'n cysgu'n braf.

'Un waith eto, a dyma'r tro olaf rŵan,' meddai'r llygoden.

> 'Mae gen i feic Suzuki
> Sy'n gyrru ofn drwy'r fro,
> Mae gen i stereo swnllyd
> Sy'n gyrru Mam o'i cho';
> Os hoffech gael ar fenthyg
> Y naill neu'r llall o'r rhain,
> Fe gym'raf yn gyfnewid
> Wn mawr i . . .'

'I DY SAETHU DI!' gwaeddodd Tomos Wiliam Wombat.

'Rhag dy gywilydd di, Tomos Wiliam Wombat, yn fy nychryn i fel'na a thithau i fod yn cysgu'n braf. Ond gan dy fod di'n effro, mi awn ni am reid ar yr olwyn fawr rŵan,' meddai Esyllt-Oswallt-Wallti-Ollt.

'O, na, dim yr olwyn fawr,' meddai'r wombat. 'Mae 'mol i'n crynu digon yn barod.'

'Paid â bod yn wombat twp,' meddai'r llygoden.

'Wyt ti isho clywed jôc gynta?' gofynnodd Tomos Wiliam Wombat.

'Ydi hi'n jôc dda?' gofynnodd Esyllt-Oswallt-Wallti-Ollt.

'Ydi siŵr,' meddai'r wombat, 'neu faswn i ddim yn ei chofio hi.'

'Olreit 'ta, ond dim ond un,' meddai'r llygoden.

'Beth ddwedodd y bwmerang wrth y wombat?' gofynnodd Tomos Wiliam Wombat.

'Wn i ddim. Beth ddwedodd y bwmerang wrth y wombat?' gofynnodd Esyllt-Oswallt-Wallti-Ollt gan rowlio'i llygaid tua'r awyr.

'Fydda i'n ôl mewn munud!' gwichiodd Tomos Wiliam Wombat gan redeg at yr olwyn fawr.

'Twpsyn!' meddai Esyllt-Oswallt-Wallti-Ollt gan redeg ar ei ôl ac eistedd yn y sedd goch i aros i'r olwyn fawr ddechrau symud.

Wrth godi'n uwch ar yr olwyn fawr dechreuodd bol Tomos Wiliam Wombat droi. Roedd tu mewn ei fol yn crynu; roedd ei ddwylo'n crynu wrth afael yn y bar; roedd ei goesau'n crynu wrth i'r gwynt fynd drwy'i flew trwchus; erbyn i'r ddau gyrraedd copa'r olwyn fawr roedd hyd yn oed clustiau Tomos Wiliam Wombat yn crynu. Roedd yn crynu o'i ben i'w draed.

'O-o-o, dwi'n teimlo'n sâl, sâl,' meddai'r wombat bach.

Yn sydyn gwelodd siâp car BMW yn y cwmwl wrth ymyl ei glust chwith. Gwelodd y wombat ei gyfle.

'Rhaid i mi fynd rŵan,' meddai wrth ei ffrind.

Neidiodd o'r olwyn fawr pan oedd reit ar ei chopa a glanio'n ddiogel yn y BMW.

'Hwyl fawr, Esyllt-Oswallt-Wallti-Ollt,' gwaeddodd. 'Hwyl fawr.'

Llithrodd y car mawr gwyn drwy'r awyr las, ymlaen ac ymlaen ar hyd y draffordd am ddau funud a hanner union nes dod o'r diwedd i ben ei siwrnai wrth droed gwely Tomos Wiliam Wombat.

'Hwyl fawr, Tomos Wiliam Wombat,' meddai'r cwmwl gwyn. 'Hwyl fawr.'

Pan ddaeth Mrs Wombat i edrych am ei mab toc cyn cinio, roedd yn cysgu'n braf—am yr eildro y bore hwnnw, tasa hi ddim ond yn gwybod. Dyna bethau diog ydi wombats bach, yntê?

151

CHWE GŴR DALL AC ELIFFANT

JAMES RIORDAN, addaswyd gan GLENYS HOWELLS

Flynyddoedd maith yn ôl, yn India, trigai chwech o ddynion a oedd wedi bod yn ddall o'u genedigaeth. Treuliai'r chwech oriau lawer yng nghwmni'i gilydd, yn adrodd straeon—pob un am y gorau i ddweud y stori fwyaf anghredadwy.

Bob nos, yng ngolau'r machlud, byddai un ohonynt yn bwrw iddi:

'Dwi'n cofio . . . flynyddoedd lawer yn ôl . . . imi gyfarfod â'r Arglwydd Krishna yn y goedwig. Ymddangosodd mewn fflach o oleuni glas, llachar, yn canu alaw fendigedig ar ei ffliwt . . .'

Adroddodd yr hen ŵr fel y cafodd rodd gan yr Arglwydd Krishna—rhodd o ddoethineb. Ef bellach oedd y doethaf o holl blant dynion.

'Twt lol!' meddai'r ail. 'Mae gen i stori well na hon'na. Wyddoch chi pam mae brest yr aderyn *bulbul* yn goch? Un diwrnod, mi welodd yr aderyn deigr yn dianc rhag draenog mawr. Chwarddodd yr aderyn nes iddo fyrstio—do, wir ichi!—ac i'r gwaed dywallt i lawr dros ei frest.'

'Twt, twt!' meddai'r trydydd gŵr dall, gan besychu'n bwysig a dechrau adrodd hanes rhyfeddol y brenin a briododd ferch ifanc dlawd, werinol.

Roedd gan y lleill eu stori hefyd—pob un yn awyddus i adrodd gwell stori na'r un o'i flaen. Ac âi pob stori'n fwy ac yn fwy anghredadwy. Treuliai'r dynion oriau lawer yn diddori'u hunain fel hyn—yn gwrando ar ei gilydd yn adrodd storïau llawn ymffrost diniwed.

152

Ond un diwrnod, mi aeth pethau'n o ddrwg rhyngddynt—a'r eliffant, o bopeth dan haul, oedd asgwrn y gynnen. Clywsent chwedlau lawer am eliffantod, ond gan eu bod yn ddall o'u genedigaeth, doedd yr un ohonynt erioed wedi gweld eliffant. Roedden nhw i gyd yn benderfynol o gael gwybod beth yn union yw eliffant.

Cawsant afael ar ŵr ifanc oedd yn fodlon eu harwain i'r goedwig, ac i ffwrdd â nhw—y naill â'i ddwylo ar ysgwydd yr un o'i flaen. Cyn bo hir, daethant ar draws eliffant mawr, mawr yng nghanol y goedwig. O'r diwedd, fe gaent fodloni'u chwilfrydedd. Caent wybod sut anifail yw'r eliffant!

Aeth pob un ato yn ei dro a'i deimlo'n ofalus, i geisio darganfod ei siâp a'i faint.

Yn ei frwdfrydedd i gyrraedd yr eliffant, baglodd y cyntaf o'r dynion dall dros fôn coeden a chwympo'n erbyn ochr yr anifail anferth.

'O!' meddai ar unwaith, 'Mae'r eliffant 'ma fel wal o laid wedi caledu yn yr haul.'

Nesaodd yr ail ŵr dall at yr eliffant yn llawer mwy gofalus. Cerddodd yn araf—ei ddwylo wedi'u hymestyn yn syth o'i flaen, yn teimlo'i ffordd yn bwyllog. Gan ei fod yn nesáu at yr eliffant o'r tu blaen, tarodd ei ddwylo yn erbyn dau o bethau hir, siarp, yn troi ar i fyny uwch ei ben.

'Wel, ffrindie,' meddai'r hen ŵr yn gyffrous, 'mi wn i o'r diwedd sut beth yw eliffant—mae e'n union fel gwaywffon.'

Gwenodd y lleill yn amheus.

Daeth tro'r trydydd gŵr dall i deimlo'r eliffant. Fe ddaeth ef ato o'r tu ôl. Cerddodd ymlaen yn ofalus, ei freichiau'n chwifio yn yr awyr o'i flaen nes iddo o'r diwedd gyffwrdd â chynffon yr eliffant. Gafaelodd ynddi â'i ddwy law, a'i byseddu'n ofalus—roedd fel rhaff hir, gref, gyda blew caled ar ei blaen.

'Chredwch chi byth, ffrindie,' gwaeddodd, 'mae'r eliffant 'ma'r un fath yn union â rhaff!'

Roedd y pedwerydd gŵr dall ar bigau'r drain erbyn hyn. Daeth ei dro o'r diwedd a chamodd ymlaen yn ddewr o'r tu blaen a chyn bo hir ymaflodd ei ddwylo yn rhywbeth hir a gyrliodd am ei ganol—trwnc yr eliffant, wrth gwrs.

'Wel, wel,' meddai, 'mae'r eliffant 'ma'r un ffunud â sarff.'

'Hyh!' meddai'r lleill, heb gredu'r un gair a ddywedai.

Roedd y pumed gŵr dall yn dalach na'r lleill, a digwyddodd ei law ef gyffwrdd â chlust yr eliffant.

'Mae'n amlwg, hyd yn oed i ŵr dall,' meddai, 'sut siâp sydd i eliffant. Mae o'n debyg iawn i wyntyll.'

Chwarddodd y lleill yn ddirmygus.

O'r diwedd daeth tro'r chweched gŵr dall. Ef oedd yr hynaf ohonyn nhw i gyd, ac roedd ei gefn wedi crymu gan henaint. Nesaodd at yr eliffant yn araf, gan ymlwybro dan y trwnc a'r ysgithrau, nes i'w ben daro'n erbyn coes fawr dew yr anifail. Fe'i teimlodd â'i ddwy law yn ofalus, ac yna galwodd ar y lleill yn ei lais cryglyd, crynedig:

'Mae'r golofn 'ma'n teimlo'n union fel bôn palmwydden fawr.'

Doedd neb yn credu gair o'r hyn a ddywedai, wrth gwrs.

Dychwelodd y chwech i'r pentref. Roedden nhw i gyd ar ben eu digon, yn fodlon bellach fod eu cwestiynau wedi'u hateb. Ond cyn bo hir dechreuasant ddadlau ac anghytuno'n chwyrn â'i gilydd fel o'r blaen. Yn fwy chwyrn nag erioed, a dweud y gwir—oherwydd oni wyddai pob un ohonynt erbyn hyn, o brofiad personol, beth yn union yw eliffant? Wedi'r cyfan, onid oedd pob un ohonynt wedi *teimlo*'r eliffant drosto'i hun, ac yn gwybod yn bendant mai *ef* oedd yn iawn?

Ac ni ellir gwadu hynny, wrth gwrs. Roedd pob copa walltog ohonyn nhw'n dweud y gwir—ond nid y gwir i gyd chwaith, yn anffodus!

RHYWBETH NEIS I DE

GWENNO HYWYN

'Oes, siŵr, mae gen ti nain!'

Teimlai Mared ei bochau'n llosgi. Roedd Nerys yn edrych yn syn arni fel pe bai newydd ddweud nad oedd ganddi ddim gwallt neu ddim bodiau traed. Teimlai'n edifar iddi erioed sôn am y peth. Fyddai hi ddim wedi sôn chwaith oni bai iddi gael llond bol ar glywed Nerys yn brolio am y pethau roedd ei nain yn eu prynu iddi. Doedd Mared ddim am i'w ffrind feddwl bod unrhyw un o'i theulu'n rhy gybyddlyd i brynu anrhegion ac felly roedd hi wedi dweud yn blwmp ac yn blaen nad oedd ganddi nain. A doedd Nerys ddim yn ei choelio!

'Mae gan *bawb* nain,' meddai rŵan, gan grychu'i thrwyn fel pe bai newydd gymryd llond ceg o stiw ysgol. Ac yna, wedi meddwl am funud, holodd,

'Oes gen ti fam-gu, 'ta? Dyna sy gan Siôn drws nesa. Llawn cystal â nain, medda fo.'

Ysgydwodd Mared ei phen. Doedd ganddi ddim mam-gu chwaith.

'Wel, Nana, 'ta? Neu Gran?'

Ysgwyd ei phen a wnaeth Mared eto. Erbyn hyn, roedd hi'n teimlo'n ddigon digalon, er nad oedd hi erioed wedi gweld angen nain cyn hynny. Roedd arni eisiau dweud ei bod hi'n berffaith hapus efo Mam a Dad ond roedd arni ofn i'w llais swnio fel pe bai hi bron â chrio. Yn ffodus, fu dim rhaid iddi ateb. Agorodd drws tŷ Nerys a daeth ei mam ar hyd y llwybr i lle'r oedd y merched yn eistedd ar y wal wrth y giât.

155

'Mae'n amser inni fynd i dŷ Nain, Nerys,' meddai hi. 'Mae hi'n ein disgwyl ni i de. Well i ti fynd adre rŵan, Mared.'

Cerddodd Mared yn araf ar hyd y pafin. Doedd y peth erioed wedi'i tharo hi o'r blaen ond, erbyn meddwl, roedd gan bawb arall yn y dosbarth nain neu fam-gu neu Nana neu rywbeth. Y cwbl oedd ganddi hi oedd y ddau lun ar y piano—mam a thad Mam a mam a thad Dad. A'r cwbl wedi marw ers blynyddoedd a blynyddoedd cyn iddi hi gael ei geni. Erbyn meddwl, roedd hynny'n drist. Yn drist iawn. Eisteddodd Mared ar y fainc wrth y siop yng nghanol y pentref. Roedd ei gwddw'n teimlo'n llawn a'i llygaid yn dechrau llosgi fel bydden nhw pan fyddai rhywun yn dweud y drefn wrthi. Oedd, roedd y peth yn drist iawn, iawn.

Clywodd rywun yn curo ffenestr y siop y tu ôl iddi. Roedd Ffred Jones, yr hen ŵr a gadwai'r siop, yn amneidio arni i fynd i mewn.

'Wyt ti am fynd â'r dorth 'ma i dy fam, Mared fach?' gofynnodd yn glên. 'Roedd hi wedi gofyn imi gadw un iddi hi. Ac aros funud. Well i tithau gael dipyn o fferins. Ydw i am gael gwên gen ti heddiw?'

Gwenodd Mared ar yr hen ŵr. Roedd hi'n teimlo'n well yn barod. Roedd Ffred Jones bob amser mor ffeind. Doedd ganddo ddim teulu ei hun, meddai Mam. Dyna pam roedd o mor glên efo plant pobl eraill ac yn cymryd cymaint o ddiddordeb ynddyn nhw.

'Nerys ddim efo ti?' holodd rŵan wrth lapio'r dorth mewn papur sidan gwyn. Teimlodd Mared ei llygaid yn dechrau llosgi eto.

'Nac ydi,' atebodd, gan gychwyn am y drws rhag i'r hen ŵr weld ei hwyneb. 'Mae hi wedi mynd i gael te efo'i nain.'

Estynnodd ei llaw yn frysiog i agor y drws a dyna pryd y cafodd hi'r syniad. Syniad anhygoel! Syniad gwych! Wedi'u gludio ar y drws gwydr roedd darnau bach o bapur. Gwyddai Mared yn iawn beth oedden nhw. Roedd Dad wedi rhoi un yno unwaith yn holi a oedd gan rywun feic ail-law i'w werthu.

'Mi fedra i hysbysebu am nain!' meddyliodd, a theimlodd ei hun yn mynd yn ysgafn i gyd fel pe bai hi'n noson cyn Dolig.

Rhuthrodd adref ac yn syth i fyny i'w llofft heb ddweud dim wrth ei mam. Estynnodd bapur a phinnau ffelt ac aeth ati i lunio hysbyseb. Roedd yn rhaid iddo fod yn lliwgar i ddenu sylw ac roedd yn rhaid iddo fod yn glir ac yn hawdd ei ddarllen gan y gwyddai fod hen bobl yn cael trafferth i weld. Bu'n rhaid iddi ailddechrau sawl tro ond, o'r diwedd, roedd yr hysbyseb yn barod.

Yn eisiau
NAIN i ferch 7 oed
Ffoniwch Mared Huws   830574

Roedd Mam yn brysur yn gweithio yn yr ardd a medrodd Mared sleifio o'r tŷ ac ar hyd y stryd i'r siop. Doedd neb ond Ffred Jones yno.

'Wedi dod i edrych amdana i eto, Mared?' meddai pan glywodd gloch y drws yn canu. 'Rydw i'n falch o dy weld di. Mae'n ddigon unig yma, cofia. Beth ga i estyn iti?'

Doedd Mared ddim yn siŵr sut i ofyn.

'Y . . .' dechreuodd ond roedd ei cheg yn teimlo'n sych. Llyncodd ei phoer a daeth y geiriau allan yn un strimyn hir:

'Wnewch-chi-roi'r-hysbyseb-yma-ar-y-drws-imi-plîs?'

'Wel, aros di. Beth sy gen ti rŵan?'

Daeth yr hen ŵr o'r tu ôl i'r cownter gan osod ei sbectol ar ei drwyn. Cymerodd y darn papur a'i ddarllen. Yna, tynnodd ei sbectol ac edrychodd yn hir ar Mared a deimlai erbyn hyn fel pe bai'i choesau a'i chefn ar fin toddi'n llyn.

'Wel, ia,' meddai Ffred Jones ymhen hir a hwyr. 'Ia. Dwi'n gweld. Dydw i ddim yn siŵr ydi hyn yn syniad da chwaith, wsti. Wyt ti am ddweud wrtha i beth sy'n dy boeni di?'

'O . . .'

Cymerodd Mared wynt mawr. Doedd hi ddim yn gwybod sut i ddechrau ond unwaith y bwriodd iddi, dywedodd y cwbl wrth yr hen ŵr. Dywedodd fel roedd gan bawb arall nain ac fel roedd Nerys wedi mynd i gael te efo'i nain hi heddiw. Ac ar ôl dweud, roedd hi'n teimlo'n brafiach o lawer. Gwrandawodd Ffred Jones arni'n ddistaw.

'Wel, ia,' meddai fo. '*Mae*'n hen beth annifyr bod heb deulu. Mae gen ti dy fam a dy dad, cofia. Yn wahanol i mi.'

Edrychodd y ddau ar ei gilydd ac yna gwenodd yr hen ŵr.

'Gwranda, 'mach i,' meddai fo, 'wneith taid y tro iti? Mi fyddwn i wrth 'y modd yn cael rhywun i ddod i gael te efo fi. Mi ffoniwn ni dy fam ac wedyn mi gei di ddewis rhywbeth neis inni o'r siop.'

'Ga i ddewis unrhyw beth sy yn y siop?' Teimlai Mared fel pe bai Dolig a diwrnod pen-blwydd yn digwydd ar unwaith.

'Cei, siŵr,' atebodd Ffred Jones. 'Ond ffonio Mam gynta. Iawn?'

'Iawn, Taid.'

A chydiodd Mared yn llaw'r hen ŵr a'i ddilyn y tu ôl i'r cownter.

Y TRIP

EMILY HUWS ac ELFYN PRITCHARD

'Eleni,' meddai Endaf fel yr oedd y bws yn cychwyn ar drip yr ysgol, 'eleni, rydw i'n mynd i brynu un peth iawn. Dydw i ddim yn mynd i brynu llawer o fân bethau. Dydw i ddim yn mynd i wario fy mhres ar sothach. Rydw i'n mynd i brynu un peth iawn. Mi fydd o gen i wedyn i gofio am y trip yma.'

'Gobeithio y bydd o'n drip gwerth ei gofio,' meddai Prys yn sychlyd.

Edrychodd gweddill y criw arno. Beth oedd yn bod ar Prys? Yna gwelsant ei fod yn edrych i gyfeiriad seddau blaen y bws. Yno roedd mamau a neiniau rhai o'r plant yn eistedd.

Pan welsant eu bod yn gorfod mynd i'r un bws â'r rhieni, roedd rhai o'r bechgyn yn teimlo'n ddig iawn. Roedd arnyn nhw ofn i'r bobl mewn oed fod yn ddiflas ac yn gegog a'u rhwystro rhag cael hwyl ar y daith. Fodd bynnag, a hwythau bellach wedi teithio rai milltiroedd, doedd yr un ohonynt wedi dweud gair wrth y plant. Doedd yr un ohonynt wedi cymaint ag edrych i gyfeiriad y sedd gefn lle'r oedd criw o fechgyn Safon 4 yn eistedd.

'Hwn fydd fy nhrip ola i efo'r ysgol. Dyna pam rydw i am brynu rhywbeth gwerth chweil,' meddai Endaf wedyn.

Roedd amryw o'r plant eraill yn meddwl bod y syniad yn un da, a bu pawb am gyfnod yn trafod beth allent ei brynu. Yna, ymhen tipyn, dechreuodd y plant ganu.

Dyna pryd y dechreuodd Mrs Owen Tan-lan gwyno. O hynny ymlaen fe fu hi'n uchel iawn ei chloch, yn edrych yn ddu ar y plant ac yn cwyno'n uchel nad oedd plant yr oes hon yn parchu neb. Yn dweud nad oedden nhw'n meddwl am neb ond amdanynt eu hunain a'u bod yn ddigywilydd fel pen rhaw.

Yn fuan iawn roedd pawb wedi hen flino arni. Roeddent yn falch iawn o gyrraedd pen y daith.

'Diolch byth am gael mynd o'i sŵn hi,' meddai Endaf wrth Prys.

Aethant gyda'u teuluoedd i gael cinio ac yna cawsant fynd ar eu pennau'u hunain am weddill y prynhawn.

I'r ffair yr aethon nhw gyntaf. Roedd y miwsig yn dyrnu ac yn chwyrnu ac yn eu gwahodd o bell. Rownd a rownd yr âi'r meri-go-rownd. I fyny ac i lawr yr âi'r siglenni tra chwyrlïai'r ceir bach yn gynt na'r gwynt.

'Rydw i'n mynd ar bob peth. Ar bopeth!' meddai Prys a'i lygaid yn disgleirio.

Fel arfer byddai Endaf mor awyddus ag yntau i fynd ar bopeth. Y pnawn hwnnw, fodd bynnag, y cyfan ddywedodd o oedd:

'Ie, dos di!'

'Ddoi di ddim?' holodd Prys yn syn.

'Dydw i ddim yn mynd i wario fy arian i gyd yn y fan yma,' atebodd ei ffrind yn benderfynol. 'Rydw i am fynd ar y roced yna ac ar y chwirli-gwgan, a dyna i gyd.'

Edrychodd Prys braidd yn syn ond pan welodd wyneb Endaf, gwyddai na fedrai'i berswadio i newid ei feddwl. Gwyddai y byddai'n rhaid iddo fynd ar y rhan fwyaf o bethau'r ffair ar ei ben ei hun.

Cyn bo hir, wedi blino yn y ffair ac wedi prynu candi-fflòs bob un, crwydrodd y ddau i lawr i'r traeth. Bob hyn a hyn gwelent rywrai eraill o'r ysgol. Rhai o'r plant efo'u rhieni, rhai efo'u hathrawon a rhai o'r plant hynaf yn griw efo'i gilydd. Roedd y rhan fwyaf eisoes yn llwythog o'r pethau roedden nhw wedi'u prynu.

'Beth wyt ti'n mynd i'w brynu?' gofynnodd Prys i Endaf.

'Wn i ddim eto.'

O'r traeth aethant i gyfeiriad y siopau. Aethant at siop deganau fawr i ddechrau. Buont yn sefyll a'u trwynau ar y gwydr yn syllu ac yn syllu yn hir iawn ar yr holl drugareddau oedd yn y ffenestr. Ychydig o arian oedd gan Prys ar ôl bellach. Gobeithiai weld ei fam yn rhywle er mwyn ceisio cael mwy o arian ganddi. Ond ni welsant olwg ohoni o gwbl.

'Oes arnat ti awydd prynu rhywbeth fan hyn?' gofynnodd Prys.

Ysgwyd ei ben a wnaeth Endaf.

Ymlaen â hwy ar hyd y stryd. Siop lyfrau a theganau, cylchgronau a chomics oedd y nesaf. Oedodd Endaf yn hir iawn o gwmpas y llyfrau. Bu'n bodio llyfrau straeon am beth amser. Bu'n bodio llyfrau'n sôn am anifeiliaid am hir. O'r diwedd roedd Prys wedi hen flino arno.

'Mae hi'n amser te,' cwynodd. 'Os na frysi di i brynu rhywbeth fe fydd yn amser inni fynd yn ôl at y bws, a fyddi di ddim wedi gwario dim.'

'Dydw i ddim wedi gweld dim mae arna i awydd ei brynu,' meddai Endaf yn bendant a'i chychwyn hi i fyny'r stryd o flaen ei ffrind.

Dilynodd Prys ef, yn flin braidd erbyn hyn, a gwelodd Endaf yn troi i mewn i'r farchnad.

Bryd hynny byddai Prys wedi'i adael petai'n gwybod ble'r oedd ei fam neu rywun arall o'r criw. Ond doedd dim golwg o neb roedd o'n ei adnabod, felly aeth i'r farchnad a gwelodd Endaf yn syllu ar rywbeth â gwên lydan ar ei wyneb.

'Gobeithio'n wir dy fod ti wedi cael hyd i rywbeth o'r diwedd,' meddai wrtho'n rwgnachlyd.

Ni ddywedodd Endaf yr un gair. Syllodd Prys i'r un cyfeiriad ag ef. Yno, yng nghanol y farchnad yr oedd siop anifeiliaid anwes. Rhythai Endaf ar foch cwta a llygod gwyn gan wenu'n foddhaus.

'Methu penderfynu'n iawn yr ydw i,' meddai.

'Methu penderfynu!' meddai Prys yn wyllt. 'Methu penderfynu. Rwyt ti'n methu penderfynu drwy'r dydd.'

'Ond rydw i wedi penderfynu beth sydd arna i ei eisiau. Mae arna i eisiau un o'r anifeiliaid anwes 'ma. Methu penderfynu pa un yr ydw i.'

Edrychodd Prys ar y bwjis a'r caneris, y cathod bach a'r cŵn oedd yno. Roedd yntau wedi dotio wrth eu gweld. Ond meddai wrth Endaf:

'Beth ddywed dy fam?'

'Dim byd,' meddai Endaf. 'Wel, cha i ddim cath neu gi, mae'r rheini gynnon ni'n barod, ond fydd dim o bwys ganddi hi 'mod i'n prynu llygoden neu fochyn cwta. Dyna ydw i'n methu'n glir â phenderfynu, pa un ai mochyn cwta neu lygoden wen i'w brynu.'

'Ddoi di ddim â'r un ohonyn nhw'n ôl ar y bws?'

'Wel dof, siŵr iawn.'

'Beth fydd y prifathro'n ei ddweud?'

'Fydd neb yn gwybod siŵr iawn. Dwyt ti ddim yn mynd i ddweud wrthyn nhw?'

Ysgydwodd Prys ei ben. Ni fedrai wneud dim arall. Roedd y peth mor annisgwyl rywfodd.

Ond roedd Endaf wedi penderfynu:

'Llygoden wen,' meddai. 'Yr un yn y fan acw efo'r llygaid pinc. Weli di hi? Mae hi'n ddigon o sioe.'

Syllodd Prys arni. Oedd, roedd hi'n ddel, ei blew hi'n sgleinio'n glaerwyn a'i llygaid hi'n binc, binc. Bron nad edrychai fel llygoden siwgr.

Prynodd Endaf hi. Gwrthododd focs gan ddyn y siop. Rhoddodd y llygoden yn ei boced ar ôl ei dal am dipyn yn ei ddwylo a gadael iddi arogleuo'i groen a'i fysedd i gyd. Dechreuodd y peth bach snwffian a rhyw hanner llyfu'i law ac roedd Endaf wrth ei fodd.

'Mae hi'n fy hoffi'n barod,' meddai, yn wên o glust i glust. 'Fydd hi fawr o dro'n cartrefu efo fi.'

Bellach roedd hi'n hwyr glas i fynd yn ôl at y bws. Erbyn hyn roedd Prys yn dechrau gweld y ffaith fod ei ffrind wedi prynu llygoden yn ddoniol, ac wrth frasgamu ar hyd y stryd roedd o'n pwffian chwerthin. Roedd o'n meddwl am y sbort a gaen nhw ar y bws. Y merched yn sgrechian, yn neidio i ben y seddau, yn dychryn am eu bywyd. O, byddai'r daith adref yn werth chweil!

Ond roedd pawb yn aros amdanynt yn y bws. Roedden nhw'n hwyr a phawb yn dweud y drefn. Chawson nhw ddim cyfle i wneud dim ond rhuthro i gefn y bws, ac roedd y merched wedi dwyn y sedd gefn o'u blaenau, felly roedd yn rhaid iddynt eistedd yn y sedd yn union y tu cefn i Mrs Owen Tan-lan. Wrth gwrs, roedd yn rhaid iddi hi gael rhoi pryd o dafod iddynt am gadw pawb i aros. Ar ôl iddi dewi, eisteddodd y ddau yn swat ddigon am rai milltiroedd.

Ymhen tipyn rhoddodd Prys bwniad i Endaf.

'Ble mae'r llygoden?' gofynnodd.

'Yn fy mhoced i.'

'Dangos hi i'r merched yna. Fe ddychrynan nhw gymaint fel y rhedan nhw o'r sedd gefn 'na. Fe gawn ni fynd yno wedyn.'

Rhoddodd Endaf ei law yn ei boced. Gwyliodd Prys ef a gwelodd ei ffrind fel petai'n fferru yn yr unfan.

'Beth sydd?' gofynnodd.

161

Ni chafodd ateb. Roedd Endaf wedi mynd yn welw, welw ac yn chwilio'i bocedi, y naill ar ôl y llall.

'Mae hi wedi mynd,' sibrydodd yn wyllt. 'Mae hi wedi mynd! Rydw i wedi'i cholli hi a minnau wedi gwario 'mhres i gyd arni hi.'

Cododd ar ei draed yn wyllt a dechrau edrych o'i gwmpas ym mhobman. Wrth symud yn frysiog trawodd ei droed yn erbyn cefn y sedd o'i flaen. A dyna Mrs Owen yn troi'i phen ac wrth gwrs yn dechrau dweud y drefn.

Gwyddai Prys yn iawn nad oedd Endaf yn gwrando dim arni. Roedd golwg bell yn ei lygaid ac roedd ei ddwylo'n dal i chwilio am y llygoden.

Ar ôl gorffen dwrdio dyna Mrs Owen yn gafael yn ei chôt a oedd ar gefn y sedd. Chwiliodd mewn un boced, am ei hances mae'n debyg. Yna rhoddodd ei llaw yn y boced arall, a rhoddodd sgrech. Sgrech uchel, fain a wnaeth i bawb yn y bws ddychryn ac edrych arni'n syn. Endaf a Prys oedd yr unig rai oedd â syniad pam yr oedd hi'n gwneud cymaint o sŵn.

Sgrechiodd Mrs Owen drachefn a thaflodd ei chôt o'r neilltu. Rhuthrodd Endaf i afael ynddi a thra oedd pawb yn holi ac yn stilio a'r merched eraill yn ceisio cael ar ddeall beth oedd yn bod ar Mrs Owen, rhoddodd yntau'i law ym mhoced y gôt.

Doedd Prys ddim yn disgwyl i Endaf ddangos dim syndod yn y byd wrth deimlo beth oedd ym mhoced y gôt. Ond agor ei geg mewn syndod wnaeth Endaf. Nid un llygoden wen oedd yno, o nage!

Roedd yno chwech! Un lawn maint a phump o bethau bychain, bychain, di-flew, dall bost!

'Wel,' meddai Prys pan welodd hwy. 'Fe gefaist ti werth dy bres beth bynnag.'

'Fe gei di un gen i pan fyddan nhw'n ddigon mawr i adael eu mam,' addawodd Endaf wrth eu codi'n ofalus bob yn un o boced côt Mrs Owen a'u rhoi'n dyner ym mhoced ei anorac ei hun.

SUT Y DYSGODD Y BRENIN FWYTA UWD

ALF PRØYSON, addaswyd gan ALWENA WILLIAMS

Ryw dro roedd yna frenin—dyn doeth a da, galluog a chyfoethog, ond roedd un bai arno fo. Doedd o ddim yn fai mawr iawn, cofiwch, ond yn fai er hynny.

Roedd o'n gwrthod bwyta uwd.

Fyddai hynny ddim gymaint o bwys petai o heb gyfaddef ei fai wrth neb. Ond roedd o'n frenin gonest—doedd o byth yn dweud celwydd—ac fe ddywedodd wrth ei lywodraeth a'i bobl nad oedd o'n hoffi uwd.

'Mae'n gas gen i uwd,' meddai. 'Mae 'na hen liw hyll arno fo! Ac mae 'na flas fel glud arno fo! Ych-a-fi!'

Pan glywsant eiriau'r brenin gwrthododd holl drigolion y wlad fwyta uwd. Roedd ar bawb eisiau bod yr un fath â'r brenin—yn enwedig y plant a oedd wrth eu bodd nad oeddynt yn gorfod bwyta uwd. Pan ddaeth hi'n ddiwrnod gŵyl genedlaethol y wlad—diwrnod o ganu a dawnsio a dathlu—cerddodd y plant yn yr orymdaith gan gario baneri mawr ac arnynt y geiriau: 'Hir Oes i'r Brenin! Dim Mwy o Uwd! Hwrê!'

Ond doedd pawb ddim yn hapus. Mewn tyddyn unig yng nghanol y mynyddoedd roedd dyn tlawd a'i ferch yn byw, a dim ond un cae bychan oedd ganddyn nhw ar eu helw. Yn y cae roedden nhw'n tyfu ceirch; dyna'u bywoliaeth nhw. Felly, pan roddodd pawb y gorau i brynu ceirch er mwyn cael blawd i wneud uwd, doedd neb yn prynu'u ceirch nhw chwaith.

163

'Wneith hyn mo'r tro o gwbwl!' meddai merch y tyddyn un diwrnod wrth ei thad. 'Rhaid i bobol ddechrau bwyta uwd unwaith eto, achos does 'na'r un geiniog yn dod i'r tŷ 'ma bellach. Rhaid i mi fynd i'r palas i ddweud y drefn wrth y brenin hurt 'na!'

'Cymer di ofal, fy merch i, rhag ofn i'r brenin wylltio efo ti,' meddai'i thad.

'*Fo* ddylai gymryd gofal,' meddai'r ferch yn ddig, 'rhag ofn i *mi* wylltio efo *fo*!'

Ar hynny, cydiodd mewn sachaid fach o flawd ceirch a'i lluchio dros ei hysgwydd, ac i ffwrdd â hi am y palas.

Wrth iddi gyrraedd gardd y palas fe gyfarfu hi â rhyw ddyn.

'Bore da! I ble'r wyt ti'n mynd?' gofynnodd y dyn.

'I'r palas i ddysgu'r brenin sut i fwyta uwd,' atebodd hithau.

Chwerthin wnaeth y dyn. (Doedd ganddi hi ddim syniad mai'r brenin ei hun oedd o.) 'Os llwyddi di i wneud hynny,' meddai wrthi, 'mae'n rhaid dy fod ti'n ferch glyfar dros ben.'

Cerddodd y ferch at brif ddrws y palas ac aeth y brenin ar ei union trwy'r drws cefn i'r gegin. Dywedodd wrth y cogydd am gymryd diwrnod o wyliau gan fod yna ferch o'r wlad wedi dod i'r dref i'w ddysgu o—y brenin—sut i fwyta uwd.

Roedd hi'n hen bryd i'r brenin gael ei frecwast erbyn hyn ac aeth i'r ystafell fwyta. Daeth merch y tyddyn â llond powlen fawr o uwd chwilboeth i mewn. Er ei syndod, pwy a welodd yn eistedd wrth y bwrdd ond y dyn yr oedd hi wedi bod yn sgwrsio ag o yn yr ardd. Dim ond gwenu wnaeth y brenin a dweud:

'Tyrd yn dy flaen, wir, i mi gael dysgu sut i fwyta'r uwd 'ma.'

'O, fedra i ddim,' meddai hithau dan wrido, 'ar ôl i mi wneud cymaint o ffŵl ohonof fy hun. P'run bynnag, go brin y gwyddoch chi â pha law i gydio yn y llwy, heb sôn am ddim byd arall.'

'O, gwn, mi wn i hynny'n iawn,' meddai'r brenin, gan gydio yn y llwy â'i law dde.

'Yn union fel rown i'n tybio,' meddai'r ferch. 'Welais i neb erioed o'r blaen yn bwyta uwd efo'r llaw dde!'

'O'r gorau 'te,' meddai'r brenin, 'mi ro i gynnig arni efo'r llaw chwith.'

'Dyna welliant,' meddai'r ferch, 'ond welais i neb erioed o'r blaen â llond powlen o uwd ar y bwrdd o'i flaen ac yntau'n eistedd ar gadair i'w fwyta fo. Dringwch ar ben y bwrdd 'na a rhowch y bowlen ar y gadair. Honno ydi'r ffordd iawn!'

Roedd y brenin yn dechrau mwynhau hyn. Dringodd ar ben y bwrdd ac yna ceisiodd osod y bowlen ar y gadair. Ond doedd hynny ddim mor hawdd. Bu bron iddo gwympo fwy nag unwaith cyn llwyddo.

'Rŵan 'te, dechreuwch fwyta,' meddai'r ferch.

Daliai'r brenin y llwy yn ei law chwith a phlygu i lawr at y bowlen uwd. Roedd hyn yn goblyn o gamp, ond fe lwyddodd o'r diwedd i godi llwyaid go lew at ei geg a llyncu rhywfaint o'r uwd.

'Arhoswch funud,' meddai'r ferch, 'mae'n rhaid i chi afael yn eich clust chwith efo'ch llaw dde wrth fwyta.'

'Mi fedra i wneud hynny hefyd,' meddai'r brenin, a chododd lwyaid arall o'r uwd at ei geg.

'Dim ond dwy lwyaid ydi hynna,' meddai'r ferch. 'Arhoswch chi nes y dowch chi at waelod y bowlen. Dyna pryd y cewch chi fwya o drafferth.'

'Paid â phoeni! Mi fydda i'n siŵr o lwyddo!' meddai'r brenin. A chwarae teg iddo fo, fe ddaliodd ati nes crafu'r bowlen yn lân.

'Dyna fi wedi llwyddo!' gwaeddodd dros bob man.

'A finnau hefyd!' meddai'r ferch. 'Rydw i wedi dysgu'r brenin sut i fwyta uwd!'

Am funud neu ddau roedd y brenin braidd yn flin am ei bod hi wedi chwarae tric arno fo. Ond cyn pen dim roedd o'n chwerthin yn braf.

'Rwyt ti'n ferch fach gyfrwys iawn,' meddai wrthi. 'Mi wnaet ti wraig ardderchog i mi. Beth am i ti fy mhriodi i?'

'Waeth i mi hynny ddim, am wn i,' atebodd hithau.

*   *   *

A phriodi fu eu hanes nhw. Ddiwrnod y briodas roedd crochan anferth a'i lond o uwd chwilboeth wedi'i osod yng nghanol sgwâr y farchnad, a gorchmynnodd y brenin i'r bobl i gyd ddod yno i ddysgu sut i fwyta uwd. Safai'r frenhines ar lwyfan uchel er mwyn i bawb allu'i gweld hi'n dangos iddyn nhw beth yn union i'w wneud. Cafodd pawb andros o hwyl a bu'r holl bobl a'r plant yn chwerthin fel dwn-i-ddim-be. Ond wedi i bob un oedd yno ddysgu'r wers yn iawn, meddai'r frenhines:

'Mi wn i rŵan fod pob un ohonoch chi'n medru bwyta uwd. Felly, o

166

hyn allan, mi gewch chi i gyd eistedd ar gadair a gosod eich powlen ar y bwrdd o'ch blaen a bwyta'r uwd fel y byddwch chi'n bwyta unrhyw fwyd arall.'

Ond y gwir amdani oedd fod yn well gan lawer o'r bobl, ac yn enwedig y plant, ei fwyta fel y'u dysgwyd gan y frenhines. Yn wir, daliai rhai ohonynt i wneud hynny ar y slei pan na fyddai neb arall o gwmpas. A doedd ryfedd chwaith—roedd tipyn mwy o hwyl i'w gael wrth fwyta felly!

GWENDA AC ANTI WILIAS

MEINIR PIERCE JONES

Dim ond ar ddydd Sadwrn roedd Gwenda'n cael da-da. (I fod.) Roedd ei mam wedi'i rhoi ar ddeiet er y Nadolig er mwyn iddi golli dipyn o'i bol erbyn yr haf. Roedden nhw'n mynd am eu gwyliau i Albufeira ym Mhortiwgal ym mis Awst. Pan ddeuai Taid a Nain Dre ac Yncl Dewi â da-da i Gwenda byddai'i mam yn eu cadw yn y tun ar ben y cwpwrdd llestri, ac erbyn canol mis Chwefror roedd y tun yn llawn dop. Bob bore Sadwrn byddai'i mam yn agor y tun a byddai Gwenda'n cael M & Ms neu Twix neu Mars.

Ond doedd Gwenda'n colli dim pwysau. Roedd ei sgerti a'i thrywsusau'n dal yn dynn amdani. Fedrai'i mam ddim deall pam.

167

Eleni fyddai'r tro cyntaf erioed i Gwenda a'i mam fynd ar wyliau. A'r rheswm eu bod yn cael mynd oedd bod ei mam wedi cael job yn teipio mewn swyddfa twrnai yn y dref. Roedd hi'n gweithio yno o naw tan bump bob diwrnod ond dydd Sadwrn a dydd Sul. Dydd Sadwrn oedd diwrnod da-da a dydd Sul oedd diwrnod mynd-am-dro-hir-i-golli-pwysau.

Ond doedd Gwenda'n colli'r un owns o bwysau.

Anti Wilias oedd yn mynd i nôl Gwenda o'r ysgol bob dydd. Byddai'n mynd adref efo hi ac yn cadw cwmni iddi nes i'w mam gyrraedd. Rhoddai Ryvita a iogwrt iddi i de. Dynes glên iawn oedd Anti Wilias. Dynes glên. A dynes dew. Roedd Gwenda a hithau'n ffrindiau mawr. Bob dydd ar ôl i'r cartwnau orffen byddai Gwenda'n diffodd y teledu a byddai'r ddwy'n gwenu ar ei gilydd cyn codi a mynd drwodd i'r gegin. Wedyn byddai Gwenda'n rhoi winc fawr ar Anti Wilias a byddai hithau'n estyn y tun da-da o ben y cwpwrdd llestri.

Dyna i chi pam nad oedd Gwenda'n colli dim pwysau.

Erbyn diwedd mis Mawrth roedd Anti Wilias wedi gorfod dechrau dod â da-da efo hi gan fod y stoc yn y tun yn mynd yn isel. Byddai'n prynu hwda iawn yn y Post ar ei ffordd i Ael-y-bryn ac yn eu cadw efo'r lleill. Ond erbyn hynny roedd mam Gwenda wedi dechrau amau hefyd.

Pan gyrhaeddodd Anti Wilias gartref Gwenda am chwarter i naw fore Llun gwyliau'r Pasg y peth cyntaf a welodd oedd siwt nofio newydd Gwenda. Roedd ei mam wedi'i sticio ar ddrws y rhewgell efo selotêp. Yr ail beth a welodd oedd tennyn a chi bach blewog yn sownd wrtho. 'Toslyn ydi hwn,' meddai Gwenda. 'Rydan ni'n dwy i fod i fynd â fo am dro hir bob dydd.' Y peth olaf a welodd Anti Wilias cyn iddyn nhw gychwyn â Toslyn am dro oedd bod y tun da-da wedi diflannu o ben y cwpwrdd llestri.

Erbyn gweld, Toslyn aeth â nhw am dro nid nhw aeth â fo. Er mai ci bach oedd o roedd yn gryf iawn ac fe haliodd y ddwy hyd lonydd a llwybrau a thrwy gaeau a chorsydd nes eu bod bron â disgyn. O'r diwedd, llwyddodd Gwenda i glymu'i dennyn am fôn coeden dderw nobl ac eisteddodd hi ac Anti Wilias i gael eu gwynt atynt. Roedd ganddyn nhw swigod mawr cochion ar eu traed a'u dwylo.

'Bobol annwyl dad drugaredd,' meddai Anti Wilias a'i hwyneb fel tomato, 'welis i 'rioed y fath gi! Naddo 'tawn i'n marw'r funud 'ma!'

Estynnodd ei hances o'i llawes a sychu'r chwys oddi ar ei thalcen. 'Lle cafodd dy fam o?'

'Dwn i ddim,' meddai Gwenda. 'Ydi'n amser da-da rŵan?'

'Da-da?' ebychodd Anti Wilias. 'Fedrwn i fwyta'r un dim. Mae 'mol i'n troi fel injan drol ar ôl yr holl redeg 'na.' Aeth i'w handbag ac estyn llond cwdyn mawr o jiw-jiws. 'Bwyta di nhw, blodyn.'

Ar ôl i Gwenda orffen y jiw-jiws i gyd edrychodd ar ei horiawr ac meddai hi:

'Well i ni fynd, Anti Wilias. Mae hi jest yn amser cinio.'

'Ond sut awn ni adre?' gofynnodd Anti Wilias. 'Mi rydan ni filltiroedd o bobman. Fedra i gerdded yr un cam arall.'

'O, ylwch,' meddai Gwenda, gan neidio ar ei thraed. 'Bws yn fan'cw. Dewch, brysiwch!'

Rhedodd Gwenda at y goeden dderwen i nôl Toslyn. Ond allai hi ddim datod cwlwm y tennyn. Roedd Toslyn wedi tynnu a thynnu ynddo nes ei fod yn amhosibl ei agor.

'O, wel, mi fydd raid i mi dynnu dy goler di,' meddai Gwenda. 'Mi ddown ni'n ôl i'w nôl hi fory.'

Agorodd Gwenda'r goler yn ofalus a—wwwhiiww—dyna Toslyn yn gwibio o'i gafael ac yn rhuthro ar ôl cwningen oedd yn croesi'r cae. Diflannodd y gwningen i dwll yn y clawdd. A diflannodd Toslyn ar ei hôl.

'Toslyn! O, Toslyn tyrd o' 'na!'

Aeth Gwenda ar ei phedwar wrth geg y twll a dechrau gweiddi ar y ci. Gallai glywed Toslyn yn cyfarth ac yn crafu ym mhen draw'r twnnel. Ond er gweiddi a gweiddi arno ddaeth o ddim allan. Roedd Gwenda bron iawn â chrio. Sut y gallai hi fynd adref a dweud wrth ei mam ei bod hi wedi colli Toslyn druan?

'Yli,' meddai Anti Wilias, 'mae gen i siocled yn fan'ma. Ella'i fod o'n licio siocled.'

Cymerodd Gwenda'r siocled. Bwytaodd damaid ei hun a rhoddodd damaid i Anti Wilias. Yna penliniodd wrth geg y twll.

'Toslyn! Tyrd i gael siocled, Tos bach!'

Ond ddaeth Toslyn ddim.

'Ella nad ydi o ddim yn clywed ei ogla fo,' meddai Gwenda. Aeth ar ei hyd ar lawr a stwffio i'r twll. 'Toslyn! Sioc-led. Tyrd, Tos!'

Ond ddaeth o ddim allan. Roedd yn well gan Toslyn gwningen na siocled. Ymwthiodd Gwenda ymhellach i'r twll. 'Toslyn, lle'r wyt ti? Mae gen i siocled yn fan 'ma i ti.'

'Tyrd allan wir, Gwenda bach,' meddai Anti Wilias. 'Mi ddaw Toslyn ohono'i hun yn y munud 'sti. Tyrd rŵan.'

'O! O! Wwaaa!' bloeddiodd Gwenda. 'Fedra i ddim. Help! HELP!'

Roedd Gwenda wedi cropian hanner y ffordd i mewn i'r twll ac wedi mynd yn sownd yno. Fedrai hi ddim symud yn ôl nac ymlaen. Roedd ei bol hi'n rhy fawr.

'O, bobol bach,' meddai Anti Wilias. 'Bobol bach y ddaear!' Neidiodd ar ei thraed. 'Dyma fi'n dŵad, Gwenda. Mi tynna i di allan.'

Dyma Anti Wilias yn gafael yng nghoesau Gwenda ac yn tynnu â'i holl nerth. Ond roedd Gwenda'n hollol sownd. 'Help!' gwaeddodd.

'Aros funud, cyw,' meddai Anti Wilias. Sodrodd ei thraed blinedig tu ôl i garreg fawr. Yna gafaelodd yn esgidiau Gwenda a thynnu a thynnu.

Yn sydyn—wwwhhiiww—dyma esgidiau Gwenda'n dod i ffwrdd yn nwylo Anti Wilias. A dyma Anti Wilias yn saethu yn ei hôl ac yn disgyn yn glewt ar ei phen-ôl i glamp o dwll cwningen mawr.

'Help!' gwaeddodd. Roedd hi wedi'i phlygu yn ei hanner fel sandwij. 'Help! Dwi'n sownd!'

'A fi!' meddai Gwenda o'r twll arall. 'A Toslyn. Help!'

Ond doedd Toslyn ddim yn sownd. Dim ond ci bach oedd o, a doedd o ddim yn dew chwaith. Llwyddodd i stwffio trwy'r twnnel cwningod yn araf bach a dod allan drwy dwll yr ochr arall i'r clawdd. Ac i ffwrdd â fo!

Roedd hi ymhell wedi amser te pan glywodd Gwenda ac Anti Wilias sŵn cyfarth a sŵn traed yn agosáu atyn nhw.

'Www,' meddai mam Gwenda. 'Lle'r ydych chi?'

'Fan'ma,' gwaeddodd Anti Wilias a'i thraed i fyny. 'Help!'

'Fan'ma,' gwaeddodd Gwenda o'r twll. 'Help!'

Ci bach clyfar iawn oedd Toslyn. Ar ôl rhedeg yn ôl i Ael-y-bryn roedd o wedi eistedd wrth ddrws y cefn nes daeth mam Gwenda adref ac wedyn wedi'i harwain at Gwenda ac Anti Wilias. Daeth Yncl Dewi gyda mam Gwenda a fuon nhw fawr o dro'n tynnu'r ddwy yn rhydd.

Roedd golwg ofnadwy arnyn nhw—yn bridd drostynt a'u hwynebau'n gochion.

'Wel wir!' meddai mam Gwenda, gan chwerthin. Edrychodd o'i

chwmpas a gweld papur y siocled a chwdyn y jiw-jiws ar lawr. 'Gobeithio y bydd hyn yn wers—i'r ddwy ohonoch chi!'

'O, mi fydd,' meddai Gwenda. 'Rargian, dwi jest â llwgu!'

'A finna,' meddai Anti Wilias.

Stopiodd Yncl Dewi ar y ffordd adref i brynu sglodion tatws a physgod a phys slwj i bawb. Roedd aroglau bendigedig arnyn nhw.

'Rŵan,' meddai mam Gwenda'n ddifrifol, gan ddal ei gafael yn y wledd seimllyd, 'rhaid i chi'ch dwy addo un peth i mi cyn y cewch chi'r rhain.'

'Unrhyw beth,' meddai Gwenda, gan estyn am y bwyd.

'Unrhyw beth,' meddai Anti Wilias, gan lyfu'i cheg.

'Dim,' meddai mam Gwenda, 'ydach chi'n deall? *Dim* da-da o hyn ymlaen.'

'Olreit,' cytunodd Gwenda. 'Dim da-da.'

'Dim da-da,' meddai Anti Wilias.

A chwarae teg iddyn nhw, mi gadwodd y ddwy eu gair hefyd. Erbyn yr haf roedden nhw'n denau neis.

Anfonodd Gwenda gerdyn post i Anti Wilias o Albufeira ac arno lun o ddynes fawr dew a hogan fach dew wrth ei hochr. Ac ar gefn y cerdyn roedd hi wedi ysgrifennu: 'Chi a fi. Ydach chi'n cofio?'

DILLAD SIÔN CORN

PAUL BIEGEL, addaswyd gan ELUNED ELLIS JONES

Roedd llygaid Sioned yn disgleirio pan gyrhaeddodd yr ysgol. Rhedodd ar draws yr iard a gweiddi ar ei ffrindiau, 'Mae o'n dod i aros yn ein tŷ ni!'

'Pwy?' gofynnodd Rhian. 'Pwy sy'n dod i aros?'

'Wel Siôn Corn wrth gwrs,' atebodd Sioned.

'Siôn Corn?'

Erbyn hyn roedd y plant i gyd yn glwstwr o'i chwmpas. 'Glywsoch chi beth ddywedodd hi? Mae Siôn Corn yn dod i aros i dŷ Sioned.'

'Paid â siarad yn wirion,' meddai Gwilym. 'Tydi Siôn Corn byth yn aros yn nhai pobol, siŵr iawn.'

'Ond mae'n rhaid iddo fo gysgu yn rhywle, on'd oes,' meddai Mair.

'Ond nid yn nhai pobol!'

'Wel, ble 'te?'

'Tydi Siôn Corn ddim *yn* cysgu. Teithio trwy'r awyr mae o yn y nos . . . dros bennau'r tai.'

'Ie, mae'n debyg. Ond mae'n rhaid ei fod o'n cysgu *rywbryd*.'

'Ond nid yn nhŷ Sioned.'

'Ie,' mynnodd Sioned. 'Yn ein tŷ ni. Rydw i'n *gwybod* ei fod o'n dod acw i aros. Rydw i wedi gweld . . .'

'Wedi gweld beth? Gweld Siôn Corn?'

'Nage,' meddai Sioned. 'Gweld ei ddillad o. Amser brecwast daeth cnoc ar ddrws y ffrynt a fi aeth i ateb. Roedd 'na ddyn yn sefyll yn y drws â bocs mawr yn ei ddwylo. Dywedodd Mam wrtha i am roi'r bocs yn y llofft sbâr. Wnâi hi ddim dweud beth oedd ynddo fo. Ond pan oedd hi'n brysur yn y gegin fe es i i fyny i'r llofft i edrych. Doedd y bocs ddim wedi'i gau'n iawn ac ro'n i'n gallu gweld dillad Siôn Corn i mewn ynddo fo. *Welais* i nhw.'

Edrychai'r plant i gyd yn syn arni.

'Tydw i ddim yn dy goelio di,' meddai Gwilym o'r diwedd.

'Gofynnwch i Mam 'te,' meddai Sioned. 'Bydd raid i chi ei choelio hi.'

Ar ôl yr ysgol, roedd mam Sioned yn disgwyl amdani wrth y giât. Rhuthrodd y plant ati gan weiddi ar draws ei gilydd:

'Mrs Rhys, ydi o'n wir? Ydi Siôn Corn yn dod i aros i'ch tŷ chi?'

Edrychodd Mrs Rhys braidd yn syn. 'Beth wnaeth i chi feddwl hynny?' gofynnodd.

Chwarddodd rhai o'r plant.

'Sioned ddywedodd fod rhyw ddyn wedi dod â dillad Siôn Corn i'ch tŷ chi y bore 'ma,' meddai Gwilym.

'O, felly,' meddai mam Sioned yn araf. 'Wel, ydi, mae hynny'n ddigon gwir . . . Ond wyddwn i ddim dy fod *ti*'n gwybod beth oedd yn y bocs, Sioned,' ychwanegodd, gan droi at ei merch â golwg flin braidd ar ei hwyneb.

Sioned druan! Cochodd at ei chlustiau.

'Ta waeth am hynny,' meddai'i mam wedyn, 'mae'r stori am y bocs yn hollol wir, ond tydi hynny ddim yn golygu bod Siôn Corn yn dod acw i aros . . .'

'Pam yn y byd mae o wedi anfon ei ddillad acw 'te?' holodd Mair.

Meddyliodd mam Sioned am eiliad. 'Wel, mi *allai* ddod . . . am ryw ddiwrnod neu ddau,' meddai, gan afael yn dynn yn llaw Sioned a chychwyn cerdded yn frysiog am adref.

Yn ei gwely'r noson honno bu Sioned yn troi a throsi am hydoedd. Dim ond dau ddiwrnod oedd yna tan y Nadolig. Roedd Siôn Corn wedi bod yn teithio ers tro, a byddai'n siŵr o gyrraedd cyn bo hir. Ond roedd ei mam wedi dweud y byddai o'n llawer rhy brysur i'w gweld hi.

'Bydd yn cyrraedd yn hwyr, hwyr yn y nos ac yn cychwyn allan eto ben bore,' meddai'i mam.

'Os felly,' meddai Sioned wrthi'i hun, 'fe fydd raid i mi godi'n gynnar iawn a sleifio'n ddistaw bach i'r llofft sbâr.' Dychmygai'i hun yn ei weld yn gorwedd yn y gwely â'i farf wen allan dros y dillad. Tybed a fyddai o'n chwyrnu?

Ond cysgodd Sioned yn hwyr fore trannoeth ac roedd y llofft sbâr yn wag ac yn daclus fel pin mewn papur pan roddodd hi'i phen rownd y drws. Mae'n rhaid fod Siôn Corn wedi gwneud ei wely cyn cychwyn allan.

Ond doedd Gwilym a'r lleill ddim yn ei chredu hi.

'Fuodd o ddim acw o gwbwl,' medden nhw, 'a ddaw o ddim chwaith.'

Teimlai Sioned yn ddigalon iawn y noson honno. Roedd hi mor siomedig. Aeth i'r gwely'n gynnar a bu'n crio'n ddistaw bach i'r gobennydd. Yn sydyn, clywodd sŵn rhywun yn symud yn y llofft sbâr. Neidiodd allan o'r gwely. Sleifiodd ar flaenau'i thraed at ddrws y llofft sbâr a chlustfeinio am eiliad cyn ei agor yn ofalus.

Cafodd fraw pan welodd Siôn Corn—ie, Siôn Corn, yn ei gôt goch a'i gap coch am ei ben—yn sefyll, a'i gefn ati, o flaen y drych yn cribo'i farf!

Cyn iddi gael cyfle i agor ei cheg, teimlodd law ei mam yn gafael yn ei braich a'i thynnu allan o'r ystafell.

'Gwranda, Sioned,' meddai, 'rhaid iti beidio â sbecian ar bobol. Nôl i dy wely ar unwaith.'

'Ond Mam . . .'

Ond doedd waeth iddi heb â dadlau efo Mam. Aeth yn ôl i'r gwely a swatio'n dynn o dan y dillad. Yn fuan wedyn clywodd Siôn Corn yn mynd allan, a chau'r drws ffrynt ar ei ôl yn glep.

Allai Sioned yn ei byw â chysgu. 'Rydw i *wedi*'i weld o â'm llygaid fy hun . . . Rydw i'n *gwybod* mai fo oedd o, a'i fod o'n aros yma.'

Ond chwerthin am ei phen hi wnaeth Gwilym fore trannoeth.

'Dweud celwydd wyt ti!' meddai.

'Nage!' mynnodd hithau.

'Ie!'

'NAGE! Wir yr!'

Rhian—ffrind orau Sioned—oedd yr unig un o'r plant oedd yn ei chredu.

'Fe wn i beth wnawn ni,' meddai. 'Fe ddown ni i gyd i'ch tŷ chi bore fory—yn gynnar. Mae hi'n fore cyn Nadolig ac mi fydd o'n siŵr o fod eisiau brecwast. Mi fydd ganddo ddiwrnod prysur o'i flaen.'

Roedd Rhian bob amser yn gwybod beth i'w wneud.

Edrych braidd yn amheus wnaeth ei mam pan ddywedodd Sioned wrthi.

'Wn i ddim a fydd Siôn Corn . . .' cychwynnodd, ond torrodd tad Sioned ar ei thraws.

'Wel bydd, siŵr iawn. Fe fydd angen brecwast iawn arno cyn mynd at ei waith. Fydd o ddim yn cychwyn mor gynnar bore fory.'

Bu Sioned yn hir yn mynd i gysgu eto'r noson honno, a bu raid i'w mam alw arni dair gwaith yn y bore. 'Cwyd, Sioned!' gwaeddodd, 'Mae hi'n amser brecwast . . . ac mae Siôn Corn yma!'

Meddyliodd Sioned mai breuddwydio yr oedd.

Ond pan aeth i lawr i'r gegin gwelodd Rhian a Mair a Gwilym a Geraint a Gwenno yn sefyll mewn rhes a golwg syn ar eu hwynebau. A dyna lle'r oedd Siôn Corn yn eistedd wrth y bwrdd yn bwyta darn o dôst. Roedd tamaid o wy wedi disgyn ar ei farf.

'Rwyt ti'n hwyr, Sioned,' meddai Siôn Corn. 'Tyrd i eistedd at y bwrdd.'

Rhwbiodd Sioned ei llygaid rhag ofn ei bod yn dal i freuddwydio. Oedd wir, yr *oedd* Siôn Corn yno! Yfodd gwpanaid arall o de a bwyta darn arall o dôst, a'r plant i gyd yn ei wylio'n gegrwth.

'Wel, blant,' meddai o'r diwedd, 'roedd Sioned *yn* dweud y gwir! Roedd hi *wedi* gweld fy mocs dillad i, a gwyddai o'r gorau na fyddwn i ymhell iawn i ffwrdd!'

MAE GWAED YN DEWACH NA DŴR

EIGRA LEWIS ROBERTS

Non ydw i, ond nionyn picl fydd Robin yn fy ngalw i. Fy mrawd bach i ydi Robin. Mae o'n chwech oed. Mae Mrs Huws drws nesa yn deud bod Robin yn gythral mewn croen ond nid drwg ydi o, medda Mam, ond direidus. Mae plant Mrs Huws wedi tyfu'n fawr ac wedi mynd i ffwrdd ac mae hi o hyd yn deud pa mor dda oeddan nhw. Yn enwedig Hywel Wyn. Angal o hogyn oedd o, medda hi.

Roedd Hywel Wyn wedi bod i ffwrdd yn y Merica ers tro byd ac wedi dod adra i weld 'i fam. Ro'n i yno i de un diwrnod. Peth bach, bach o'n i yr adag honno a Robin ddim ond yn 'i glytia. Dyna fi'n mynd at Hywel Wyn, yn gwthio fy llaw o dan 'i gôt ac yn teimlo'i ysgwydd o.

'I be ti gneud hyn'na?' medda fo. (Roedd o'n siarad yn rhyfadd ar ôl bod yn y Merica.)

'Chwilio am adenydd,' medda fi. 'Roedd Mrs Huws yn deud mai angal ydach chi.'

Rydw i'n chwysu heddiw wrth feddwl am y peth. Ond do'n i'n gwybod ddim gwell ar y pryd.

Ond sôn am Robin yr o'n i. Chwara teg i Mrs Huws, mae o'n gallu bod yn hen gena bach. Herian gwirion, dyna'i ddrwg o.

Ro'n i'n edrych ar raglen ar y teledu un diwrnod ac yn cael hwyl iawn wrth 'i gwylio. Wedi i'r rhaglen ddarfod dyna fi'n codi i estyn diod o lefrith i mi'n hun ac yn disgyn yn glewt ar fy nhrwyn. Tra o'n i'n edrych ar y rhaglen roedd Robin wedi clymu fy nhraed i wrth 'i gilydd efo cortyn. Ar y pryd ro'n i'n wyllt ulw. Ond wedi imi ddod ataf fy hun ac i 'nhrwyn i stopio brifo ro'n i'n gallu chwerthin am ben y peth. Fy ngwaed i wedi oeri, medda Mam.

Mi fuo yna andros o helynt newydd i Robin ddechra yn yr ysgol. Un amsar chwara fe glywodd Ann fy ffrind a finna sŵn mawr yn dod o doileda'r merchad. Ffwrdd â ni yno! Rhag ofn inni golli rwbath. Roedd llond y lle o blant a Mr Bifan, y prifathro, yn trio'u cyfri nhw. Roedd pob un toiled wedi cloi a gan fod y clo y tu mewn fedra neb fynd iddyn nhw. Wedi cyfri a chyfri fe benderfynodd Mr Bifan fod pawb yno. Ac os oedd pawb yno, doedd yna neb i mewn yn y toileda. Mi gododd Mr Bifan un o'r hogia mawr ar 'i ysgwydd a dyna hwnnw'n dringo dros un drws, i lawr yr ochr arall ac agor y clo. A'r un fath efo'r lleill i gyd. Roedd pawb yn methu deall y peth. Yn sydyn, dyna ni'n clywad chwerthin mawr.

A dyna lle'r oedd Robin yn neidio i fyny ac i lawr fel mwnci mewn sw.

'Tyd yma, 'ngwas i,' medda Mr Bifan, a gafael yn 'i glust, 'be wyddost ti am hyn tybad?'

Erbyn cael allan, Robin oedd wedi llithro i mewn ar 'i fol o dan y drysa, wedi cloi pob un, a llithro allan wedyn.

Ychydig ar ôl yr helynt hwnnw roedd Miss Ifans yn rhoi gwers ymarfer corff i'r plant bach.

'Tynnwch eich dillad rŵan,' medda hi.

Jyrsis a chotia gweu a phetha trymion felly roedd hi'n 'i feddwl, er mwyn iddyn nhw fod yn ysgafn braf i allu rhedag a neidio. Y munud nesa roedd Robin yn sefyll ar ganol y llawr yn borcyn noeth ac yn gwenu o glust i glust.

Hwyl ydi peth fel'na wrth edrych yn ôl. Ond mae yna adega wedi bod pan o'n i'n teimlo fel rhoi cweir go iawn i Robin.

Ro'n i wedi bod yn crio un diwrnod. Fydda i ddim yn crio llawar. Ond roedd hwnnw wedi bod yn ddiwrnod annifyr sobor, pawb yn gas ac yn fy ffraeo i am ddim byd. Ac wedi imi gyrraedd adra mi ges ffit o grio a sgrechian dipyn i ollwng stêm. A be ddaru'r hen goblyn bach ond cymryd pin ffelt goch a sgwennu SGRECH GOED yn fawr ar ddrws fy llofft i. Mi gym'rodd oria imi drio sgrwbio'r geiria i ffwrdd.

Un tro arall fe ddaru o fy nghloi i yn y cwt a mynd i chwara. Doedd neb yn gwybod ble'r o'n i. Mae'r cwt yng ngwaelod yr ardd a doedd neb yn fy nghlywad i'n gweiddi. Wrth imi ddobio'r ffenast i drio tynnu sylw mi dorrodd y paen yn dipia. Mi fuo'n rhaid imi dalu am y gwydyr allan o 'mhres pocad ond mi ddaru Robin daeru mai'r drws oedd wedi clepian efo gwynt a chafodd o mo'i gosbi o gwbwl. Mi ddigiais yn bwt wrtho fo am fod mor filain ac mi sgwennais i bennill amdano fo yn fy llyfr.

> Robin Ribyn dannadd cribyn,
> Llygaid llo a cheg pysgodyn,
> Trwyn fel mochyn, clustia cwningan,
> Coesa iâr a thraed hwyadan.

Mi sgwennais i lythyr at Mrs Huws drws nesa hefyd, yn deud—

Annwyl Mrs Huws,

Rydw inna'n meddwl bod Robin yn gythral mewn croen. Mae gen i biti drostach chi yn gorfod byw drws nesa iddo fo. Ond beth amdana i yn gorfod byw 'run tŷ â fo?

Yr eiddoch

Non.

Ond rydw i'n falch na wnes i ddim gyrru'r llythyr achos fe ddigwyddodd yna rywbeth ddoe na wna i byth bythoedd 'i anghofio.

Roedd Robin a finna yn chwara syrcas yn yr ardd. Roeddan ni newydd fod yn llewod ac wedi rhuo cymaint nes gwneud i'r defaid yr ochor arall i'r clawdd swatio yn 'i gilydd. Roeddan ni wedi bod yn fwncïod hefyd a Robin yn cogio tynnu llau o fy ngwallt i a'u clecian nhw rhwng 'i fysadd. Cerddad weiran oedd yr act nesa ac ro'n i wedi meddwl y bydda'r ffens sydd rhwng tŷ ni a thŷ Mrs Huws yn gwneud i'r dim. Roedd Robin yn mynnu cael mynd gynta. Gan fy mod inna'n teimlo'n glên ar y pryd, mi gafodd fynd.

Mae o'n beth bach reit handi ar 'i draed, ddim yn drwsgwl fel rhai hogia. Roedd o'n cael hwyl arni. Ond yn sydyn (wn i ddim be ddigwyddodd os na ddaeth yna bwff o wynt) dyna fo'n siglo ac yn syrthio drosodd i ardd floda Mrs Huws. Mae Mrs Huws yn meddwl y byd o'i bloda. Mae hi'n siarad efo nhw ac yn eu galw nhw wrth eu henwa.

'Tyd rŵan, Daffi Dili bach,' medda hi, 'tyd â gwên i Anti Huws.' Neu— 'Cod dy ben, Jini Fflŵar, i Anti Huws gael cosi o dan dy ên di.' Hurt, yntê?

Wel i chi, cyn i Robin gael cyfla i ddod ato'i hun roedd Mrs Huws allan. Roedd 'i hwynab hi'n wyn fel crys yr hogyn bach ar bacad Persil, a brws llawr yn 'i llaw. Y munud nesa roedd y brws yn clecian ar gefn Robin a Mrs Huws yn sgrechian ar dop 'i llais—''Y mloda bach i. 'Y mloda bach annwyl i.'

Fedrwn i ddim diodda gweld Robin yn cael 'i guro. Dyna fi'n neidio i ben y ffens ac yn gweiddi—

'Hidiwch befo'ch hen floda gwirion. Beth am 'y mrawd bach i?'

'Y diafol iddo fo,' medda hi, a chodi'i brws llawr yn barod i daro wedyn.

'Hitiwch chi o eto, ac mi fala i bob un o'ch hen floda chi,' medda fi. A dyna fi'n neidio i lawr o'r ffens ac yn dechra dawnsio fel peth gwyllt drwy'r ardd floda. Dyna'i hwynab hi'n newid 'i liw, fel tasa rhywun wedi tywallt sôs coch dros 'i phen hi.

'Mi gaiff eich mam glywad am hyn,' medda hi, a brasgamu am y tŷ.

Ac mi gafodd Mam glywad, yn o fuan hefyd.

Roedd Mam a Robin a fi yn y gegin pan ddaru Mrs Huws sgubo i mewn heb gnocio a dechra deud 'i hochor hi o'r stori. Roedd Robin wedi neidio i'r ardd floda o fwriad medda hi.

'Rydach chi'n palu clwydda,' medda finna.

'Dyna ddigon,' medda Mam. 'Ewch i'ch gwlâu, y ddau ohonoch chi.'

Fel ro'n i'n dringo'r grisia mi allwn glywad Mrs Huws yn deud—

'Mi ddylach roi'r wialen fedw ar eu cefna nhw.'

A Mam yn 'i hatab hi'n sych reit—

'Mi fydda gwialen fedw yn ffeindiach peth na brws llawr, Mrs Huws. Ac mi fedra i drin fy mhlant fy hun heb help gwialen fedw na dim arall.'

'Tybad?' medda Mrs Huws, drwy'i thrwyn. A dyna hi'n troi ar 'i sawdwl ac allan â hi gan roi clep ar y drws nes bod y tŷ'n crynu fel pwdin ysgwyd.

Ymhen tipyn, mi ddaeth Mam i'r llofft.

'Rhaid iti beidio bod yn ddigwilydd fel'na eto,' medda hi.

'Ddrwg gen i, Mam,' medda fi, 'ond roedd hi'n deud celwydd. Syrthio ddaru Robin. Doedd o ddim yn trio malu'i bloda hi.'

'Ond roeddat ti'n trio.'

'O'n. Fedrwn i ddim gadael iddi hi 'i guro fo.'

'Ddoe roeddat ti'n deud 'i fod o'n haeddu cweir iawn.'

'Dydi o ddim yn bwriadu bod yn ddrwg. Does ganddo fo ddim help o ddifri. Ac mi ddaw'n gallach. Roedd o'n crio gynna ac mi rois i bres iddo fo brynu car bach fory.'

'Be mae o'n 'i wneud rŵan?'

'Cysgu. Tasach chi'n gweld del ydi o pan mae o'n cysgu.'

'Fel angal bach.'

'Ia. Neu fel Hywel Wyn drws nesa.'

A dyna Mam yn dechra chwerthin, ac wedyn yn sobri'n sydyn.

'Ro'n i wedi dechra poeni,' medda hi, 'dy weld di a Robin mor gas efo'ch gilydd. Ond mae gwaed yn dewach na dŵr yn y diwadd.'

'Be mae hynny'n 'i feddwl?' medda fi.

'Tria di feddwl dy hun.'

Mi fûm i'n meddwl yn galad, galad. Ac mi dw i'n credu 'mod i'n deall rŵan. Ac os oes gynnoch chi frawd neu chwaer, mi dw i'n siŵr y byddwch chi'n deall hefyd.

LLEW AC ARTH A ROCED

SIÂN LEWIS

'Barod?' meddai Ffion. 'Rwy'n barod i danio injan y roced!'

Pesychodd Arwel yn bwysig ac eistedd yng nghadair y peilot.

'Barod?' meddai Ffion eto. 'TRI . . . DAU . . . UN . . . I fyny â ni! Ar antur i'r gofod!'

Diffoddodd y golau a theimlodd Arwel ei gadair yn troi fel top. Gafael-odd e'n dynn yn ei breichiau wrth i ffenestr fawr ddod i'r golwg yn y to uwch ei ben. Yng nghornel y ffenestr winciai golau bach coch, golau awyren yn hedfan dros Gymru ar ei ffordd i America a'i llond hi o deithwyr.

'O, na!' gwichiodd Ffion. 'Mae'r awyren 'na'n union uwchben. Fe fyddwn ni'n taro yn ei herbyn hi!'

Gwasgodd Arwel swits y golau a fflachio neges wyllt drwy'r awyr ddu. Ar unwaith cyflymodd yr awyren a diflannu'n ddiogel tua'r gorllewin.

'Whiw! Da iawn, Capten Arwel! Fe achubaist ti'n roced ni,' gwaeddodd Ffion.

Sgubodd cwmwl gwyn fel lluwch o eira dros y ffenestr gan dynnu carped o sêr ar ei ôl. Estynnodd Ffion siaced gynnes a'i rhoi am ysgwydd-au'i brawd.

'Edrych!' sibrydodd. 'Tarw ar y chwith!'

'Tarw!'

181

'Ac arth ar ei ôl e.'

'Ble?'

Rhythodd Arwel drwy'r ffenestr gan ddisgwyl gweld tarw gwyn yn hedfan tuag ato ac arth fawr wen yn hofran ar ei ôl. Ond pwyntio at y sêr yr oedd Ffion gan dynnu llun â'i bys yn yr awyr.

'Weli di'r llew?' meddai'n gyffrous. 'Weli di ei siâp e yn y sêr?'

Crychodd Arwel ei dalcen a syllu ar y cannoedd sêr yn lapio o'i gwmpas fel clogyn dewin. Welai e ddim byd tebyg i siâp llew.

'A'r arth?' meddai Ffion. ''Co'r arth draw fan'na!'

'Arth, wir!' gwaeddodd Arwel. 'Yr Aradr yw enw'r siâp 'na!' Roedd Mam wedi'i ddysgu i adnabod siâp yr Aradr yn yr awyr. Saith o sêr oedd yr Aradr yn gwneud patrwm tebyg iawn i gert.

'Mae'r Aradr yn rhan o siâp yr Arth Fawr,' chwarddodd Ffion. 'Paid â rhoi'r bai arna i. Y Groegiaid amser maith yn ôl roddodd enwau ar y sêr. Roen nhw'n meddwl eu bod nhw'n gweld pob math o siapiau yn yr awyr.'

Syllodd Arwel ar y miloedd goleuadau bach yn wincio.

'Roedd y Groegiaid yn ddwl,' cyfarthodd. 'Rwy'n mynd i edrych am siapiau fy hun a rhoi enwau newydd gwell ar y sêr.'

'O'r gore, Capten Arwel, syr.'

Hanner-caeodd Arwel ei lygaid.

'Roced . . . rwy'n gallu gweld siâp roced yn y sêr a . . . pheiriant glanhau llawr!'

Chwarddodd Ffion dros y lle.

''Na enw od!'

'A . . .' Tynnodd Arwel ei anadl a ffrwydro peswch nes i'r sêr neidio a throelli fel olwynion Catrin.

'Arwel,' meddai Ffion, gan wthio losin poeth i'w geg, 'gwell i ti stopio.'

'Na.' Roedd Arwel yn benderfynol o fwrw 'mlaen, peswch neu beidio. Sychodd ei lygaid a syllu eto ar y sêr. 'A chranc!' meddai'n sydyn. 'Rwy'n gallu gweld siâp cranc yn yr awyr.'

'Mae 'na granc yno'n barod,' meddai Ffion gan wneud ei hun yn gyfforddus yn ei ymyl. 'Chwilia di am seren newydd sbon nad oes neb wedi'i gweld o'r blaen. Wedyn fe elli di roi dy enw dy hunan arni. Wir! Seren Arwel.'

Estynnodd Arwel am ei delisgop ar unwaith a'i symud o un cornel i'r llall. Llithrodd y miloedd sêr o flaen ei lygaid. P'un oedd ei seren arbennig e?

Hon'na!

Yr un fawr fawr ddisglair!

Gollyngodd Arwel y telisgop a gweld . . . nid seren o gwbl, ond y lleuad yn sbecian arno. Ar wyneb y lleuad roedd patrwm du fel ceg a thrwyn.

'Dyn y Lleuad!' meddai Arwel.

'Does 'na ddim dyn ar y lleuad,' meddai Ffion yn bendant. Hi oedd wedi trefnu'r antur. Hi oedd yn gwybod popeth am y gofod.

'Wyt ti'n siŵr?' gofynnodd Arwel. Ailgydiodd yn y telisgop, ond cyn iddo gael cyfle i'w godi, daeth clep sydyn. Edrychodd ar ei chwaer mewn braw. Os nad oedd 'na ddyn yn y lleuad, pwy oedd yn gwneud y sŵn 'na?

'Cuddia!' sibrydodd Ffion o gornel ei cheg. 'Cuddia glou!'

Taflodd y ddau eu hunain ar lawr a thynnu'r dillad dros eu pennau. Clec! Clec! Clec! Roedd y sŵn yn dod yn nes ac yn nes. Teimlodd Arwel ei wddw'n cosi. Gwasgodd ei law dros ei geg. Roedd e bron â byrstio.

Agorodd y drws yn ara' ara' bach. Cnodd Arwel ei fraich i stopio'r peswch, ond . . .

'A-HW!'

Ffrwydrodd y peswch dros y lle.

Yr eiliad honno taflwyd y drws ar agor a phwy oedd yno ond . . . MAM!

'Dyna blant da yn cysgu'n dawel,' meddai Mam gan wthio'i phen drwy'r drws.

Gwenodd Arwel yn y tywyllwch.

'Sut mae'r peswch, Arwel bach?' gofynnodd.

'Iawn,' sibrydodd yntau.

''Na ti. Gwella di erbyn nos fory er mwyn i ti gael mynd i'r sinema gyda Dad.'

Chwarddodd Arwel yn ddistaw bach a gwasgu'i fysedd i ysgwydd ei chwaer. Gyda help Ffion roedd e wedi gweld arth a llew a mynyddoedd yn yr awyr. Doedd dim rhaid iddo fe fynd i'r sinema i wylio sioe.

A nos yfory byddai'n diffodd y golau ac yn agor y llenni unwaith eto.

Ac efallai, efallai yng nghanol y miloedd sêr, y dôi o hyd i'w seren arbennig ef ei hun—Seren Arwel!

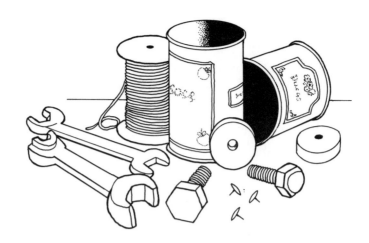

BOFFI A'R PEIRIANT ANHYGOEL

MARGARET STUART BARRY,
addaswyd gan BRENDA WYN JONES

Un bach tenau, llwyd oedd Boffi, gyda sbectol fawr yn cuddio hanner ei wyneb. Doedd ganddo ddim diddordeb mewn trenau na cheir na phêl-droed, fel y bechgyn eraill yn ei ddosbarth. Na, roedd Boffi â'i fryd ar fod yn wyddonydd, a chael dyfeisio peiriannau na feddyliodd neb amdanyn nhw erioed o'r blaen.

'Gwyddonydd, wir,' wfftiai ei dad. 'Rwyt ti'n rhy ifanc o lawer i feddwl am bethau felly.'

'Ond rydw i'n gallu dyfeisio pethau'n barod,' mynnai Boffi. 'Rydw i'n fachgen clyfar iawn.'

'Digon gwir,' fyddai sylw ei fam druan. Roedd hi wedi hen arfer â Boffi a'i beiriannau rhyfedd.

Un bore roedd tad Boffi'n rhuthro i ddal y trên i fynd i'w waith. Fel roedd hi'n digwydd, roedd Boffi newydd orffen dyfeisio peiriant rhyfeddol allan o duniau ffrwythau gwag. Dyna i chi beiriant! Heb i neb ei yrru roedd yn gallu neidio ar y pafin ac yn ôl i'r ffordd, gan osgoi pob polyn lamp, a phan fyddai angen gallai ddringo dros bethau'n hwylus. Edrychai'n union fel rhyw siani flewog fawr, hir.

'Mae croeso i chi gael benthyg fy mheiriant newydd i,' meddai Boffi'n garedig.

184

'Na, dim diolch,' atebodd ei dad ar unwaith. Roedd o'n adnabod Boffi'n rhy dda o lawer.

Felly neidiodd Boffi i'r peiriant tuniau ffrwythau ac i ffwrdd ag ef i'r dref i siopa i'w fam. Llwythodd ffa i mewn i un tun, tatws i un arall, a chlymodd goes mochyn yn dynn yn y cefn. Yna, er mwyn arbed amser, penderfynodd hedfan dros y ffatri yn lle mynd heibio iddi ar hyd y ffordd. Dyna sioc gafodd y plismon oedd yn sefyll ar gornel y stryd, ond cyn iddo feddwl beth i'w wneud, roedd Boffi wedi diflannu.

A dyna falch oedd ei fam o gael y nwyddau mor sydyn. Roedd hi ar dân eisiau cael y cinio'n barod er mwyn mynd ati i lanhau'r tŷ o'r top i'r gwaelod. Cyn pen dim roedd y gegin yn llawn o daclau glanhau—bwcedi, cadachau a sebon, brws llawr a dau frws sgwrio.

'Welais i erioed y fath lwch,' cwynodd ei fam.

'Fe helpa i chi,' cynigiodd Boffi ar unwaith.

'Na, dim diolch,' pwffiodd ei fam. Roedd hithau'n adnabod Boffi hefyd.

'Mae'n rhaid fod 'na well ffordd o lanhau tŷ na hyn,' mynnodd Boffi, gan syllu ar yr holl daclau o gwmpas y lle.

'Na, mae'n rhaid mynd ar eich gliniau i lanhau'n iawn,' meddai hithau.

Rhedodd Boffi'n syth i'w weithdy bach ym mhen draw'r ardd. Roedd wedi cael syniad. Dyna i chi fachgen clyfar oedd Boffi! Cyn pen dim roedd wedi adeiladu peiriant diddorol iawn yr olwg—corn ar un pen, sach blastig ar y pen arall, a phibelli rwber yn cordeddu drosto i gyd.

'Beth ar y ddaear ydi hwn'na?' holodd ei fam yn bryderus, wrth ei weld yn ei wthio i mewn i'r gegin.

'Peiriant Sugno Llwch, wrth gwrs.'

'Wel, dos â fo oddi yma ar unwaith. Does arna i ddim eisiau'i weld. Fel hyn rydw i wedi arfer glanhau'r tŷ ar hyd y blynyddoedd a wna i ddim newid bellach.'

'Ond Mam, meddyliwch faint o amser mae'r holl waith 'ma'n ei gymryd i chi.'

A chyn i'w fam gael cyfle i ateb roedd wedi troi'r peiriant ymlaen.

'Mae o'n gweithio,' bloeddiodd yn hapus.

'Stop! Stop!' sgrechiodd ei fam druan, ond doedd Boffi ddim yn ei chlywed yng nghanol yr holl sŵn.

Llyncodd y peiriant y bwcedi i gyd, yna'r cadachau a'r sebon. Neidiodd y pot jam oddi ar y bwrdd a'r cwpanau a'r soseri yn ei ddilyn. Y lliain bwrdd oedd nesaf. Diflannodd y cyfan i grombil y peiriant. Roedd Boffi wrth ei fodd. Doedd pob un o'i beiriannau ddim yn gweithio cystal â hyn. Yna sylwodd fod y stôf yn edrych yn llawn llwch ac anelodd y peiriant tuag ati. Neidiodd y caead oddi ar bob sosban, yna'r tatws a'r llysiau, ac i mewn i'r peiriant â nhw, gan ddal i ferwi'n braf y tu mewn i'r bag plastig. I goroni'r cyfan saethodd y coes mochyn allan o'r popty i'w dilyn.

Safai'i fam druan yn gegagored ar lawr y gegin, heb fedru yngan gair. Ond roedd gan ei dad ddigon i'w ddweud pan ddaeth adref i ginio a chael dim ond te a bara menyn.

'RHAG DY GYWILYDD DI! Dos i dy wely'n syth,' bloeddiodd. 'Chei di ddim cinio na the na swper. Fe gei di aros yno nes byddi di wedi cael gwared â'r holl syniadau gwirion 'ma.'

'Mae'n wir ddrwg gen i,' meddai Boffi'n drist. O, roedd hi'n anodd bod mor glyfar.

Fe fu Boffi'n fachgen da am wythnos gyfan, heb ddyfeisio dim byd newydd. Eisteddai yn yr ardd am oriau yn cyfri'r gwenyn yn mynd a dod. Wedi rhifo pum cant, chwe deg a saith, rhannai'r rhif hwnnw gyda saith, yna gyda naw, ac yna lluosi gyda chwe deg tri i gael y rhif cyntaf yn ôl. Pan alwodd dynion y sbwriel, aeth atyn nhw a chynnig y peiriant sugno llwch iddyn nhw'n anrheg. Gwrthod wnaeth y dynion i ddechrau, ond pan welson nhw beth roedd y peiriant yn gallu'i wneud, roedden nhw'n falch iawn o'i gael.

'Fe fydd ein gwaith ni'n haws o lawer o hyn allan,' medden nhw'n ddiolchgar.

Doedd ei fam a'i dad ddim yn gallu credu bod pobman mor dawel. Yn wir, roedd ei fam yn poeni tipyn bach.

'Rwy'n ofni'n bod ni wedi bod yn rhy galed ar Boffi druan,' meddai o'r diwedd.

'Efallai, wir,' cytunodd ei gŵr. 'Ond allwn ni ddim gadael i'r peiriannau ofnadwy 'ma ddifetha'n bywyd ni.'

'Trueni na fyddai o'n bodloni ar ddyfeisio pethau bach—teclyn i agor wy wedi'i ferwi neu rywbeth,' meddai'i fam.

'Fe ga i air ag o,' cynigiodd ei dad, achos roedd yntau'n poeni tipyn bach hefyd. 'Boffi?' galwodd. 'Bydd yn fwy gofalus o hyn allan, dyna i gyd.'

'Iawn,' meddai Boffi'n llawen. Roedd wedi cael maddeuant o'r diwedd.

Y bore wedyn roedd yr ysgol yn dechrau ar ôl y gwyliau a chafodd Boffi ei roi yn Safon 4 am ei fod mor glyfar. Yn y babanod uchaf y dylai fod mewn gwirionedd, ond roedd yn gwybod mwy na'r athrawes ac yn ei chywiro bob munud. Mr Prydderch oedd athro Safon 4 ac roedd o'n ddyn clyfar iawn. Roedd o'n gwybod rhai pethau nad oedd Boffi yn eu gwybod, hyd yn oed. Doedd dim hwyliau rhy dda ar Mr Prydderch y bore hwnnw, am ei bod yn ddiwedd y gwyliau, mae'n debyg. Rhythodd yn gas ar y dosbarth, gan wneud i Siân Mererid grio. Bu'n rhaid iddyn nhw weithio trwy'r amser chwarae hefyd.

'Hen ddyn cas,' wylodd Siân Mererid.

'Paid ti â phoeni,' cysurodd Boffi hi. 'Mae gen i syniad. Aros di tan bore fory ac fe gei di weld.'

Ar ôl te sleifiodd i'w sied fach ym mhen draw'r ardd a dechrau meddwl yn galed. Cyn bo hir roedd wrthi'n ddiwyd yn torri a tharo, gludo a gloywi. Daeth allan o'r diwedd, gan gloi'r drws yn ofalus ar ei ôl. Wedi dweud nos da wrth ei fam a'i dad aeth i'w wely'n syth. Roedd wedi blino'n lân.

Fore trannoeth aeth i lawr i'r sied i nôl y peiriant newydd ac i ffwrdd ag ef i'r ysgol—trwy'r strydoedd cefn, wrth gwrs, rhag ofn iddo weld ei dad ar y ffordd. Pan gyrhaeddodd yr ysgol o'r diwedd roedd yr iard yn llawn o blant.

'Wwwww, beth ydi hwn?' holodd pawb, gan dyrru o'i gwmpas.

'Peiriant Llyncu Athrawon,' eglurodd Boffi.

'Beth? Ydi o'n gallu llyncu athrawon cyfan?' Roedd y peth yn anhygoel.

'Ydi, siŵr,' meddai Boffi. 'Rydw i newydd ddweud wrthoch chi.'

Rhyw hanner robot a hanner draig oedd y peiriant. Roedd ganddo gorff metel a cheg fawr, lydan, miniog fel dannedd llif. Ar ei wyneb roedd Boffi wedi peintio ceg fawr a honno'n wên i gyd, rhag dychryn y plant yn ormodol. Roedd hyd yn oed wedi gludo wig ddu ar y pen.

'Wwwww, mae o'n fendigedig!' gwaeddodd Siân Mererid.

Bu'n rhaid cuddio'r peiriant o dan bentwr o gotiau yn yr ystafell wisgo tan amser chwarae ac yna rholiodd Boffi ef i'r dosbarth. Llithrodd y peiriant yn esmwyth ar draws yr ystafell a llyncu Mr Prydderch ar un gwynt.

'Hwrê!' bloeddiodd pawb.

Rhedodd yr athrawon eraill i gyd yno i weld beth oedd yn mynd ymlaen, gan weiddi i geisio cael trefn ar y plant. Doedd y peiriant ddim yn hoffi hynny, felly trodd i'w cyfarfod nhw. Gafaelodd yn athrawes Safon 3 a'i lluchio i'r awyr. Diflannodd y greadures i'w grombil a'i sanau coch yn chwifio fel tafod fawr yn ei geg.

Ymlaen yr aeth y peiriant anhygoel—roedd wedi dechrau cael blas. Llyncodd athro ar ôl athro nes bod pob un wedi diflannu—pawb ond y prifathro. Cafodd dipyn o drafferth yn llyncu hwnnw gan ei fod yn ddyn mor galed. Erbyn hynny roedd y peiriant wedi cael llond ei fol. Cuddiodd Boffi ef yn y cwpwrdd mawr yn y neuadd a chloi'r drws yn ddiogel.

'Yn ôl i'ch dosbarth ar unwaith!' gorchmynnodd Boffi.

Ufuddhaodd pawb. Roedden nhw wrth eu bodd yn cael Boffi'n brifathro. Ac yn ystafell y prifathro y bu Boffi trwy'r dydd, yn brysur yn llunio amserlen newydd. Chwaraeon oedd yn mynd â hanner yr amser a gwersi gwneud-beth-fynnoch-chi am weddill y dydd. Bu'r plant i gyd yn chwarae ar y cae nes eu bod nhw wedi blino'n lân. Yna, pan ddaeth hi'n amser gwneud-beth-fynnoch-chi, aeth y rhan fwyaf ohonyn nhw adref.

Cyn bo hir roedd pob tad a mam yn ffonio'i gilydd a'r dref i gyd yn fwrlwm gwyllt. Roedd tad a mam Boffi wedi dychryn yn arw ac yn ddig iawn wrth eu mab.

'RHAG DY GYWILYDD DI! Dos i dy wely'n syth,' bloeddiodd ei dad (eto). 'Chei di ddim te na swper, na brecwast bore fory. Fe gei di aros yno nes byddi di wedi sylweddoli beth rwyt ti wedi'i wneud.'

Y noson honno fe fu llywodraethwyr yr ysgol ar eu traed yn hwyr yn yfed te ac yn meddwl yn galed beth i'w wneud. Doedden nhw erioed wedi trafod problem mor fawr â'r Peiriant Llyncu Athrawon o'r blaen. Cynigiodd un eu bod i gyd yn mynd draw i'r ysgol yn gynnar y bore wedyn, ond roedd ar bawb ofn mynd. Beth petai'r peiriant yn dechrau cael blas ar lyncu llywodraethwyr ysgol hefyd?

Pan ddaeth y bore, roedd y plant i gyd yn yr ysgol yn brydlon iawn, pawb yn edrych ymlaen i weld beth fyddai gan Boffi ar eu cyfer. Chwarae trwy'r bore, mae'n siŵr, a pheintio trwy'r prynhawn. Ond roedd Boffi wedi bod yn meddwl yn galed ac wedi penderfynu'i bod hi'n hen bryd iddyn nhw setlo i lawr i wneud tipyn o waith. Ysgrifennodd amserlen y dydd ar y bwrdd du mawr yn y neuadd:

Bore — Mathemateg
Prynhawn — Darlith gan Boffi ar sut i ddyfeisio peiriannau defnyddiol

'Pryd mae amser chwarae?' holodd ei ffrind Guto'n gwynfannus am un ar ddeg o'r gloch.

'Dim amser chwarae heddiw,' oedd ateb swta Boffi. 'Fe gawsoch chi ddigon o chwarae ddoe.'

'Ond dwyt *ti* ddim yn gorfod gweithio,' mynnodd Guto. 'Rwyt ti'n cael eistedd yn ystafell y prifathro trwy'r dydd yn gwneud dim.'

'Wrth gwrs. Dyna beth mae *pob* prifathro'n ei wneud. Rhaid i ti aros i mewn amser cinio am ateb yn ôl.'

Er bod Guto'n wyllt o'i go, roedd arno ofn peidio ufuddhau am fod Boffi'n siarad yn union fel prifathro go iawn.

Yna fe ddigwyddodd RHYWBETH OFNADWY . . . Ddaeth merched y gegin ddim i'w gwaith. Roedden nhw wedi clywed am y Peiriant Llyncu Athrawon ac yn ofni y byddai'n dechrau cael blas ar lyncu merched cinio hefyd. Felly doedd dim cinio i neb a dechreuodd Siân Mererid wylo eto.

'Mae arna i eisiau bwyd, Boffi. Rydw i bron â llwgu.'

'A fi,' cwynodd pawb arall, a dechreuodd y rhai lleiaf sgrechian dros y lle.

'Ac mae'r gwaith yn rhy anodd o lawer,' meddai Siân Mererid. 'Dydw i ddim yn ei ddeall.'

'Na fi, na fi,' ychwanegodd y lleill i gyd yn un côr.

'Mae arna i eisiau i'r athrawon ddod yn ôl, oes wir,' llefodd Siân Mererid.

Roedd Boffi'n ddig iawn wrth glywed hyn ac yn poeni tipyn bach hefyd, a dweud y gwir. 'Does dim modd plesio rhai pobol,' meddai'n siomedig.

Y funud honno, pwy ddaeth i mewn trwy'r drws ond tad Boffi, a rhyw olwg bwysig iawn arno fel arfer.

'Boffi!' bloeddiodd. 'Mae hyn wedi mynd ymlaen yn rhy hir o lawer. Ble mae'r peiriant 'na gen ti?'

Agorodd Boffi ddrws y cwpwrdd mawr a dyna lle'r oedd y peiriant yn edrych fel rhyw anghenfil mawr yn y tywyllwch.

'A! Dyma ni,' meddai'i dad. 'Mae gen innau ddyfais glyfar iawn fan yma. Dim byd syfrdanol o newydd, ond mae o'n gweithio. Dy fam roddodd hwn i mi.'

A wyddoch chi beth oedd ganddo? Teclyn agor tuniau. Agorodd dwll mawr yng nghefn y peiriant ac allan o'r twll rhowliodd Mr Prydderch, athrawes Safon 3 yn ei sanau coch, athro Safon 2, athrawes Safon 1, athrawon y babanod, ac yn olaf un y prifathro. Dyna lle'r oedden nhw i gyd yn eistedd ar y llawr, fel petaen nhw'n methu deall ble'r oedden nhw, ac yn syllu'n syn o'u cwmpas. Yna gwelsant y peiriant a chofio'r cyfan. Aeth y prifathro'n llwyd ei wedd a phrysurodd i ddweud yn grynedig, 'Fe gawn ni wyliau am weddill y dydd heddiw. Pnawn da, blant.'

Wedi cyrraedd adref dechreuodd tad Boffi bregethu (eto).

'RHAG DY GYWILYDD DI! Dos i dy wely'n syth . . .'

'Cha i ddim cinio na the na swper,' aeth Boffi yn ei flaen. 'Rydw i'n addo peidio dyfeisio dim byd eto. Wir! Wel, ddim nes bydda i wedi tyfu'n fawr, beth bynnag!'

Edrychodd ei dad arno'n chwyrn, ond yna dechreuodd chwerthin. Chwerthin wnaeth ei fam hefyd. Roedd y ddau mor falch fod ganddyn nhw fab mor glyfar.

Ac roedd pob tad a mam arall yn y dref yn falch nad oedd mab clyfar fel Boffi ganddyn nhw.

DIANC I'R MYNYDD

KATE ROBERTS

'Oeddat ti'n licio yn lan y môr?' ebe Deian wrth Loli ryw fore pan eisteddai'r ddau ar ymyl rhesel y fuwch yn y beudy. Gofynnai'r cwestiwn yr un fath â phetai Loli wedi bod yn Nhrefriw am fis o wyliau.

'Oeddwn,' ebe Loli, 'a mi liciwn i fynd eto, i weld gwlanan y môr yn nofio.'

'Mi liciwn i fynd i ben y mynydd acw,' ebe Deian, gan bwyntio i gyfeiriad Mynydd y Llus.

'Ol reit, mi awn ni rŵan 'ta,' ebe Loli, gan godi i gychwyn.

'Naci,' ebe Deian, 'mae'n rhaid inni weitiad nes daw 'na gymyla gwyn, neis yn yr awyr.'

'Pam?'

'Er mwyn inni gael twtsiad ein llaw ynddyn nhw ar ben y mynydd,' ebe Deian.

Pan fyddai'r awyr yn las a chlir, a chymylau gwynion mawr ynddo, yr oedd pob cwmwl yn rhywbeth heblaw cwmwl i Deian. Yr oedd yn llew weithiau—llew gwyn, bid sicr—ac yn eliffant y tro arall—eliffant gwyn eto. Ar brydiau byddai'n hen ŵr, a thro arall yn ferch ifanc hardd.

Meddyliai ar adegau eraill fod holl bobl y nefoedd allan am dro yn yr awyr. Sylwasai droeon y deuai'r cymylau hyn yn agos i ben y mynydd weithiau, a'r pryd hwnnw deisyfai fod ar ben y mynydd i'w cyffwrdd. Yr

191

un fath gyda'r tân. Pan eisteddai o'i flaen gyda'r nos yn y gaeaf yr oedd yno bobl yn byw ynddo. Weithiau gwelai'i fam ynddo, a rhyw het ddigri am ei phen, a fêl ddu yn hongian y tu ôl iddi. Dro arall byddai yno geffyl wedi rhusio, a holl bobl y pentref ar ei ôl.

Felly, pan ddangosodd Loli arwyddion anesmwytho ar gael ei chau i mewn o fewn terfynau'r caeau, yr oedd Deian yn falch iawn o gael awgrymu trip i'r mynydd. Yr oedd y mynydd yntau'n broblem i Deian. Weithiau edrychai fel hen ŵr mawr, ei wyneb yn lân, ar ôl cawod o law, cap nos gwyn am ei ben ar ôl cawod o eira, a barf lwyd ganddo pan basiai niwl ar ei draws. Rhyw hen greadur mawr oedd y mynydd yma, a safai fel plismon rhyngddynt a lleoedd eraill. Ac yn wir, ni wyddai Elin Jôs yn iawn pa le oedd y tu hwnt i'r mynydd hwnnw. Dywedodd ar antur rywdro wrth y plant hynaf mai'r ffordd honno yr oedd Llundain. Ond wedyn, nid oedd Elin Jôs fawr o giamstar ar geograffi. Pan feddyliai Deian am rywun mawr, am y mynydd y meddyliai; a dyna'r rheswm iddo un diwrnod redeg i ddrws y beudy at ei fam, a gofyn: 'Ydi Iesu Grist yn fwy na Mynydd y Llus, Mami?'

Yn awr, chwarae teg i Elin Jôs, mae amser i bopeth, hyd yn oed i ofyn cwestiynau ar y ddaear yma. Ac nid peth hawdd i neb ydyw ateb cwestiwn pan fo'i ben yn dynn yn ochr y fuwch, y piser ar lawr, a'r llaeth yn chwistryllio'n fain iddo, yn enwedig pan fo'r fuwch honno wedi ennill enw iddi'i hun am gicio. Y mae gan ddyn amser i feddwl wrth wau wrth y tân, ond wrth odro buwch, nac oes.

Felly, rhaid maddau i ateb Elin Jôs i'r cwestiwn.

'Ydi, ydi,' ebe hi, gyda phwyslais gwahanol ar y ddau 'ydi'.

'Wel, be yn y byd mae o'n fyta 'ta?' ebe Deian.

Methodd Elin Jôs â dweud dim. Symudodd ei phen yn sydyn, symudodd y fuwch ei throed, a meddyliodd Elin Jôs ei bod yn mynd i gael cic. Gwaeddodd dros bob man, a rhedodd Deian i ffwrdd.

Un diwrnod yr oedd yr awyr yn las clir, a chymylau gwynion yn ymlid ei gilydd ar ei draws, a phenderfynodd y ddau mai dyma'r diwrnod i ddringo'r mynydd; wrth gwrs, yr oedd diwrnod fel hyn yn ffafriol i olchi a sychu dillad, ac i gadw gwylanod y môr yn eu tai. Ond penderfynasant beidio â chychwyn hyd y prynhawn, oblegid yn ôl Deian, ni byddai'r cwmwl acw, oedd fel hen ŵr barfwyn yn ei wely, wedi cyrraedd pen y mynydd cyn hynny. Ac felly y bu. Methai Elin Jôs â deall paham yr oeddynt mor dda trwy'r bore, ac yn edrych mor freuddwydiol. Ond ni feddyliodd ddim drwg pan welodd hwy'n cychwyn tua thri i gyfeiriad y caeau. Penderfynasai'r ddau fynd i'r mynydd drwy'r caeau yn lle drwy'r llidiart, rhag ofn i'w mam feddwl dim. Gallent ddringo'r clawdd i'r mynydd o'r Cae Ucha'n hawdd, oblegid yr oedd yn amlwg na feddyliodd eu taid wrth godi'r cloddiau hynny ddim am ddau dramp bach, yn wyrion iddo, nad oedd dringo'r clawdd ond megis poeri iddynt.

Tros y clawdd i'r mynydd â hwynt, ac yn fuan trotient trwy rug tew a thal, a Gel wrth eu sodlau. Distaw iawn y buont ar hyd y daith. Yr oedd yn rhaid iddynt fod â'u holl egni'n sylwi lle y rhoent eu traed, oblegid baglai'r grug tal yma hwynt. A phob tro'r edrychai Deian i fyny i'r awyr i edrych ym mha le'r oedd y cwmwl syrthiai ar ei hyd, ond ni thorrai'i galon. Yn hytrach, cymerai afael yn llaw Loli, ac anogai hi gyda: 'Tyd, Loli, ne mi fydd y cwmwl o'n blaena ni.'

Ond torri'u calon a fu'n rhaid iddynt, a hynny ymhell cyn cyrraedd y top. Ni feddyliasai'r un o'r ddau fod ganddynt goesau, a bod coesau, yn enwedig rhai byr, tew, yn bethau sy'n blino'n fuan iawn wrth ymdrechu efo pheth mor ddryslyd â grug. Gorweddodd y ddau ar y mynydd gan edrych ar y cwmwl yn ennill y ras. Ond cyn iddynt fedru sylweddoli'u siom cysgent yn braf. Dyna'r gorau—neu'r gwaethaf—o fod yn blentyn! Ni orweddodd Gel. Yn hytrach, eisteddodd, gan edrych i bob cyfeiriad â chil ei lygad, a gwarchodai'r ddau fel petaent dywysogion.

Ac felly y daeth Elin Jôs o hyd iddynt y noson honno, wedi crwydro a chwilio ym mhobman . . . Ni wyddai Elin Jôs pa beth i'w wneud, pa un ai eu dwrdio ai llawenhau oherwydd eu canfod. Edrych yn wirion iawn a wnaeth y ddau pan ddeffrowyd hwy'n sydyn, a buont yn hir iawn cyn gwybod y gwahaniaeth rhwng y grug a chlustog eu gwely gartref. Ni ddywedasant air ar hyd y ffordd adref. Pan gyraeddasant y tŷ synnent weld eu mam yn crio am ddim ond hynny bach . . .

SIOM

IRMA CHILTON

'Mae Miss yn chwilota yn y bocs,' meddai Mared, gan redeg nerth ei thraed allan i'r iard at y lleill. Roedd genod Safon 4 yn glwstwr o'i chwmpas ar unwaith—a rhai o'r hogiau hefyd. Roedd hi'n amlwg iddyn nhw i gyd beth oedd ar waith: gwyddent o'r gorau mai cyfeirio'r oedd Mared at y bocs a gedwid yn y cwpwrdd mawr yng nghornel eu hystafell ddosbarth, y bocs lle y cedwid y gwisgoedd ar gyfer drama'r Geni.

Bob blwyddyn, tua diwedd tymor y Nadolig, byddai Ysgol Pen-y-gors yn cynnal cyngerdd yn y capel. Byddai pob dosbarth yn cyflwyno eitem, a phawb yn gwneud eu gorau glas. Byddai'r gynulleidfa wrth ei bodd gyda'r gân actol, y band taro a'r côr, ond uchafbwynt y noson yn ddi-os oedd y ddrama. Plant Safon 4 oedd yn cael actio'r ddrama—bob blwyddyn.

Câi pawb yn y dosbarth ran ynddi. Doedd neb yn cael ei adael allan, neb yn cael siom—er bod rhai rhannau, wrth gwrs, yn fwy poblogaidd na'r lleill. Uchelgais pob hogyn oedd cael bod yn Herod—y teyrn cas—a chael gwisgo dwyfronneg arian a chwifio cleddyf o gwmpas ei ben. Dyhead pob merch oedd cael bod yn Mair a gwisgo ffrog las hir at ei thraed.

Safai Siân yng nghanol y plant eraill, yn gwrando arnynt yn ceisio dyfalu pwy a gâi'r prif rannau, a'i chalon yn curo'n gyflym. Roedd hi bron iawn yn siŵr y byddai Miss yn ei dewis hi i actio Mair eleni—ac roedd ganddi reswm da dros gredu hynny. Dau reswm, a dweud y gwir. Ryw ddiwrnod, a hithau'n darllen yn uchel yn y dosbarth, roedd Miss wedi dweud, 'Rwyt ti'n ynganu'n hyfryd o glir. Fe wnaet ti actores dda.' A thro arall, pan oedden nhw'n ymarfer cydadrodd y gerdd 'Sŵn' gan T. Llew Jones, a phawb ond y hi yn cael trafferth i gofio'r geiriau, dywedodd Miss, 'Mae gen ti go' da, Siân. Mi fydd o fantais pan ddaw hi'n amser paratoi ar gyfer y cyngerdd Nadolig.'

Felly pan glywodd hi Mared yn cyhoeddi yn ei ffordd bendant, gwybod-popeth, 'Enfys fydd Mair siŵr, oherwydd ei gwallt . . .' doedd Siân yn poeni dim. *Roedd* gan Enfys wallt bendigedig—gwallt golau hir yn tonni dros ei hysgwyddau a llygaid glas bron yr un lliw â'r wisg, gwisg Mair. Ond beth oedd llygaid a gwallt o'u cymharu â llais clir a chof da?

Pan ganodd Mr Powel y prifathro'r gloch ar ddiwedd yr egwyl, rhuthrodd plant Safon 4 i mewn ar unwaith. Roedden nhw i gyd ar bigau'r drain.

Aeth pawb i'w seddau'n ddistaw a throi llygaid disgwylgar ar Miss. Chawson nhw mo'u siomi. Ei geiriau cyntaf oedd, 'Dw i wedi bod yn meddwl am y ddrama at gyngerdd y Nadolig.'

Tynnodd pawb eu hanadl a churodd calon Siân yn gyflymach fyth. Mor braf fyddai cael gwisgo'r gown las a chael tynnu'i llun yn gwenu ar y baban yn ei breichiau . . .

Roedd Miss wedi penderfynu eisoes pwy oedd pwy a dechreuodd ddarllen o'r rhestr oedd ganddi ar ei desg: 'Y tri gŵr doeth, Dylan, Huw a Penri; gwas y tri gŵr doeth, Tomos, Herod, Arwel . . .'

Roedd Siân yn meddwl y byddai'i chalon yn ffrwydro.

'Mair . . .' meddai Miss Davies o'r diwedd. 'Enfys.'

Ow! Gollyngwyd y gwynt o'i swigen yn llwyr. Prin y gallai goelio'i chlustiau. Ond pan welodd yr olwg fodlon ar wyneb Enfys a chlywed Mared yn sibrwd, 'Fe ddwedais i wrthat ti!' gwyddai ei bod wedi clywed yn iawn.

Crymodd dros y bwrdd gan bwyso'i gên ar ei dwylo a syllu ar batrwm glas a gwyn y fformica. Roedd lwmp cymaint ag wy wedi tyfu yn ei gwddf a theimlai'r dagrau'n pigo yng nghefn ei llygaid. Châi hi ddim gwisgo'r gown las wedi'r cyfan.

Dim ond hanner gwrando ar lais Miss yn mynd drwy weddill y rhannau a wnaeth hi, ond roedd hynny'n ddigon iddi sylweddoli na alwyd ei henw hi. Doedd hi ddim hyd yn oed yn cael bod yn un o'r bugeiliaid oedd yn cyflwyno anrheg i'r baban, heb ddweud dim. Doedd hi ddim yn cael bod yn y ddrama o gwbl! Roedd hynny'n ofnadwy! Beth ddywedai Mam? Byddai'n edrych ymlaen i'r cyngerdd bob blwyddyn ac yn honni ei fod yn gwneud lles i Siân gael ymddangos o flaen pobl gan ei bod hi mor swil. Efallai mai dyna pam na chafodd hi ran—ond fyddai hi ddim yn swil wedi'i gwisgo'n arbennig . . . yn y wisg las hyfryd 'na . . . na fyddai, ddim o gwbl. Ac roedd Miss wedi'i chanmol hi gymaint!

'. . . ac eleni,' roedd Miss yn dal i siarad, 'rydan ni am gael newid bach. Yn lle 'mod i'n adrodd yr hanes ar ddechrau pob golygfa, dw i wedi penderfynu y caiff Siân wneud gan fod ganddi lais mor eglur. Felly mae 'na ran ychwanegol eleni. Rhan yr Adroddwr.'

Doedd hi ddim wedi cael ei hanghofio wedi'r cyfan! Roedd hi'n cael cymryd lle Miss. Ymchwyddodd Siân wrth i'r lleill droi i edrych arni, a phlygodd ei phen gan wybod ei bod hi'n gwrido. Tybed a oedd yna wisg arbennig yn y bocs i'r adroddwr . . . ? meddyliodd. Cododd ei llaw.

'Miss, oes 'na wisg i'r adroddwr?'

Cododd Miss ei phen i edrych arni. 'Cei wisgo be fynni di, Siân,' atebodd. 'Does dim angen gwisg arbennig.'

Syrthiodd gwep Siân unwaith eto. Roedd *pawb* yn cael gwisgo dillad arbennig mewn drama Nadolig.

'Pawb yn fodlon?' gofynnodd Miss yn sionc.

Ymdrechodd Siân i ymuno yn yr 'Ydan' gyda gweddill y dosbarth ond fe sticiodd y gair yn lwmpyn yn ei gwddf a dim ond crawc ddaeth allan. Cymerodd arni lyncu'i phoer yn gam.

Pan ollyngwyd y dosbarth ar ddiwedd y prynhawn, tyrrodd y genod at Enfys i'w llongyfarch ar gael rhan Mair. Llwyddodd Siân i fwmial, 'Fe fyddi'n ddel iawn yn y gown las . . .' Yna, gan ei bod hi'n ofni bradychu'i siom i'r lleill, carlamodd adref nerth ei thraed. Roedd ganddi hiraeth mawr am Mam.

Wedi cyrraedd y tŷ, ffrwydrodd i mewn i'r gegin, lle'r oedd Mam wrthi'n llenwi'r tegell. 'Estyn y tun bisgedi, pwt,' meddai.

Ond allai Siân ddim aros nes bod Mam wedi gwneud y te. Gafaelodd yn dynn ynddi a chladdu'i hwyneb yn ei bron a gollwng y dagrau fu'n bygwth cyhyd.

Rhoddodd Mam y tegell o'i dwylo. Eisteddodd i lawr a Siân yn ei chôl. 'Rŵan 'te, pwt,' meddai, 'be sy'n bod?'

Sychodd Siân ei llygaid a chwythu'i thrwyn ac yna, yn araf bach, daeth y stori allan. Fel roedd Miss wedi'i chanmol ac wedi dweud y gwnâi actores dda ac yna wedi rhoi'r rhan orau i Enfys.

Ddywedodd Mam yr un gair am ysbaid, ac yna meddai, 'Mae rhan yr adroddwr yn bwysig iawn, cofia . . .'

'Ella,' cytunodd Siân, 'ond does 'na ddim gwisg i'r adroddwr. Fydda i'n neb 'blaw fi fy hun.'

'Dw i'n siŵr,' meddai Mam, 'fod Miss Davies wedi meddwl yn ddwys dros y peth a'i bod hi'n awyddus iawn i'r ddrama fod yn llwyddiant. Rŵan, dwed ti wrtha i, be sy fwya pwysig—bod pawb yn mwynhau'r ddrama neu dy fod ti'n cael gwisgo ffrog las?'

Ystyriodd Siân. Roedd hi'n gwybod yn iawn beth ddylai hi ei ddweud ond . . . O'r diwedd, cyfaddefodd mai'r peth pwysig oedd fod pawb yn mwynhau'u hunain.

'A dw i'n siŵr y gwnawn ni,' meddai Mam, 'ac y bydd yr adroddwr yn gwneud ei gwaith yn gampus. Fe ddaw 'na gyfle i ti wisgo'n hardd rywbryd eto . . .'

Ceisio'i chysuro yr oedd Mam. Doedd ganddi ddim gobaith cael gwisgo gown laes.

'Rŵan fe gawn ni baned,' meddai Mam yn hapus. Bron na theimlai Siân yn ddig wrthi am fod mor ddidaro. 'Bydd Anti Mair yma toc. Mae arni eisiau gofyn cymwynas i ti.'

Chwaer Mam oedd Anti Mair. 'Cymwynas? Beth?' gofynnodd Siân, wedi sionci ychydig o glywed bod Anti Mair yn dod heibio. Roedd ganddi feddwl y byd o Anti Mair.

Ar hynny, clywodd Siân glic-glac sodlau uchel yn dod i fyny'r llwybr at y drws.

'Helô'r aur, sut wyt ti?' Daeth Anti Mair i'r gegin a tharo cusan ar ben Siân.

Arhosodd Siân yn gwrtais nes bod Mam wedi tywallt paned yr un iddyn nhw ac estyn y bisgedi, ac yna gofynnodd beth oedd y gymwynas—a phan ddywedodd Anti Mair, wel—allai hi ddim credu'i chlustiau!

Roedd Anti Mair yn priodi ddiwedd mis Tachwedd ac roedd hi am i Siân fod yn forwyn briodas iddi. Morwyn briodas! Daeth y disgleirdeb yn ôl i'w llygaid ar unwaith.

'Mewn ffrog hir at 'y nhraed?' gofynnodd yn frwdfrydig.

'Siŵr iawn,' atebodd Anti Mair.

'Un las?' gofynnodd wedyn.

Chwarddodd Anti Mair. 'Gan ei bod hi'n aea,' meddai, 'fe gei di wisgo ffrog felfed las tywyll—a thorch am dy ben . . . ac fe gei di gario tusw bach o flodau. Sut mae hynny'n dy daro di?'

Syfrdanwyd Siân.

Yn nes ymlaen, cofiodd am gyngerdd yr ysgol ac adroddodd yr hanes wrth ei modryb.

'Biti!' meddai Anti Mair pan ddywedodd Siân mai hi fyddai'r unig un heb wisg arbennig yn y ddrama. 'Oes ots gen ti?'

'Nac oes,' atebodd Siân.

Doedd hi'n malio'r un botwm corn erbyn hynny.

GWYNT Y GOGLEDD

adroddwyd gan EMRYS ROBERTS

'Adref â ni, mae Cabibonoca'n dod!' gwaeddodd un o'r Indiaid wrth y lleill ryw ddiwrnod.

Enw gwynt oer y gogledd oedd Cabibonoca, a doedd neb yn ei hoffi. Roedd yr Indiaid Cochion wedi bod yn pysgota yn y gogledd drwy'r haf gan ddal llawer o bysgod. Ond erbyn hyn roedd y gaeaf yn dod yn ei ôl, a Cabibonoca'n dychwelyd adref i Wlad y Rhew wedi iddo fod yn crwydro.

'Mae croeso i chi fynd, ond rydw i am aros yma yng Ngwlad y Rhew,' atebodd Singebis wrth ei gyfeillion.

Indiad ifanc dewr oedd Singebis. Doedd gwynt creulon y gogledd ddim yn codi ofn arno fo.

'Rwyt ti'n wirion iawn. Ryden ni'n gwybod dy fod yn glyfar ac yn gallu gwneud pob math o driciau. Ond bydd Cabibonoca'n siŵr o dy droi di'n dalp o rew,' meddai un o'r hen Indiaid wrth baratoi i fynd yn ei ôl i'r de.

'Peidiwch â phoeni amdana i. Mae gen i ddillad lledr i'm cadw'n gynnes wrth bysgota yn ystod y dydd,' ebe Singebis. 'Ac fe alla i wneud tân y tu mewn i'r wigwam drwy'r nos heb i'r lle losgi. Does dim peryg' i'r hen wynt y gogledd yna ddod yn agos at y fflamau.'

Wedi ceisio eu gorau i newid ei feddwl, trodd ei ffrindiau am y de ac am eu cartrefi.

'Welwn ni byth mo Singebis eto!' meddai un yn drist.

'Piti ei fod mor bengaled,' atebodd un arall wrth iddo fo a'r lleill ddiflannu o olwg yr Indiad dewr.

Aeth Singebis ati i hel cymaint o goed tân ag y gallai. Bob nos eisteddai o flaen y fflamau yn y wigwam yn canu'n braf wrth gofio am yr holl bysgod roedd wedi eu dal yn ystod y dydd. Gan ei bod mor oer erbyn hyn, roedd yn rhaid iddo dorri twll yn y rhew ar wyneb y llyn bob bore cyn dechrau pysgota. Wedi bod wrthi'n brysur am oriau, âi yn ei ôl i'w wigwam i fwyta a chanu, ac yna fe syrthiai i gysgu.

'Ble mae Cabibonoca, tybed?' gofynnai iddo'i hun. 'Peth rhyfedd na fase fo wedi cyrraedd yma erbyn hyn.'

Roedd gwynt y gogledd wedi bod yn brysur yn rhewi'r llynnoedd eraill ac yn gyrru'r anifeiliaid i chwilio am le diogel rhag yr eira. Ond roedd bron â chyrraedd wigwam Singebis.

'Pwy ydi'r Indiad digywilydd acw?' meddai Cabibonoca pan welodd y pysgotwr ifanc o'r diwedd. 'Does neb i fod ar ôl yma yng Ngwlad y Rhew erbyn hyn. Mae hyd yn oed y gwyddau gwylltion a'r hwyaid wedi hedfan i ffwrdd.'

Ond chymerodd Singebis ddim sylw ohono. Rhoddodd fwy o goed ar y tân wedi cyrraedd ei wigwam a mwynhau'r pysgod. Clywai Cabibonoca'n sgrechian mewn tymer ddrwg y tu allan.

'Bobol bach, mae'n bwrw eira'n ofnadwy,' meddai'r Indiad wrth sbecian heibio i'r llenni dros ddrws ei gartref.

Plygai'r coed o gwmpas y llyn fel plant drwg wedi cael ffrae, wrth i'r gwynt daro'n eu herbyn. Gwnâi Cabibonoca sŵn yr un fath â brain yn ymladd yn y canghennau uwchben wigwam Singebis. Ond gwnaeth gamgymeriad wrth chwythu eira dros y babell. Roedd hyn fel rhoi blanced wen dros y lle, ac yn help i gadw'r Indiad yn gynnes rhag y gwynt rhewllyd.

'Ho, ho, yr hen Cabibonoca dwl. Mae'r eira'n fy nghadw'n glyd fel y mae ffwr yr arth wen yn ei chadw hi'n gynnes!' gwaeddodd Singebis yn hapus heibio i lenni'r drws.

Pan glywodd gwynt y gogledd hyn, gwylltiodd yn fwy fyth. Rhuodd a phwniodd yn erbyn y wigwam nes iddi godi o'r llawr bron. Ond roedd yr Indiad doeth wedi gofalu ei chlymu'n ddiogel a thyn yn y ddaear.

'Paid â gweiddi cymaint, neu bydd dy fochau'n rhwygo fel ffrwythau'n disgyn ar gerrig wrth gwympo o'r coed!' chwarddodd Singebis.

Roedd clywed yr Indiad Coch yn gwneud cymaint o sbort am ei ben yn ormod i Cabibonoca. Daliodd ei anadl am hir, hir. Yna chwythodd yn galetach nag a wnaethai erioed o'r blaen. Cododd y llenni oddi ar ddrws y wigwam. A rhuthrodd gwynt milain y gogledd i mewn at Singebis. Er ei fod yn crynu fel jeli, chymerodd yr Indiad fawr o sylw o Cabibonoca. Rhoddodd fwy o goed ar y fflamau a dal ymlaen i ganu'n llon fel arfer. O'r diwedd, siaradodd hefo'r gwynt:

'Ha, ha,' meddai. 'Tyrd yn nes at y tân. Mae'r eira yn dy wallt wedi troi'n chwys, ac mae'n rhedeg i lawr dy wyneb. Ac mi rwyt ti'n mynd yn llai ac yn llai!'

Roedd ar Cabibonoca ofn y fflamau. Ciliodd yn ei ôl i ben draw'r wigwam, ac edrychodd arno fo'i hun.

'O, mi rydw i'n toddi!' gwaeddodd y gwynt gan ruthro am y drws a ffoi allan.

Aeth Singebis i chwilio am y llenni a'u hailosod yn dynn ar y drws. Yna, wedi rhoi digon o goed ar y fflamau aeth i gysgu'n dawel.

Ar ôl methu gyrru'r Indiad Coch o'i wlad, roedd Cabibonoca wedi gwylltio. A doedd o ddim yn teimlo'n dda iawn wedi bod yn y gwres. Ond ar ôl iddo ddod ato'i hun, dyma fo'n ailddechrau chwythu. Daeth mwy o eira o'r awyr, a rhewodd y llynnoedd yn galetach. Swatiai'r anifeiliaid gan ddweud wrth ei gilydd nad oedden nhw erioed wedi gweld gaeaf mor oer. Yna daeth Cabibonoca'n ei ôl at gartref Singebis.

'Tyrd allan ata i,' meddai. 'Os wyt ti mor ddewr ag y mae pobl yn ddweud, fydd arnat ti ddim ofn dod o'r wigwam. Tyrd, i mi ddangos i ti pwy ydi'r un pwysicaf yng Ngwlad y Rhew.'

Meddyliodd Singebis yn hir cyn penderfynu.

'Rydw i'n gryf wedi cynhesu cymaint a chael digon o fwyd,' meddai wrtho'i hunan. 'Ac mae Cabibonoca'n sicr o fod yn wan ar ôl bod wrth y tân. Fe a' i allan i ymladd hefo'r hen genau sarrug.'

Rhedodd yr Indiad allan gan bwnio'i ddyrnau yn erbyn y gwynt. Bu'r ddau'n ymladd yn hir ac yn galed yn yr eira. Weithiau, Singebis oedd yn curo. Dro arall, Cabibonoca oedd y trechaf. Llechai'r anifeiliaid yn is o dan yr eira a sbecian bob yn ail, gan obeithio mai Singebis fyddai'n ennill.

Bu'r Indiad Coch a'r gwynt yn ymladd drwy'r nos. Yn rhyfedd iawn doedd Singebis ddim wedi blino. Po fwyaf y gwthiai Cabibonoca fo i'r llawr, cryfa'n y byd yr âi'r Indiad. A chynhesodd yr holl ymladd ei gorff.

'Ho, ho, rwyt ti'n gwanhau!' gwaeddodd Singebis ar y llall pan oedden nhw'n dal i ymladd drannoeth.

Erbyn y pnawn doedd gan Cabibonoca ddim nerth ar ôl o gwbl. Peidiodd â chwythu ac aeth pobman yn dawel. Roedd Gwlad y Rhew mor ddistaw ag ystafell ddosbarth yn ystod y gwyliau.

'Pwy ydi'r gorau erbyn hyn 'te?' holodd Singebis.

Roedd Cabibonoca'n rhy flinedig i'w ateb hyd yn oed. Sleifiodd yn ddistaw o Wlad y Rhew gan wylo. Safodd Singebis o flaen ei wigwam yn canu'n swynol wedi iddo fynd. A daeth rhai o'r anifeiliaid bach a fu'n cuddio o dan yr eira allan i gael mwythau ganddo.

'Arhoswch yma'n gwmpeini i mi,' meddai'r Indiad Coch wrthyn nhw. 'Mae'r gaeaf bron â darfod. A bydd fy ffrindiau'n dod yn eu holau i bysgota cyn bo hir.'

Neidiodd a dawnsiodd yr anifeiliaid yn llon o'i amgylch wedi cael gwared o'u hen elyn, Cabibonoca.

GER YR ARCHFARCHNAD

EMILY HUWS ac ELFYN PRITCHARD

Yn y maes parcio y tu allan i'r archfarchnad roedd bachgen bach yn chwarae pêl. Pêl fawr ddu a gwyn oedd hi. Ciciai hi i'r awyr, trawai hi â'i ben, daliai hi yn ei ddwylo. Roedd y maes parcio'n lle da i chwarae pêl pan oedd o'n wag, ond heddiw roedd o'n llawn gan ei bod yn ddydd Sadwrn a phawb yn siopa ar gyfer y Sul.

Yng nghanol y maes parcio llawn roedd dau gar a'u cefnau at ei gilydd. Roedd dyn wrthi'n brysur yn codi neges o'r drolen i'w roi yng nghefn un. Roedd dynes wrthi'n gwneud yr un peth wrth y llall. Roedd y ddwy drolen yn orlawn a'r dyn a'r ddynes fel ei gilydd wrthi'n brysur yn llwytho'u ceir.

Nid oedd yr un o'r ddau wedi sylwi ar ei gilydd. Wyddai'r dyn ddim fod y ddynes yn ei ymyl. Wyddai'r ddynes ddim fod y dyn yn ei hymyl. Roedd y ddau yn rhy brysur i sylwi ar ddim gan eu bod nhw'n awyddus i orffen llwytho'u ceir er mwyn cael mynd adref.

Ni welodd yr un o'r ddau y bachgen bach oedd wrthi'n chwarae efo'r bêl ddu a gwyn. Roedd o'n dod yn nes atyn nhw bob munud. Pan oedd o'n mynd heibio i'r ddau gar sbonciodd y bêl o'i afael a tharo braich y wraig oedd wrthi ar y pryd yn codi potel fawr o ddiod oren o'r drolen i'r car. Trawodd y bêl yn erbyn ei braich, ac yna sbonciodd yn ôl a

203

daliodd y bachgen hi. Aeth yn ei flaen gan gicio'r bêl i'r awyr a'i tharo â'i ben a'i dal. Roedd o'n disgwyl i'w rieni ddod o'r archfarchnad.

Am fod y bêl wedi taro braich y wraig mor galed, fe ollyngodd y botel. Torrodd yn deilchion ar y llawr caled a thasgodd y ddiod oren felys, ludiog dros ei sgert a'i choesau a'i hesgidiau.

Gwylltiodd y ddynes. Gwyddai'n iawn fod rhywbeth wedi taro yn erbyn ei braich. Edrychodd o'i chwmpas a sylwodd am y tro cyntaf ar y dyn oedd y tu ôl iddi. Doedd neb arall yn ymyl, felly mae'n rhaid mai fo oedd wedi taro'i braich.

'Pam na fyddwch chi'n fwy gofalus?' meddai wrtho'n chwyrn. 'Edrychwch beth rydych chi wedi'i wneud!'

Roedd y ddiod oren yn ddiferion ar ei dillad a'i choesau a'i hesgidiau.

Tynnodd y dyn ei ben o'r car. Roedd ganddo fag blawd yn ei law. Edrychodd arni'n syn. Gwelodd beth oedd wedi digwydd.

'O dyna hen dro, gadewch i mi'ch helpu chi,' meddai gan fynd ati i godi rhai o'r darnau gwydr oddi ar y llawr. 'Sut y digwyddodd hyn?' holodd.

Collodd y ddynes ei limpin yn llwyr pan glywodd ei gwestiwn.

'Arnoch chi mae'r bai!' llefodd.

Roedd y dyn wedi'i syfrdanu pan glywodd o hyn. Safodd yn stond ac edrychodd arni'n gegagored.

'Beth ydych chi'n ei feddwl?' gofynnodd iddi.

'Y chi drawodd fy mraich i. Dyna pam y gollyngais i'r botel.'

Safai'r dyn yn ei unfan a'r bag blawd yn ei law o hyd.

'Ond wnes i ddim taro'ch braich chi,' meddai. 'Rydw i'n berffaith siŵr na wnes i ddim.'

'Peidiwch â gwadu'r peth,' atebodd y wraig yn bigog. 'Dydych chi ddim haws â gwadu. Fe deimlais i fy mraich yn cael ei tharo.'

'Hwyrach fod rhywun wedi taro'ch braich chi,' meddai'r dyn yn bendant, 'ond wnes i ddim.'

'Does yna neb arall yma,' meddai hithau'n flin. 'Mae'n rhaid mai chi drawodd fy mraich i, waeth i chi heb â gwadu. Ac edrychwch ar y llanast wnaethoch chi. Pam na fedrwch chi fod yn fwy gofalus? Faint o le sydd arnoch chi ei eisiau?'

'Ond . . .'

'Ydych chi'n dal allan 'mod i'n deud celwydd?' meddai hi'n ffrom.

A dyna lle bu'r ddau'n dadlau'n gas â'i gilydd a'u lleisiau'n codi'n uwch ac yn uwch. Roedd 'na nifer o bobl ar eu ffordd at eu ceir gyda throlenni llawn o nwyddau o'r archfarchnad. Safodd y bobl hyn i wrando ar y crochlefain. Bellach roedd wynebau'r ddau yn goch a'u llygaid yn melltennu. Diferai'r ddiod oren i'r llawr o odre sgert y wraig ac roedd y bag blawd yn dal yn llaw'r dyn.

Ar y cychwyn roedd o wedi gwneud ei orau glas i siarad yn rhesymol efo'r wraig. Gwrandawodd arni'n gwrtais. Ond erbyn hyn roedd o wedi cael digon ar ei thafodi diddiwedd. Gwyddai'i fod wedi cael bai ar gam, ac yr oedd o hefyd ar frys i fynd adref. Yn sydyn, gwylltiodd!

'Bendith i chi, ddynes, caewch eich hen geg,' gwaeddodd.

Roedd hyn yn ormod i'r wraig. Cododd ei llaw a thrawodd y dyn ar draws ei foch nes bod ôl ei bysedd i'w gweld ar ei groen a sŵn y glec i'w glywed yn glir.

Am eiliad, safodd y dyn yn hollol lonydd. Yna hyrddiodd y bag blawd at ben y wraig. Holltodd y papur, a chododd cwmwl o lwch gwyn o'i chwmpas ac arllwysodd y blawd dros ei phen a'i hysgwyddau a throsti i gyd. Roedd hi wedi cael gormod o sioc i wneud dim am funud.

Ysgubodd y dyn weddill ei neges o'r drolen i'w gar. Gadawodd y drolen yn y fan a'r lle heb drafferthu i fynd â hi'n ôl at ddrws yr arch-farchnad. Neidiodd i mewn i'w gar. Rhoddodd glep ffyrnig ar y drws a chwyrnellodd ymaith.

Ysgydwodd y ddynes y blawd i ffwrdd oddi arni. Roedd golwg ddryslyd arni, fel pe bai'n deffro o freuddwyd.

Ac ym mhen pellaf y maes parcio roedd bachgen bach yn dal i chwarae gyda'i bêl. Ciciai hi i'r awyr, trawai hi â'i ben a daliai hi yn ei ddwylo. Roedd o'n disgwyl i'w rieni ddod o'r archfarchnad.

DAN Y BONT

ALWENA WILLIAMS

Anwen Parri Pant Glas ydw i. Tyddyn tua dwy filltir o'r pentre ydi Pant Glas. Yn y chwarel y mae Nhad yn gweithio a Mam yn brysur gartre drwy gydol y dydd yn gofalu am y tŷ a'r anifeiliaid.

Unig blentyn ydw i. Feddyliais i erioed am y peth tan y diwrnod o'r blaen, pan ddigwyddais i glywed cynffon y sgwrs rhwng Mam a Mr Huws y siop, sy'n dod â neges yma bob wythnos.

'Y beth fach,' meddai fo, 'yn unig blentyn yn fan 'ma heb neb i chwarae efo hi. Pam na yrrwch chi hi draw i'r pentre'n amlach, Mrs Parri? Mae 'na ddigon o gwmni iddi'n fan'cw.'

'Mae hi'n ddigon diddig,' meddai Mam yn swta.

Fydda i byth yn sôn wrthi, ond rydw i'n credu bod Mam yn deall yn iawn. Y gwir amdani ydi fod plant cegog y pentre yn codi ofn arna i. Ers tro byd rŵan dydw i ddim yn edrych ymlaen at amser chwarae yn yr ysgol, achos mi ddaw haid o blant Stryd y Felin ata i a dechrau herian a thynnu tafod a phinsio. Wnes i erioed ddim byd iddyn nhw. Mi fydda i'n eu hosgoi nhw bob cyfle gaf i.

Mae gen innau fy ffrindiau yn yr ysgol hefyd, ond am mai plant y wlad fel fi ydyn nhw, anaml y bydda i'n eu gweld nhw yn ystod y gwyliau. Mi fydd Mam a finnau'n taro ar rai ohonyn nhw yn y stesion ambell i Sadwrn. Efo'r trên y byddwn ni'n mynd i'r dre i negesa.

Mae'r rheilffordd, neu'r 'lein' chwedl ninnau, yn croesi'n tir ni yng ngwaelod y lôn sy'n arwain o'r buarth i'r ffriddoedd. Rhaid i ni gerdded o dan bont y lein i fynd â'r gwartheg i'r dŵr ac i hel mwyar duon ac i nôl berw dŵr o'r nant.

Dan y bont y bydda i'n chwarae boed hi'r tywydd y bo hi. Pont uchel, uchel ydi hi, ac y mae wynebau'r ddwy wal a tho'r bwa yn hollol lyfn. Lle bendigedig i chwarae pêl, ydi sylw pawb sydd wedi bod yno. Nid cerrig cyffredin ydi deunydd y bont. O flociau llechfaen llwydlas, a elwir yn bennau llifiad, y gwnaed y bont i gyd.

Yn weddol isel yn un wal mae yna flocyn llechen rhydd. Rydw i'n medru'i dynnu o o'i le wrth gydio'n ofalus ynddo gyda fy nwy law. Er bod un pen i'r blocyn yn llyfn a glân, mae'r pen arall yn bigog a garw. Rydw i wedi curo darnau o'r pen pigog i ffwrdd gyda charreg. Wedyn mi fûm wrthi'n crafu pridd o'r twll i wneud cuddfan. Er nad ydi'r guddfan fawr mwy na thwll cwningen, mae hi'n ddigon i mi gadw pethau ynddi, ac mi fydda i'n cogio mai trysorau fydda i'n eu gosod yn y twll. Wedyn mi fydda i'n rhoi'r blocyn llechen yn ôl ar geg y twll. Does neb ddim gronyn callach; allai neb byth ddweud p'run ydi'r blocyn rhydd heb roi cynnig ar bob blocyn yn y bont. Rydw i'n mwynhau cadw fy nghyfrinach i mi fy hun.

Pan oeddwn i tua chwech oed, mi gymerodd Mam yn ei phen y buasai hi'n gwneud tŷ dol i mi a'i ddodrefnu. Welais i byth mo'r tŷ dol, ond mae llond silff o focsys matsys gwag yn y twll-dan-grisiau o hyd. Efo'r rheini roedd Mam wedi bwriadu gwneud y dodrefn. Dyna focsys bach hwylus—i'r dim i gadw pethau'n daclus, ac y mae pentwr ohonyn nhw yn mynd i ychydig iawn o le yn y twll yn y bont.

Mewn un bocs mae gen i gardiau hirgul efo lluniau adar a blodau—cardiau sigaréts ydi'r rhain. Mae gen i gregyn mân wedi'u pacio'n dynn i focs arall. Mae gen i focseidiau o lafant sych a bocseidiau o betalau rhosod sych. Rydw i'n bwriadu gwneud persawr gyda'r rhain ryw ddiwrnod, ond rhaid i mi fynd i'r domen yn gyntaf i chwilio am boteli gwag.

Pan oedd f'ewythr yn y rhyfel, fe anfonodd o fodrwy i mi—modrwy wedi'i gwneud o wydr awyren. Mae carreg fach las ynddi. Rydw i'n meddwl y byd o'r fodrwy ac wedi'i gosod yn barchus ar fân blu mewn bocs matsys. Mi fedrwch wthio peth wmbreth o bethau i focs matsys, ac y mae hyn yn hwyl iawn, yn enwedig ar dywydd gwlyb.

O dan y bont y mae Nhad yn cadw'r drol. Yn y drol y byddwn ni'n cario gwair i'r sgubor. Yr adeg orau o'r flwyddyn gen i ydi adeg y cynhaeaf gwair. Mali'r ferlen fydd rhwng llorpiau'r drol yn tynnu'r llwyth gwair, ac mi fydda i'n gwirioni'n lân wrth gael fy nghario'n ôl i'r cae yn y drol wag.

Coch yw lliw'r llorpiau a'r olwynion, a glas ydi'r trwmbal. Adeg teilo, cario gwair a chodi tatws bydd y drol ar fynd o hyd, ond weddill y flwyddyn bydd yn segur dan y bont. Mi fydda i'n cael pleser di-ben-draw wrth chwarae ynddi. Weithiau eistedd yn y trwmbal y bydda i, yn synfyfyrio dan grafu'r baw caled sydd rhwng styllod y llawr â'm hewinedd, dro arall mi fydda i'n cerdded ar hyd y llorpiau. Syrthio fydd fy hanes yn aml, achos mae llorpiau trol fel dwy fraich gul, ac ar ogwydd pan fo'r drol yn segur. Tipyn o gamp ydi cerdded ar hyd llorp heb godwm.

Un tro mi gefais i fraw ofnadwy wrth chwarae yn y drol. Roedd pob man yn ddistaw fel arfer pan glywais i frefu dychrynllyd, a dyma fi'n codi 'mhen a beth welwn i ond dwy fuwch goch yn rhedeg nerth eu carnau tuag ataf. Dyma nhw'n arafu wrth y drol. Wnes i ddim sgrechian. Rhaid bod rhyw reddf wedi dweud wrthyf mai bod yn berffaith lonydd oedd y peth callaf. Mi orweddais yn y drol, cau fy llygaid yn dynn a dal fy ngwynt. Mi glywn i'r gwartheg yn ffroeni'r drol a'r funud nesaf roedd eu hanadl yn boeth ar fy wyneb. Fe ddaeth yr awydd tisian mwyaf ofnadwy trosof. Felly doedd dim amdani ond tisian ei hochr hi. Sôn am fraw a gafodd y ddwy fuwch! Dyna nhw'n rhoi sgytiad iawn i'r drol nes fy mod i'n rowlio cyn rhuthro yn eu blaenau tua'r nant. Nid ein gwartheg ni oedden nhw, does arna i ddim ofn y rheini, ond rhad ar warsheg diarth!

Os bydda i'n digwydd bod ar y buarth ac yn clywed sŵn y trên yn nesu, mi rof ras i lawr at y bont a neidio i mewn i'r drol. Y sŵn mwyaf byddarol y gwn i amdano fo ydi sŵn y trên yn taranu uwch fy mhen a finnau'n gorwedd ar wastad fy nghefn yn y drol. Mae pob man yn diasbedain a'r ias ryfeddaf yn fy ngherdded, ac er i sŵn y trên ddarfod bydd cryndod yn dal yn y bont.

Ar nos Sadwrn bydd Modryb Meri yn dod i'n tŷ ni'n rheolaidd.

'A be fuost ti'n wneud drwy'r dydd heddiw, Anwen?' fydd ei chwestiwn bob tro.

'Chwarae o dan y bont,' fydd fy ateb innau.

'Mae'n syndod na fasa'r hogan fach yma'n cael andros o annwyd wrth chwarae yn yr hen le oer, drafftiog yna byth a hefyd,' meddai hi wedyn wrth Mam.

Fel arfer fydda i ddim yn dweud gair, dim ond gwenu'n lloaidd, ond y noson o'r blaen mi fentrais ei hateb yn ôl.

'Dydw i erioed yn fy mywyd wedi cael annwyd,' meddwn i wrthi'n herfeiddiol nes bod Mam yn fy llygadu. Dydw i ddim chwaith a does gan neb yn y byd well lle i chwarae na fi.

Y CORRACH CLUSTIOG

EIGRA LEWIS ROBERTS

Erstalwm iawn yn ôl pan oedd corrach yn ddigon mawr i allu edrych i fyw llygaid y ceiliog gwynt ar dŵr yr eglwys . . . Be? meddech chi . . . corrach yn ddigon MAWR? Ia, siŵr. Ond cofiwch fod hynny erstalwm iawn, iawn yn ôl cyn i Wrach y Graig Wen gael ei dwylo ar lyfrau swynion y Dewin Cwac a dechrau troi pawb fyddai'n pechu'n ei herbyn yn benbyliaid.

Gan nad oes neb call yn dewis treulio oes yn nofio ar gylch mewn pot jam byddai pawb yn swatio rhagddi. Pawb ond y corrach clustiog. Nid oedd raid i un a allai gyrraedd brig uchaf tŵr yr eglwys ofni neb. Wrth weld pawb yn sgrialu i guddio rhag y wrach byddai ef yn chwerthin nes bod brigau'r coed yn hollti a'r cymylau'n troi y tu chwithig allan.

'Fe ddaw dy dro dithau,' rhybuddiai'r wiwer goch.

'Choelia i fawr,' rhuai'r corrach. 'Mae'r hen Siani'n ddigon call i beidio â dŵad yn agos i 'nhir i.'

A wir, byddai'r wrach yn gofalu rhoi tro ar ei hysgub cyn cyrraedd tir y corrach clustiog. Ni wyddai am yr un swyn a wnâi benbwl o un mor fawr, na'r un pot jam a'i daliai petai'n llwyddo.

Ond fe aeth Gwrach y Graig Wen yn fwy powld ac un noson, wrth iddi gychwyn allan ar ei hysgub, penderfynodd ei bod am ddangos i'r corrach nad maint corff oedd yn profi gallu. Roedd ei chrawcian wrth iddi hedfan dros y ffin i dir y corrach clustiog yn ddigon i beri i'r brain neidio allan o'u plu.

'Ble'r wyt ti'n swatio, y bwbach clustiog?' gwaeddodd. 'Oes gen ti ofn dangos dy hun imi?'

Gorwedd ar ei wely mwsogl yr oedd y corrach ar y pryd a'r wiwer goch yn torri ewinedd ei draed efo'i ddannedd. Pan glywodd y wiwer lais aflafar y wrach yn ei tharo fel cawod o genllysg suddodd un o'i dannedd miniog i fawd y corrach a llamodd yntau ar ei draed.

Yr eiliad nesaf clywyd andros o glec. Roedd yr ysgub wedi taro yn erbyn clust dde'r corrach ac wedi hollti'n ei hanner. Glynodd un darn yn nhwll clust y corrach ond troellodd y darn arall fel parasiwt drwy'r awyr a'r wrach yn glynu wrtho gerfydd ei hewinedd. Ac ni fyddai rhagor o sôn wedi bod am Wrach y Graig Wen oni bai i'r darn ysgub gydio wrth goeden. Syrthiodd y wrach i'r llawr fel pry' copyn heglog. Yr eiliad y cafodd ei thraed ar dir soled dechreuodd flagardio'r corrach a'i alw'n bob enw dan haul.

'Fe allat fod wedi andwyo fy nghlyw i am byth,' cwynodd y corrach.

'Fe andwya i fwy na dy glyw di, yr hen anghenfil clustiog,' gwaeddodd y wrach o'r pellter wrth ei heglu hi am adref a'i darn ysgub o dan ei chesail.

*   *   *

Bu'r wrach wrthi ddydd a nos am dridiau yn chwilio drwy'r llyfrau swynion nes bod ei llygaid yn dyfrio a blaenau'i bysedd yn gwaedu. Gallodd pawb anadlu'n braf am y tridiau hynny, ond y bedwaredd noson aeth y si ar led fod Gwrach y Graig Wen wedi cychwyn allan ar ei hysgub ailorau a bod golwg beryclach nag arfer arni. Rhuthrodd pawb i guddio. Pawb ond y corrach clustiog. Ond nid o ddewis. Petai modd yn y byd

S.R.

byddai yntau wedi swatio efo'r lleill y noson honno. Gwnaeth ei hun mor fychan ag oedd bosibl y tu ôl i goeden gan obeithio y byddai i'r wrach hedfan heibio heb ei weld. Ond druan ohono, nid oedd yr un goeden wedi'i chreu a allai guddio'r clustiau mawr. Wrth iddi deithio drwy'r awyr gallai'r wrach eu gweld yn codi o boptu'i gorun fel dau fynydd a'r rheini'n ymestyn ar draws ei llwybr.

Ni theimlodd y corrach ddim oddi wrth y pigiadau bach a roddodd y wrach yn ei ddwy glust cyn iddi roi tro ar ei hysgub ac ni chlywodd ddim o'r geiriau swyn a sibrydodd wrth iddi anelu'n ôl am y Graig Wen. Ond y noson honno ar ei wely mwsogl cafodd ei ddeffro gan sŵn rhyfedd, fel petai haid o gacwn wedi nythu rhwng ei glustiau. Cododd ei law a gwthio un bys i dwll ei glust i geisio cael gwared â'r sŵn. Ond arswyd y byd—lle bu'r clustiau mawr nobl nid oedd bellach ond clustiau pitw, pigfain. Roedd Gwrach y Graig Wen wedi gwneud yn siŵr na allai byth mwyach ei rhwystro hi rhag teithio ble y mynnai.

Am y tro cyntaf erioed dechreuodd dagrau mawr gymaint â pheli golff redeg i lawr gruddiau'r corrach. Toc, roedd yn beichio crio nes bod y coed yn siglo'n beryglus a'r ddaear yn codi ac yn gostwng fel gwely aer. Ac felly y bu pethau am ddyddiau nes bod pawb wedi hen alaru ar gael eu taflu o gwmpas a rhai hyd yn oed yn cwyno o salwch môr, a hynny ar dir sych.

'Thâl peth fel hyn ddim o gwbwl,' meddai'r wiwer goch yn filain. 'Mi fydd hi un ai'n ddaeargryn neu'n ddilyw.'

Daeth pawb at ei gilydd a phenderfynwyd anfon Mrs Tylluan yn gennad drostynt at Wrach y Graig Wen i ofyn iddi ddad-wneud y swyn ac adfer ei glustiau i'r corrach.

Ond nid oedd y wrach yn fodlon ystyried y mater.

'Mi wnawn i unrhyw beth yn eich ffordd chi, Mrs Tylluan,' meddai'n ffals, 'ond mae'n ddyletswydd arna i ofalu fod priffordd yr awyr yn glir yn y nos. Mi fu ond y dim i mi â chael fy lladd, wyddoch chi.'

Eglurodd Mrs Tylluan fel roedd y corrach yn beichio wylo ddydd a nos ac yn peryglu bywydau pawb. Roedd y ddaear, meddai, yn dechrau cracio o dan y straen. Ac os âi pethau ymlaen fel hyn byddai bywyd y wrach, hefyd, mewn perygl. Gallai'r Graig Wen ddymchwel a'i hogof i'w chanlyn. Byddai'n well iddi wneud rhywbeth rhag blaen.

'Mi feddylia i am y peth,' meddai'r wrach yn biwis.

*　　　*　　　*

Pan ddaeth y wiwer goch ar ei sgawt i chwilio am y corrach fore trannoeth ni allai ddod o hyd iddo. Ond wrth iddi sefyll mewn penbleth wrth erchwyn y gwely mwsogl gwag clywai sŵn yn dod o gyfeiriad tomen o ddail—sŵn fel rhew yn meirioli. Aeth at y pentwr a chodi ymyl deilen. Ni allai gredu'i llygaid. Yno'n gorwedd roedd y corrach clustiog—neu'n hytrach yr hyn oedd weddill ohono. Go brin y byddai'r wiwer wedi'i adnabod o gwbl oni bai am y clustiau pitw, pigfain. Cofiodd fel y bu i Mrs Tylluan ddweud y byddai'r wrach yn siŵr o wneud rhywbeth, rŵan ei bod hi'n meddwl bod ei hogof mewn perygl. Ac roedd hi *wedi* gwneud. Yn lle cael clustiau i ffitio'r corrach roedd hi wedi ceisio gwneud i'r corrach ffitio'r clustiau. Ond roedd hi wedi methu ac wedi ei adael â mwy o glustiau nag o gorff.

Sbonciodd y wiwer goch i ffwrdd i ddweud wrth ei chyfeillion na fyddai'n rhaid iddynt ofni na dilyw na daeargryn na Gwrach y Graig Wen a bod y corrach clustiog bellach yn un ohonyn nhw er nad oedd o, eto, wedi dygymod â'r syniad.

Daeth y corrach, ymhen amser, i sylweddoli bod manteision mewn bod yn fychan a chafodd Gwrach y Graig Wen briffordd glir drwy'r awyr bob nos. A hyd y gwn i roedd pawb yn hapusach nag yr oedden nhw pan oedd cawr yn ddigon bach i lithro o dan ddrysau a chorrach yn ddigon mawr i allu edrych i fyw llygaid y ceiliog gwynt ar dŵr yr eglwys. Beth bynnag am hynny, felly y digwyddodd pethau erstalwm iawn, iawn yn ôl.

MIDAS A'R AUR

addaswyd gan ALWENA WILLIAMS

Dyn ffôl a barus oedd Midas, brenin Phrygia. Un diwrnod daeth Seilenos, arweinydd y satyriaid a ddilynai Dionysos, at ddrws y palas. Teimlai'n flinedig a newynog ar ôl colli'i ffordd a chrwydro'r bryniau ers rhai dyddiau. Croesawodd Midas ef a rhoi bwyd a llety iddo. Arhosodd Seilenos yno am wythnos ac ar ei noson olaf fe drefnodd y brenin wledd odidog. Bu yno fwyta ac yfed hyd berfeddion nos, a bore trannoeth paratôdd Seilenos i ymadael.

'Mi fuost ti'n hynod dy groeso i mi,' meddai wrth Midas, 'ac rydw i'n ddiolchgar iawn am hynny. Dywed wrtha i a oes yna unrhyw beth a ddymuni di? Mi hoffwn roi rhywbeth i ti i ddangos fy ngwerthfawrogiad.'

Pefriodd llygaid awchus Midas. Cerbyd newydd sbon wedi'i addurno â gemau? Cant o feirch cryfion o wastadeddau Lydia? Pum cant o wartheg o Arcadia? Gwibiai'r rhain a myrdd mwy drwy'i feddwl, ond roedd arno ofn eu henwi'n uchel. Tybed a oedd Seilenos yn bwriadu rhoi rhywbeth mwy? Ac o enwi rhywbeth llai, fe fyddai perygl i Midas golli'r anrheg fwy. Ar y llaw arall, beth petai Seilenos yn bwriadu rhoi dim byd mwy na ffiol bres iddo? Roedd Midas mewn cyfyng gyngor, ond gwyddai fod yn rhaid ateb yn fuan neu fe dramgwyddai yn erbyn y satyr. Wedyn ni châi ddim byd o gwbl ganddo.

'Wn i ddim, wir,' meddai toc. 'Mi adawaf y dewis i ti.'

Nodiodd Seilenos ei ben. 'O'r gorau,' meddai. 'Fe gei di un dymuniad a beth bynnag fo hwnnw, fe ddaw'n wir. Meddylia'n galed cyn gwneud dy ddymuniad, achos mae yna lawer iawn o ddewis yn y byd yma.'

Ar hynny, trodd Seilenos oddi wrtho, ond prin ei fod wedi gorffen siarad nad oedd Midas wedi penderfynu. Ei ddymuniad oedd i bopeth a gyffyrddai droi'n aur. Fe fyddai wedyn y tu hwnt o gyfoethog, yn frenin ymhlith brenhinoedd ac fe dyrrai pobl y byd i dalu teyrnged i'w fawredd. Gwnaeth ei ddymuniad ac fe wirionodd ei ben â'r hyn a ddigwyddodd wedyn. Cyffyrddodd gadair a throdd honno'n aur pur mewn eiliad. Yna, fe gyffyrddodd fwrdd a'r llestri arno, a'r wisg oedd amdano a bu'n rhaid iddo'i thynnu gan fod ei phwysau yn ei lethu. Chwarddodd dros bob man a rhuthro allan. Yna rhedodd yn wyllt o ystafell i ystafell drwy'r palas i gyd gan gyffwrdd popeth a welai. Trodd y cyfan yn aur. Ymhen dim, roedd y palas yn sgleinio fel petai yna haul llachar yn nenfwd pob ystafell.

Wedi'r holl gyffro, roedd Midas wedi blino'n arw gan nad oedd wedi arfer â'r fath redeg a rasio. Daeth yn amser cinio ac eisteddodd ar gadair aur wrth fwrdd aur yn yr ystafell lle y ffarweliodd â Seilenos. Daeth gwas â ffrwythau a'u gosod o'i flaen ac wrth i Midas gyffwrdd ymyl y plât, fe drodd yn aur. Chwarddodd y brenin yn hapus. Cydiodd mewn swp o rawnwin. Wrth wneud hynny, cafodd fraw gan nad grawnwin oeddent mwyach ond peli bach aur disglair, hardd iawn ond hollol anfwytadwy. Taflodd nhw ar lawr a gofyn am ddarn o gig, ond fe ddigwyddodd yr un peth eto. Yn ei ddicter, gwthiodd Midas y gwas ymaith oddi wrtho, ac yn y fan a'r lle, wele gerflun aur yn lle corff o gig a gwaed.

Rhuthrodd Midas o'r ystafell ac i lawr y grisiau, trwy geginau'r palas ac i'r stordy lle cedwid y bwydydd. Gafaelodd mewn sachaid o rawn, a dyna hwnnw'n troi'n aur. Aeth â'i law ar hyd y silffoedd lle'r oedd cawgiau a phadelli a bwyd ynddynt, a phob un dim yn troi'n aur. Yn ei ofid, taflodd y brenin ei hun ar lawr ac wylo'n chwerw wrth ddirnad, o'r diwedd, wir ystyr rhodd y satyr.

Aeth dyddiau heibio a'i ddigalondid a'i newyn yn gwaethygu. Ni allai gysgu na bwyta. Pan gofleidiodd ei blant, fe drodd pob un yn ddelw aur. Roedd y dagrau a ddisgynnai o'i lygaid yn ddafnau aur trwm, hyd yn oed. Y diwedd fu iddo orfod ymgynghori ag oracl ac fe dderbyniodd lygedyn o obaith.

'Dos ar unwaith at lannau Afon Pactolos,' meddai'r oracl, 'ac ymolcha yn y dŵr. Yno fe gei di wared o felltith yr aur. Gobeithio dy fod ti wedi dysgu dy wers.'

Gwnaeth Midas yn ôl cyfarwyddyd yr oracl. Cafodd wared o'r felltith, ac o hynny allan fe ddisgleiriai tywod gwely'r afon honno fel gronynnau aur. Dychwelodd y brenin adref i'r palas yn benderfynol bellach o ymddwyn yn dra gwahanol yn y dyfodol.

Er ei adduned, ni challiodd y Brenin Midas ryw lawer, ond fe giliodd ei hoffter o aur. Ni fyddai neb heblaw meidrolyn ffôl iawn yn cytuno i fod yn feirniad mewn gornest rhwng dau o'r duwiau. Gwyddai pawb mai bodau cenfigennus wrth ei gilydd oedd y duwiau. Cytuno i feirniadu a wnaeth Midas, fodd bynnag.

Roedd Apolo eisoes wedi cael ei ddyfarnu'n bencampwr yr holl gerddorion mewn cystadleuaeth yn erbyn Marsyas, y satyr. Nid oedd hynny'n dderbyniol gan Pan ac fe heriodd Apolo i ornest arall. Midas oedd i ddewis y buddugol y tro hwn.

Canodd Apolo ei delyn fechan ac roedd y nodau persain i'w clywed drwy'r goedwig nes i'r adar, hyd yn oed, dewi er mwyn cydnabod ei fawredd. Yna estynnodd Pan ei bibau pruddglwyfus a chanodd alaw â nodau mor drwm a chras nes gyrru'r gwiwerod i frigau uchaf y coed. Sylweddolodd Midas yn awr nad y buddugol a gâi ei gosbi gan y duw a gollai'r ornest, ond y beirniad, sef ef ei hun. I'w glustiau ef, beth bynnag, cerddoriaeth Pan oedd orau, a throdd ato i gyflwyno'r goron lawryf iddo.

Gwylltiodd Apolo yn gandryll.

'Y meidrolyn twp, tôn-fyddar,' bloeddiodd. 'Rhaid i ti gael clustiau i gyd-fynd â'th ddawn gerddorol, feirniadol! Cymer y rhain. Clustiau asyn sy'n gweddu i ti.'

Gan godi'i ddwylo at ei ben mewn arswyd, teimlodd Midas glustiau hirion blewog yn tyfu o bobtu ei gorun. Dododd ei fantell dros ei ben a sleifio adref i'r palas.

Ni fyddai clustiau asyn yn debygol o ychwanegu at urddas unrhyw frenin, ac fe wyddai Midas y byddai'n gyff gwawd i bawb. Ceisiodd wisgo'r het fwyaf a feddai a chlymu'r clustiau yn ei gilydd y tu mewn iddi. Beth a wnâi, tybed, ar achlysuron pwysig pan fyddai arno angen gwisgo'i goron? Ni allai'n hawdd iawn wisgo'r het yn ei wely ychwaith. Yn y bore, pan ddôi'r gweision i'w ddeffro, fe welent ei glustiau a chwerthin y tu ôl i'w gefn. Felly, gwaharddodd y gweision rhag dod ar gyfyl ei ystafell. Penderfynodd guddio'r clustiau orau y medrai hyd nes i'w wallt dyfu'n hir a thrwchus. Ond buan yr aeth i edrych fel rhyw hen ddyn gwyllt o'r mynyddoedd. Roedd yna gymaint o glymau yn ei wallt nes iddo orfod anfon am y barbwr brenhinol.

Cydiodd y barbwr yn ei siswrn a thorri'r gwallt a'i gribo, ac fe welodd y clustiau. Ni ddywedodd y barbwr na'r brenin yr un gair amdanynt. Pwysai'r dirgelwch ar feddwl y barbwr ac roedd yn ei chael yn anodd cadw hyn iddo'i hun.

O'r diwedd, fe aeth y barbwr at lan yr afon lle'r oedd Midas wedi golchi'r cyffyrddiad aur o'i gorff. Roedd y tir yn dywodlyd a phlygodd y barbwr ar ei bengliniau a chrafu twll ynddo. Gwyrodd ei ben yn isel ac â'i geg wrth y twll, fe sibrydodd ei gyfrinach: 'Clustiau asyn sydd gan y Brenin Midas.'

Yna, yn dawel ei feddwl, crafodd y tywod yn ôl i'r twll er mwyn claddu ei eiriau am byth. Ymhen amser, tyfodd twmpath o frwyn yn y fan honno, ac o hynny allan pa bryd bynnag y chwythai'r gwynt drwyddynt, fe ofynnai'r brwyn y cwestiwn: 'Gan bwy mae clustiau asyn?'

A dôi'r ateb wedyn: 'Y Brenin Midas.'

NAIN BRIAN SCHWARZENEGGER

(Ynganer Shfarts-yn-eg-yr)

GWYN THOMAS

Roedd Nain Brian Schwarzenegger yn od. Bob bore byddai'n codi am chwech ac yn mynd allan i jogio. Byddai'n gwisgo fest goch, nicyrs du, ac esgidiau-rhedeg melyn ac yn refio mynd trwy'r ardal. Erbyn hyn roedd y gweithwyr ar eu ffordd i'r gwaith yn eu bysiau, a oedd yn mynd ar gyflymder o ddeng milltir ar hugain yr awr, wedi hen arfer gweld Nain Brian Schwarzenegger yn chwyrnellu heibio iddyn nhw a'u gadael yn stond. Fe ellid dweud, heb air o gelwydd, mai Nain Brian Schwarzenegger oedd y nain gyflymaf yn y fro.

Am flynyddoedd mawr roedd Nain Brian Schwarzenegger wedi bod yn eistedd yn y tŷ wrth y tân yn gwau sanau a gwneud ambell bot jam ar gyfer Merched y Wawr; yna'n sydyn fe gododd Nain sbîd. Pan oedd hi'n 93 fe liwiodd ei gwallt yn binc llachar i gyd-fynd â'i thrywsus ac fe ddechreuodd wisgo seffti-pin yn ei thrwyn a gwrando ar fiwsig metel trwm. Fe amheuodd Brian Schwarzenegger yr adeg honno fod rhywbeth o'i le.

'Nain,' meddai wrthi un diwrnod, 'ydych chi ddim yn meddwl y buasai'n beth gweddus ichi roi'r gorau i'r ffordd yma o fyw?'

'A gwneud beth?' gofynnodd Nain.

Yr unig beth y gallai Brian feddwl amdano ar y pryd oedd jogio, a dyna pam yr atebodd, 'Beth am jogio?'

218

Gwelodd wedyn mai camgymeriad braidd oedd yr awgrym hwn, ond erbyn hynny roedd hi'n rhy hwyr. Roedd Nain wedi troi ei chefn ar y gwallt pinc, y pinnau yn y trwyn, a'r recordiau metel trwm ac wedi prynu'r fest goch ac ati ac yn stribedu mynd o gwmpas yr ardal pan oedd pob nain gall yn rhochian yn ei gwely.

Sylweddolodd Brian Schwarzenegger fod pethau'n mynd o ddrwg i waeth pan basiodd ei nain o, ac yntau'n lledr i gyd ar ei fol ar danc petrol ei foto-beic, yn ceisio gwneud 'tunnell'—fel yr oedd o a'r hogiau'n galw can milltir yr awr. Fe hwyliodd Nain heibio iddo gan godi ei llaw a dweud wrtho am fod yn ofalus. Yr adeg honno y penderfynodd Brian roi enw ei nain i lawr ar gyfer y Gemau Olympaidd nesaf.

Anna Deborah Schwarzenegger; dyna oedd yr enw a aeth ar ffurflen y Gemau Olympaidd. Cyfeiriad: 10 Stryd y Llyn, Solfawr. Oed: 95. Y '95' yma a greodd dipyn o benbleth i ddyn ffurflenni'r Gemau Olympaidd. 'Rhaid bod yma ryw gamgymeriad,' meddai. 'Mi newidia i hwn i 75.'

Fe sylweddolodd dyn y ffurflenni mai efô oedd wedi camgymryd pan oedd o yn y treialon cyntaf. Cyrhaeddodd Brian Schwarzenegger yno ar ei foto-beic a'i nain i'w ganlyn. Roedd Nain wedi bod eisio jogio draw i'r lle treialon ond, fel ei Hyfforddwr Swyddogol, dywedodd Brian nad oedd hyd yn oed y rhedwyr gorau yn rhedeg *i* rasys, ac os oedd Nain eisio cael ei hystyried yn rhedwr o ddifrif y byddai'n rhaid iddi gallio. Felly ar foto-beic y cyrhaeddodd Nain.

'Esgusodwch fi, ond ydych chi ddim braidd yn oedrannus i gymryd rhan mewn chwaraeon fel hyn?' oedd cwestiwn dyn y ffurflenni. Ceisio bod yn gwrtais yr oedd o wrth ddefnyddio'r gair 'oedrannus' yn lle 'hen'.

Achubodd Brian ar y cyfle i gael gair bach gyda'r dyn, 'Yli, mêt, rho Nain yn y ras neu mi gei di ddwrn yn dy wep.'

Ar ôl y gair hwn cytunodd dyn y ffurflenni fod Nain yn rhyfeddol o ifanc ac y câi gymryd rhan yn y rasio pryd bynnag y mynnai.

Enillodd Nain y treialon. Roedd hi wedi cael ei the a'i swper cyn i'r ail gyrraedd y llinell. "CAMP RYFEDDOL", meddai un pennawd papur newydd; "NAIN WYRTHIOL", meddai un arall. Cododd Brian £5000 ar bapur dydd Sul am stori ei nain a chododd ganpunt y tro am bob ymddangosiad o'i heiddo ar y teledu. Hyn a wnaeth i Brian sylweddoli nad oedd ei nain ddim mor od wedi'r cwbl.

Daeth diwrnod Marathon y Gemau Olympaidd. Cyrhaeddodd Brian Schwarzenegger a Nain y stadiwm ar y moto-beic hanner awr cyn cychwyn y ras. 'Cyfrinach llwyddiant,' meddai Brian wrth ryw ddyn teledu a stwffiodd feicroffon o dan ei drwyn, 'ydi peidio â rhoi gormod o straen ar yr ymgeisydd.' Anghofiodd sôn ei fod ef ei hun wedi cysgu'n hwyr y bore hwnnw.

Roedd dyn S4C yn y Gemau Olympaidd. 'Dacw nhw, gyfeillion, yn cymryd eu lle ar gyfer y ras bwysicaf un,' meddai, 'sef y Marathon. Ac acw gallaf weld Abraham B. Lincoln o America. A draw acw oni welaf Sergei Siocofodynolaf o Rwsia. Ac wrth ei ochor gallaf weld y Ffin hedegog o Ffinland, Hauli Holi. Mae yma saith deg ar y maes. A dyma hi, yr un y mae llygad y byd i gyd arni. Nain Brian Schwa . . . Brian Shwo . . . Brian Stryd y Llyn. Ac yn awr y mae'r rhedwyr yn barod i gychwyn . . . Ust . . . Clec, ac i ffwrdd â nhw.'

Erbyn i'r glec orffen diasbedain roedd Nain Brian Schwarzenegger allan o'r stadiwm. O hynny ymlaen doedd yna neb arall yn y ras. Erbyn i'r ail gyrraedd yn ei ôl roedd Nain wedi cael bath a phaned, wedi derbyn ei medal, ac wedi mynd adref yn bencampwr y byd.

Ac erbyn hynny doedd yna neb yn meddwl fod Nain Brian Schwarzenegger yn od o gwbl.

LERPWL

EMILY HUWS ac ELFYN PRITCHARD

Roedd Cefin yn hoff iawn o dîm pêl-droed Lerpwl. Wrth wrando ar eu gêmau ar y radio a gwylio ambell un ar y teledu, byddai'n gweiddi:

'Ler-pwl, bwm bwm, bwm!

Ler-pwl, bwm bwm, bwm!'

drosodd a throsodd a throsodd.

Roedd ganddo ddillad pêl-droed coch fel tîm Lerpwl a lluniau ar wal ei lofft o'r holl chwaraewyr. Roedd ganddo bêl-droed a llofnodion y chwaraewyr i gyd arni. Roedd ganddo het a chrafat coch a gwyn—lliwiau Lerpwl. Lerpwl oedd ei hoff dîm, doedd dim dwywaith am hynny.

Byddai Cefin yn meddwl am bêl-droed bob dydd a thrwy'r dydd. Byddai'n darllen llyfrau am y gêm ac yn tynnu lluniau pobl yn chwarae, a byddai'i fam yn cwyno'n aml na fyddai'n meddwl am ddim ond am bêl-droed.

Ond doedd Cefin erioed wedi chwarae'r gêm. Roedd o'n naw oed a doedd o erioed yn ei fywyd wedi cael chwarae. Doedd o erioed wedi cael cicio pêl yn yr ardd hyd yn oed. Doedd o erioed wedi cael sefyll mewn gôl nac wedi cael rhoi cynnig ar saethu pêl i mewn i'r gôl. Roedd arno eisiau cael chwarae pêl-droed yn fwy na dim arall ar wyneb y ddaear, ond châi o ddim.

Roedd Cefin yn gloff. Roedd o wedi bod yn gloff erioed gan fod rhywbeth o'i le ar yr asgwrn yn ei goes. Roedd o'n cael mynd i'r ysgol. Roedd o wedi gweld gêm bêl-droed mewn cae, ond doedd o ddim yn cael rhedeg, ac yn sicr ddigon doedd o ddim yn cael chwarae pêl-droed.

Yn aml iawn byddai Cefin yn dweud:

'Fe fedrwn i redeg yn iawn. Fe fedrwn i redeg yn gynt na'r gwynt ei hun ar draws y cae, fe fedrwn i gicio pêl yn hawdd.'

Ond doedd o ddim yn cael gwneud hynny.

Roedd o'n gorfod mynd i'r ysbyty'n aml i weld y meddyg. Yr un meddyg y byddai'n ei weld bob tro, ond weithiau byddai meddyg arall hefyd yn dod yno ac yn edrych ar ei goes. Ond yr un meddyg fyddai'n siarad efo Cefin a'i rieni bob tro.

Gwyddai Cefin y byddai'n gorfod mynd i'r ysbyty i aros ryw dro er mwyn i'r meddyg roi triniaeth i'w goes. Wedyn byddai asgwrn ei goes yn iawn ac ni fyddai'n gloff byth mwy. Ond byddai'n rhaid iddo aros yn yr ysbyty'n hir. Fe wyddai hynny gan fod y meddyg wedi dweud hynny wrtho lawer gwaith.

Roedd Cefin yn edrych ymlaen at fynd i'r ysbyty.

'Dydi fy nghoes i ddim ffit i chwarae pêl-droed ar hyn o bryd,' meddai. 'Ond ar ôl bod yn yr ysbyty fe fydda i'n iawn. Fe ga i chwarae pêl-droed wedyn.'

Aros ac aros ac aros fu ei hanes. Gwyddai Cefin y byddai'r ysbyty yn anfon llythyr i ddweud pan fyddai'n amser iddo fynd i gael triniaeth, ond roedd y llythyr yn hir iawn yn dod.

O'r diwedd, ac yntau bron anobeithio, fe ddaeth y llythyr. Casglodd Cefin ei gardiau pêl-droed at ei gilydd a thynnodd rai o luniau'r chwaraewyr i lawr oddi ar wal ei lofft. Siarsiodd ei fam i brynu dillad nos coch iddo, yr un lliw â thîm Lerpwl. Paciodd ei lyfrau a'r bêl-droed a llofnodion y chwaraewyr arni i fynd gydag ef i'r ysbyty.

Roedd o'n poeni braidd na châi wylio'r gêmau pêl-droed ar y teledu yn yr ysbyty, ond dywedodd y nyrsys wrtho y byddai'n sicr o gael eu gweld. Byddai un nyrs yn ei bryfocio ac yn dweud bod Lerpwl yn hen dîm gwael, a byddai un arall yn dweud:

'Rhag dy gywilydd di'n dweud y fath beth. Mae Lerpwl yn dîm da iawn.'

Byddai pob nyrs a phob meddyg a phawb a fyddai'n dod at wely Cefin yn aros i siarad am dîm Lerpwl ac i syllu ar y bêl oedd yn cynnwys yr holl lofnodion. Cadwai Cefin hi ar y gwely bob amser a byddai'r nyrs oedd yn tynnu'i goes ac yn dweud bod Lerpwl yn hen dîm gwael yn ceisio'i dwyn. Wedyn byddai hi a Cefin yn cadw reiat a chael hwyl. Roedd Cefin yn cael hwyl iawn yn yr ysbyty.

Gwyddai Cefin y byddai'n rhaid iddo aros yno cyn y driniaeth, ac aros yno ar ôl y driniaeth. Gwyddai y byddai yno am amser hir.

Ond bu Cefin yn yr ysbyty yn hwy na'r disgwyl hyd yn oed, yn hwy na neb arall yn y ward. Roedd arno eisiau mynd adref. Ond roedd o'n gwybod bod aros yn yr ysbyty yn mynd i wella'i goes, felly doedd o byth yn cwyno nac yn gofyn pryd y câi fynd adref. Doedd neb wedi dweud y câi chwarae pêl-droed wedyn, ond doedd neb wedi dweud na châi o ddim chwaith.

Daeth y Nadolig. Fe fyddai Cefin wedi hoffi awgrymu i'r meddyg y byddai'n braf cael mynd adref dros yr ŵyl, ond wnaeth o ddim awgrymu'r fath beth. Arhosodd yn fodlon yn yr ysbyty a chael amser gwych iawn yno.

Ond doedd arno ddim eisiau aros yn yr ysbyty am byth. Doedd neb yn cael chwarae pêl-droed mewn ysbyty! Erbyn hyn roedd o'n cael codi o'i wely. Roedd o'n cael cerdded peth hefyd, ond doedd o ddim yn cael rhedeg. Roedd ar Cefin eisiau cael rhedeg a chicio pêl yn fwy na dim arall yn y byd.

Yna, un bore, daeth y meddyg i'r ward a gwrandawodd Cefin arno'n siarad efo'r nyrs. Sylweddolodd ei fod yn cael mynd adref. Aeth ati i gasglu'i gardiau ynghyd ac estyn ei lyfrau a gafael yn y bêl yn barod i fynd.

Digwyddodd y meddyg sylwi arno.

'I ble'r wyt ti'n mynd?' holodd.

'Adref,' meddai Cefin gan edrych i fyw llygad y meddyg a pharhau i roi trefn ar ei gardiau a'i lyfrau.

Roedd o wedi codi'i galon gymaint wrth ddeall ei fod o'n cael mynd adref. Roedd o wrth ei fodd.

Ond meddai'r meddyg:

'Dwyt ti ddim yn mynd adref.'

Roedd Cefin wedi dychryn am funud. Yna sylweddolodd fod y meddyg a'r nyrs yn rhyw chwerthin yn slei bach a gwyddai wedyn fod y ddau yn ei bryfocio.

'O ydw, rydw i'n cael mynd,' meddai.

'Nac wyt,' meddai'r meddyg. 'Dwyt ti ddim yn cael mynd heddiw. Rwyt ti'n mynd i rywle arall heddiw.'

Nid oedd Cefin yn deall.

'Fe ddaw dy rieni yma cyn bo hir,' meddai'r meddyg. 'Rydw i am ddweud wrthyn nhw am fynd â thi i Lerpwl.'

'I Lerpwl?' meddai Cefin gan syllu'n syn ar y meddyg.

'Dydi Lerpwl ddim ymhell,' oedd yr ateb. 'Ac mae yno siopau da. Rydw i am ddweud wrthyn nhw am brynu pâr o esgidiau pêl-droed iti!'

Pan glywodd Cefin hyn fe wyddai nad yn ofer y treuliodd o'r holl fisoedd meithion yn yr ysbyty, a'i fod o bellach yn holliach.

COLLI'R RHWYF

T. ROWLAND HUGHES

Pan oeddwn i'n hogyn, awn am dro hefo f'Ewythr Huw yn aml iawn . . . Gallech dyngu mai dau fachgen ryw naw oed oeddem. Rhedai f'ewythr yn wyllt o'm blaen ger glan yr afon, syrthiai ar ei hyd weithiau i gymryd arno saethu Indiaid Cochion, safai ar un droed ar garreg lithrig yng nghanol Rhyd-yr-hafod gan wneud pob math o ystumiau yno, sleifiai drwy wrych i chwilio am nythod, dringai goeden er mwyn hongian gerfydd ei draed o un o'r canghennau—yn wir, teimlwn weithiau fod y gŵr deugain oed hwn yn iau na mi.

Ambell brynhawn Sadwrn, âi â mi cyn belled â Chaernarfon, a diwrnod rhyfedd o hapus fyddai hwnnw. Daliai fy mam, wrth gwrs, fod f'ewythr yn fy nifetha'n lân, a châi ef siars ganddi, pan adawem am y trên, i beidio â phrynu melysion a phob math o 'hen geriach' imi yn y dref. 'Cofia di, Huw,' fyddai'i geiriau olaf yn ddieithriad, 'fi geith drafferth hefo fo os daw o adre'n sâl heno.' Ysgydwai f'ewythr ei ben yn ddwys a chymerai fy llaw i'm harwain yn araf a difrifol i lawr y stryd. Cerddwn innau wrth ei ochr fel pe bawn ar fy ffordd i angladd yn hytrach nag i'r dref. Cyn gynted ag y troem i'r Stryd Fawr, gollyngwn fy ngafael yn ei law a thaflai yntau winc arnaf gan ymbalfalu ym mhoced gefn ei drywsus. Tynnai geiniog allan a'm gyrru o'i flaen i Siop y Gongl i brynu 'rhwbath i'w gnoi yn y trên, 'rhen ddyn'.

Ni wn faint o arian a wariai f'ewythr yn y dref ar brynhawn Sadwrn fel hyn, ond gwn na fyddai raid imi ond taflu golwg hiraethus at rywbeth mewn siop neu yn y farchnad i yrru ei law ar unwaith i boced gefn ei drywsus. Fel rheol, aem o gwmpas y siopau i ddechrau, f'ewythr yn prynu imi bob math o ddanteithion ac o 'hen geriach', chwedl fy mam. Wedyn, i lawr â ni at y cei i edrych ar y cychod ac i wrando ar storïau ambell hen forwr . . .

Dim ond unwaith yr aethom allan i'r aber yn un o'r cychod swllt-yr-awr. Tro go anffodus fu hwnnw. Nid oedd f'ewythr yn fawr o rwyfwr, er y gafaelai yn y rhwyfau a thynnu fel petai am groesi i Iwerddon ac yn ôl cyn pen yr awr. Yr oedd y môr yn dawel, a llithrasom yn esmwyth dros y tonnau a minnau'n gwylio traethau a chaeau Môn yn nesáu. Ond fel yr aem ymhellach o'r lan, dechreuodd y cwch anesmwytho, a gwelwn mai go ansicr oedd hynt y rhwyfau drwy'r dŵr. Daliai f'ewythr i wenu a wincio arnaf, gan chwerthin yn llon pan yrrai ton go fawr y cwch ar ŵyr. Collaswn i bob diddordeb yn fy melysion ac yn yr oren mawr yr oeddwn ar hanner ei blicio, a dechreuwn deimlo bod fy stumog yn rhyw godi a disgyn hefo'r tonnau. Yr oeddwn hefyd yn amau mai arwynebol oedd gwên a chwerthin y rhwyfwr anfedrus, oherwydd gwelwn ef yn taflu ambell edrychiad go bryderus i lawr i'r tonnau. Ymhellach ac ymhellach yr aem o olwg y cei, a chryfach o hyd yr âi hwrdd y môr. Tybiwn fod nerth y rhwyfwr yn araf ballu hefyd, oherwydd gorffwysai ar ei rwyfau yn bur aml; ac er y daliai i chwerthin a wincio, gwelwn yr edrychiad pryderus yn dyfnhau yn ei lygaid.

'Rhaid inni droi'n ôl rŵan, John bach,' meddai o'r diwedd, 'inni gael mynd i'r ciaffi am banad.'

Tynnodd â'i holl egni ag un rhwyf er mwyn troi pen y cwch yn ôl tua'r cei, ond cafodd gaff gwag sydyn, a syrthiodd yn bendramwnwgl rhwng y ddwy sedd ym mlaen y cwch.

'Hei, y rhwyf!' gwaeddais innau. 'Y rhwyf!'

Ond yr oedd hi'n rhy hwyr. Cododd f'ewythr yn ôl i'w sedd i weld y rhwyf yn nofio fel pluen lathenni o'n cyrraedd.

'Diawcs, dyna'r wagan dros y doman, John bach! Be ddywed dy fam, tybed?'

Tynnodd fel nafi wrth y rhwyf arall, ond ychydig argraff a wnâi hynny ar hynt y cwch. Crafodd ei ben am ennyd, ac yna cododd â'r rhwyf yn ei law i'w tharo yn y bwlch rhodli yng nghefn y cwch.

'Mi welis i Now Cychod yn sgowlio ar draws y llyn, wel'di,' meddai. 'Rhaid i ninna sgowlio bob cam yn ôl.'

Ar fôr mor anniddig ni wnâi'r rhodli, ac yn arbennig dull chwarelwr o ymarfer y grefft, ond helpu'r tonnau i daflu'r cwch o ochr i ochr. Torrais innau ar ymgysegriad f'ewythr i'r gwaith trwy awgrymu iddo fy mod ar fynd yn sâl. Yr oeddwn, yn ôl y stori a glywais ganddo droeon wedyn, yn wyrdd fy wyneb ac yn igian fel un yn eistedd ar glustog o binnau.

'*Meddwl* dy fod ti'n sâl yr wyt ti, John bach,' meddai yntau. 'Fel'na y bydd pobol yn teimlo ar y môr, wsti. Bwyta di'r oren 'na rŵan; mi fyddi di'n rêl boi mewn munud. Fydd yr un llongwr go-iawn yn mynd yn sâl ar y môr, wel'di.'

Profais ar unwaith nad oeddwn yn llongwr go-iawn trwy wyro dros gefn y cwch a chael gwared o'r danteithion a fwytaswn yn y trên ac ar y ffordd i'r cei. Rhoes f'ewythr y gorau i'w sgowlio i roi'i law dan fy nhalcen ac i sychu fy wyneb â'i gadach poced. Bûm yn sâl am ryw chwarter awr heb weld dim trwy fy nagrau ond y môr gwyrddlas yn llithro'n gyflym dan fy wyneb. Pan oeddwn yn ddigon da i eistedd i fyny i edrych o'm cwmpas eto, gwelwn fod y cwch yn wynebu am y môr agored, a'r dynion draw wrth y cei yn ddim ond sbotiau bychain, pell.

'Isio Mam,' meddwn wrth f'ewythr, gan ddechrau swnian crio.

'Mi awn ni'n ôl rŵan, John bach,' meddai yntau, gan wthio'r rhwyf eto i'r bwlch rhodli. 'Yn ôl â ni, yntê?'

Tynnodd ei gôt a dechrau rhodli eto fel dyn gwyllt. Ond ar wib o flaen y tonnau y llithrai'r cwch, heb gymryd sylw o'r ymdrechion hyn. Sylweddolodd f'ewythr o'r diwedd fod pethau'n mynd o ddrwg i waeth, a phenderfynodd mai ceisio cymorth oedd y peth doethaf. Safodd yng nghanol y cwch â'i law uwch ei aeliau; ond, fel petai'n grwgnach iddo ystum gŵr yn darganfod cyfandir newydd, rhoes y môr hwb sydyn i'r cwch, a'i daflu yntau ar ei wyneb dros un o'r seddau. Dal i swnian crio a galw am fy mam yr oeddwn i, ond peidiais yn sydyn wrth weld cwch pysgota mawr heb fod ymhell oddi wrthym. Gwaeddodd f'Ewythr Huw 'Ffaiar!' nerth ei ben, y cri a glywai bob awr saethu yn y chwarel. Ond cipiai'r gwynt ei lais a'i gludo ymaith hefo'r tonnau i gyfeiriad y môr mawr.

'Wnawn ni foddi, f'Ewyrth Huw?' meddwn innau yn llawn dychryn erbyn hyn.

Chwarddodd yntau i'm cysuro, ond gwyddwn ei fod ar bigau'r drain ers meitin.

'Tasa modd mynd allan i wthio'r hen beth, mi gwthiwn i o adra bob cam,' meddai. 'Ffaiar! Help! Help!'

Ond ni thyciai'r gweiddi ddim, er bod llais f'ewythr yn uchel a threiddgar. Chwifiodd ei het, yna'i gadach poced, wedyn ei gôt; ond parhau'n ddifater yr oedd y pysgotwyr.

'Ydi'r ffyliaid yn ddall *ac* yn fyddar, dywed?' meddai'n wyllt. 'Help! Ffaiar! Help!'

Allan i'r môr y llithrem o hyd, er i'm hewythr dynnu'i wasgod hefyd erbyn hyn. Yna gloywodd ei lygaid yn sydyn, fel petai rhyw syniad newydd wedi'i daro.

'Oes 'na angor wrth y rhaff 'ma, dywed?'

'Oes,' meddwn innau, gan bwyntio at yr haearn mawr a orweddai o dan y sedd lydan yng nghefn y cwch.

'I'r môr â fo, ynta!'

Cododd yr angor trwm i'r sedd, ac wedi'i fodloni'i hun fod y rhaff yn dynn amdano, hyrddiodd ef dros ochr y cwch. Diflannodd yr angor a'r rhaff a'r cwbl i'r môr, a'm hewythr yn edrych yn hurt ar eu holau. Nid oedd pen arall y rhaff yn rhwym wrth y fodrwy haearn ar lawr y cwch.

'Llongwr da gynddeiriog ydi d'ewyrth, yntê John bach?'

'Ia,' meddwn innau, heb wybod yn iawn beth i'w ddweud. 'Wnawn ni ddim boddi, wnawn ni, f'Ewyrth Huw!'

'Boddi! Be wyt ti isio i de heddiw, John bach? Wy? Teisan-bwdin? Jam mwyar duon? Jeli?'

'Isio mynd adra, f'Ewyrth Huw,' oedd fy unig ateb, a hynny mewn llais cwynfanllyd ddigon.

'Twt! Paid ti â bod yn hen fabi, rŵan. A ninna'n ddau o'r llongwrs gora fuo ar y môr erioed! Mi awn ni'n ôl i'r dre rŵan i gael clamp o de, wel'di.'

Ond yr oeddwn i, bellach, yn credu na welwn na glan na the byth mwy, dim ond môr a thonnau a chrys rhesog f'Ewythr Huw am weddill fy oes. Yr hen fôr gwyrdd, aflonydd, meddwn wrthyf fy hun, gan edrych mewn dychryn dros ei donnau. Ond troes fy nychryn yn llawenydd wrth imi ganfod a chlywed cwch pysgota mawr yn dyfod tuag atom ar ei ffordd yn ôl i'r porthladd hefo llwyth o fecryll. Neidiodd f'ewythr ar ei draed a chwifio'i het yn un llaw a'i gadach poced yn y llall; gwaeddodd hefyd ddigon i godi'r meirw.

Wedi'n rhaffu wrth y cwch modur, llithrasom yn ôl yn esmwyth ddigon. Dechreuais i sugno fy oren a gorweddodd f'Ewythr Huw yn ôl am fygyn yng nghefn y cwch, gan gymryd arno nad oedd dim byd anghyffredin wedi digwydd y prynhawn hwnnw.

'Paid ti â sôn gair am hyn wrth dy fam, cofia, John bach, neu chei di byth ddŵad hefo mi i'r dre eto.'

'Na wna, f'Ewyrth Huw.'

'Fuon ni ddim allan ar y môr, naddo?'

'Naddo, f'Ewyrth Huw.'

'A ddaru ni ddim colli'r rhwyf, naddo?'

'Naddo, f'Ewyrth Huw.'

'A ddaru ni ddim colli'r angor, naddo?'

'Naddo, f'Ewyrth Huw.'

'Eistadd wrth y cei y buon ni drwy'r pnawn, yntê, John bach?'

'Ia, f'Ewyrth Huw.'

'Yn gwrando ar storïa'r hen longwr hwnnw, yntê?'

'Ia, f'Ewyrth Huw.'

*   *   *

'Dewcs, dyna storïa sy gan yr hen forwyr 'na i lawr yng Nghaernarfon, Elin,' meddai f'ewythr wrth fy mam ar ôl inni gyrraedd adref. 'Mi fuo John bach a finna ar y cei drwy'r pnawn yn gwrando ar un ohonyn nhw'n deud 'i hanas.'

'Fuon ni ddim allan ar y môr, Mam,' meddwn innau.

'Y?'

'A ddaru ni ddim colli'r rhwyf, naddo f'Ewyrth Huw?'

'Y?' ebe fy mam eto.

'A ddaru ni ddim colli'r angor chwaith, naddo f'Ewyrth Huw?'

Gafaelodd f'ewythr yn ei het oddi ar yr harmoniym a'i chychwyn hi braidd yn frysiog am y drws.

'Huw!'

'Be sy, Elin?'

'Lle buoch chi pnawn 'ma?'

'O, dim ond yn eistedd yn braf wrth y cei, wel'di, a'r hen longwr hwnnw . . . Dewcs, roedd ganddo fo un stori amdano'i hun yn 'Merica, hogan . . .'

'Fuon ni ddim mewn cwch ar y môr, Mam. A ddaru ni ddim colli'r rhwyf na'r angor na dim byd.'

Cafodd fy mam y stori i gyd oddi ar f'ewythr cyn iddo'i throi hi am ei lety a haerai hi, yn sŵn fy nghrio i, na adawai imi fynd gydag ef i'r dref byth wedyn.

Y TRYSOR

NORAH ISAAC

Roedd hi'n dechrau nosi. Tu allan i'r Drovers' Arms roedd yna sŵn a chynnwrf mawr a thu mewn yn y gegin safai Siôn y gwas bach yn gwylio'r holl fynd a dod.

Byddai Siôn bob amser wrth ei fodd yn gweld y porthmyn a'u hanifeil-iaid yn cyrraedd i fwrw'r nos yn y dafarn ar eu taith bell i werthu'u

229

hanifeiliaid yn Ffair Watling, ger Llundain. Erbyn hyn, roedd Siôn yn nabod rhai o'r porthmyn wrth eu henwau, gan eu bod yn galw yn y Drovers' Arms ddwywaith bob blwyddyn. Oedd, roedd Siencyn o'r Bala yno, Huwcyn o'r Foel, Dei Coesau Hir o Ben-y-bont-fawr, a Thwm o Lanfair.

Ond heno roedd yna wyneb newydd yn y cwmni. Nid porthmon anifeiliaid mo hwn. Pwy oedd e, tybed? Edrychai'n urddasol iawn yn ei glogyn du. Na, doedd hwn erioed wedi tywys anifail i unrhyw ffair. Tra oedd y porthmyn wrthi'n dosbarthu'r anifeiliaid i'w clwydo dros nos, sefyll yn ei unfan wrth dalcen y tŷ roedd e, yn gwylio parsel mawr wrth ei draed.

Gan ei bod hi'n fin nos mor braf, roedd ffenestr y gegin ar agor, a gallai Siôn glywed tipyn o siarad y porthmyn o'r tu allan.

'Draw â'r gwyddau i'w clwydo ar lawr yr ydlan, Siencyn. A chofia gloi'r drws ar d'ôl,' gwaeddodd llais rhywun.

'A thithau, Wiliam, clyma bob buwch fedri di yn y beudy mawr. Wedyn dos â'r lleill draw i Gae-cefn-tŷ,' gwaeddodd rhywun arall.

'Huwcyn, rho'r ceffylau yn y stablau gyda Queenie a Mac, wedyn casgla'r defaid i Gae-glas, a chofia gau'r glwyd fawr yn ddiogel.'

'Dei, dos di â'r cŵn i'r sgubor fawr a gofala lanw'r cafnau â dŵr. Dyn a ŵyr fod y chwe chi wedi gweithio'n galed iawn ar hyd y daith yn cadw'r anifeiliaid gyda'i gilydd yn un praidd mawr,' meddai llais arall.

Oedd, roedd pawb wrthi'n galed a'r awyr yn llawn o seiniau gweiddi fel how-how-how; ona-ona-ona; hys-hys-hys; we-we-we; a soch-soch-soch.

Ond dal i sefyll yn ei unfan a wnâi'r dyn mewn clogyn du. Teimlai Siôn ryw drueni drosto, ac allan ag ef yn fentrus i gael gair ag ef. Gwelai Siôn olwg freuddwydiol ar ei wyneb, golwg garedig-freuddwydiol, ac meddai wrtho:

'Noswaith dda, syr.'

Teimlai Siôn, rywsut, y dylai ei alw'n 'syr', gan fod y dieithryn yn edrych yn debyg i sgweiar Llysnewydd neu offeiriad Llan-y-groes.

'Noswaith dda, 'machgen i,' meddai'r dieithryn. 'Rwyt ti'n edrych yn rhyfeddol o lân a thrwsiadus. Mae'r porthmyn yma, wel'di, wedi cerdded o bell gyda'u hanifeiliaid, a hen waith budr a blinedig yw gwaith porthmon. Ond, cofia, roeddwn i wrth fy modd yn eu cwmni.'

Gwrandawodd Siôn ar lais swynol y gŵr dieithr. Oedd, roedd

rhywbeth arbennig ynglŷn ag ef. Teimlai Siôn y dylai ef ei barchu a siarad yn ddistaw ag ef.

'Bydd y porthmyn bob amser yn galw yma yn y Drovers' Arms i fwrw'r nos, syr,' meddai.

'Ar eu ffordd i Ffair Watling tua Llunden maen nhw,' meddai'r dieithryn. 'Gwerthu'u hanifeiliaid yno. Mae pellter mawr o'u blaen eto. Ond byddaf i'n 'madael â nhw fory.'

'O'n wir!' meddai Siôn. Doedd e ddim yn hoffi holi dim.

Yna, meddai'r dieithryn ymhellach:

'Mynd 'mlaen wedyn i Lunden yn y goets fawr, dyna fydda i'n ei wneud, wel'di.'

'O, syr! Mae hwnnw'n cyrraedd yn gynnar yn y bore. Gwell i chi fynd i'r gwely i gael peth cwsg.'

'Chwarae teg i ti, 'machgen i, am boeni am bobol eraill,' meddai'r dieithryn yn ddiolchgar.

'Wel, syr, erbyn i chi gyrraedd Ffair Watling fe fyddwch chithe wedi blino hefyd.'

Chwarddodd y dieithryn, ac meddai, 'Ffair Watling? Fydda i ddim yno, 'machgen i. Dwy i ddim am brynu na gwerthu dim mewn ffair. Mae digon o drysor gen i yn y parsel yma,' a gafaelodd yn y llinyn oedd yn dal y parsel. Symudodd Siôn draw ato, a golwg syn ar ei wyneb. Beth allai'r trysor fod, tybed?

'Garet ti glywed pwysau'r parsel, 'machgen i? Cydia ynddo'n ofalus. Does dim un arall tebyg iddo yn y byd i gyd.'

'Y . . . byd . . . i . . . gyd?' meddai Siôn yn llawn braw wrth geisio codi'r parsel, 'Ow . . . ow! Mae'n wopyn o barsel! Trysor? Aur?'

'Nage,' meddai'r dieithryn. 'Llawer gwell nag aur. Dos o 'mlaen i a dangos fy stafell wely imi, ac fe gei di weld.'

Cydiodd yntau yn y parsel yn ofalus a dilyn Siôn i fyny'r grisiau cul i ystafell gefn yn y dafarn.

'Fan hyn, syr,' meddai Siôn, a dilynodd y dieithryn ef i'r ystafell a gosod y parsel ar fwrdd yn ymyl y gwely a dechrau agor y llinyn oedd amdano.

Safai Siôn yno'n llygaid i gyd! Ond chafodd Siôn ddim gweld aur, arian, gemau na dim tebyg iddyn nhw. Papurau oedd yn y parsel. Cannoedd a channoedd ar ben ei gilydd a rhyw ysgrifen glòs ddu ar bob tudalen.

Ceisiodd guddio'i siom.

'Weli di'r papurau hyn, yn llawn geiriau?'

'Gwela,' meddai Siôn, 'ond alla i ddim darllen.'

'Na elli, 'machgen i, ond cred ti fi, oherwydd y parsel hwn a'r hyn sydd wedi'i sgrifennu ar y papurau, fe fydd pobol Cymru i gyd, ryw ddydd, yn gallu darllen. Beibl yw hwn, wel'di.'

'Beibl?' meddai Siôn eto'n syn.

'Ie, Beibl, fel y bydd yr offeiriad yn ei ddefnyddio. Ond Saesneg yw'r Beibl yn eglwys y plwyf.'

'A dwy i'n deall dim ohono,' meddai Siôn yn swta.

'Beibl Cymraeg yw hwn,' meddai'r dieithryn. 'Rwy i wedi bod wrthi ers blynyddoedd lawer yn sgrifennu hwn. Wel, nid sgrifennu, a dweud y gwir, ond cyfieithu. Gair newydd i ti. Dwed "cyfieithu".'

'Cyfieithu,' meddai Siôn yn hynod o glir, ond heb syniad ar y ddaear gron beth oedd ystyr y gair. Ac fel pe bai'r dieithryn yn gallu deall meddwl Siôn, dyma fe'n esbonio iddo:

'Troi gair o un iaith i iaith arall, wel'di. Glywaist ti'r offeiriad yn dweud yn Saesneg, *The Lord is my shepherd*?'

'Do, syr, lawer gwaith,' meddai Siôn.

'Wel, yn y parsel hwn, "Yr Arglwydd yw fy mugail", sydd ar y papur. Rwyt ti'n deall hyn'na, on'd wyt ti?'

'Ydw, syr,' meddai Siôn, yn frwd erbyn hyn.

'Wel, ar ôl imi fod yn Llunden a gweld bod pob gair sydd yn y parsel hwn wedi cael ei argraffu . . .'

'Argraffu?' holodd Siôn, gan dorri ar ei draws.

'Ie, argraffu—eu rhoi at ei gilydd yn glir i bobol fedru'u darllen mewn llyfr . . . yn y Beibl. Ar ôl i hyn gael ei wneud, mae'r Frenhines wedi dweud bod yn rhaid rhoi copi wrth gadwyn y ddarllenfa ym mhob eglwys. Mi arhosa i yn Llunden am flwyddyn gron i weld bod y gwaith yn iawn.'

'Wel, syr, mae'n rhaid eich bod chi'n ddyn pwysig, pwysig iawn. Roesoch chi mo'ch enw imi eto,' meddai Siôn, yn llawn hyder erbyn hyn. Roedd e mor falch fod y dieithryn yn siarad fel hyn ag ef.

'William Morgan, ficer plwyf Llanrhaeadr-ym-Mochnant ydw i, 'machgen i, ond nid wyf yn bwysig o gwbl. Dim ond bugail bach yn gofalu am ei blwyf, dyna i gyd.'

'Ond rwy'n siŵr y dewch chi'n bwysig ryw ddydd,' meddai Siôn. 'Yn esgob, efallai.'

232

Gwenodd William Morgan. Roedd Siôn mor annwyl. Gallai ymddiried mewn bachgen fel hwn, ac meddai wrtho'n ddistaw bach,

'Wnei di ffafr â mi, 'machgen i? Rwy i wedi blino'n lân ar ôl y daith heddiw, ac yn ôl pob tebyg mi a' i i gysgu'n drwm heno. Nawr, beth petai lleidr—ac mae digon o ladron pen-ffordd o gwmpas—beth petai un ohonyn nhw'n torri i mewn i'r stafell hon yn ystod y nos, yn gweld y parsel ac yn ei rwygo? Byddai hynny'n ddifrifol o beth. Gwaith deuddeng mlynedd o gyfieithu o iaith gwlad Iesu Grist—o'r Hebraeg—yn mynd yn ofer. Dyma'r unig gopi yn y byd o'r Beibl Cymraeg, a hynny yn f'ysgrifen i. Allwn i fyth â meddwl ailddechrau'r dasg o sgrifennu eto, heb sôn am gyfieithu.'

'Peidiwch â phoeni, Mr Morgan. Mi arhosa i fan hyn, tu mewn i'ch drws. Mi 'stedda i ar y gadair yna. Credwch fi, mae clustiau cath gen i, ac os clywa i'r smic lleia, mi waedda i. Fe fydd eich parsel yn iawn, credwch fi.'

Ni allai William Morgan lai nag edmygu Siôn.

'Diolch, 'machgen i. Fe fydd Cymru gyfan yn diolch i ti am y gymwynas hon,' meddai.

Gwenodd Siôn a William Morgan ar ei gilydd. Roedd y ddau'n gwybod bod y parsel yn ddiogel.

Drannoeth, ar ôl brecwast cynnar a baratowyd gan Siôn, aeth William Morgan, a'i drysor dan ei gesail, i sefyll wrth dalcen y Drovers' Arms i ddisgwyl am y goets fawr i Lundain. Roedd Siôn yn ei elfen, a golwg hapus iawn arno. Roedd newydd gael darn mawr o arian gan William Morgan am iddo ofalu am y trysor dros nos.

Daeth y goets i'r golwg, ac meddai Siôn, yn llawn balchder, '"Yr Arglwydd yw fy mugail", syr.'

'Da 'machgen i,' meddai William Morgan wrth esgyn y grisiau i'r goets a rhoi'r parsel ar y sedd yn ei ymyl. 'Ryw ddydd, fe fydd plant Cymru gyfan yn dweud yr adnod yna. Diolch i ti am ofalu amdani, ac am bob adnod arall yn y Beibl. Bendith arnat.'

Aeth y goets ymlaen tua Llundain a chario'r trysor i ben ei daith. Dychwelodd Siôn i'r gegin yn hapus iawn. Roedd wedi cael cwrdd â dyn mawr, dyn mawr iawn.

MORWYN LLYN Y FAN

adroddwyd gan T. LLEW JONES

Yng nghanol mynyddoedd yr hen Sir Gaerfyrddin y mae llyn unig a thawel a elwir yn Llyn y Fan Fach. Mewn ffermdy o'r enw Blaensawdde, heb fod ymhell o'r llyn, fe drigai bachgen ifanc gyda'i fam weddw. Ffermwr oedd yntau, fel ei dad a oedd wedi marw ers sawl blwyddyn.

Un prynhawn braf ar ddechrau Awst, pan oedd e'n gofalu am y gwartheg yn ymyl y llyn, fe ddychmygodd iddo weld wyneb merch yn y dŵr! Ond pan edrychodd yn fwy manwl, ni allai weld dim ond y dŵr tywyll a'r llys gwyrdd yn ei waelod. Ond wrth fynd adref y noson honno, fe deimlai'n siŵr nad wedi breuddwydio na dychmygu'r oedd. Roedd e wedi gweld wyneb merch, a hwnnw'n wyneb tlws iawn.

Drannoeth dychwelodd i lan y llyn gyda'r gwartheg. Yr oedd yn ddiwrnod braf, a'r haul yn disgleirio ar wyneb y dŵr. Edrychodd yn fanwl i bob cwr o'r llyn i weld a oedd sôn am yr wyneb tlws hwnnw a welodd y diwrnod cynt. Ond roedd wyneb y llyn yn wag ac yn llonydd.

Trodd ei ben i weld a oedd y gwartheg yn iawn, a heb grwydro ymaith o'i olwg. Pan edrychodd eto ar wyneb y llyn, dyna lle'r oedd hi, yn eistedd yn yr hesg, yn cribo'i gwallt â chrib euraid a fflachiai yn yr haul.

Nid oedd y bachgen erioed wedi gweld neb mor brydferth â hi. Estynnodd ei freichiau allan, gan obeithio y deuai hi'n nes. Ond aros yn ei hunfan yn cribo'i gwallt a wnâi hi. Cofiodd fod ganddo yn ei boced dipyn o fara a chaws a gawsai gan ei fam y bore hwnnw. Tynnodd y bara allan a'i estyn i'r ferch, gan obeithio y deuai hi i rannu'r bwyd gydag ef.

234

Ac, yn wir, fe ddaeth yn nes! Yr oedd gwên fach ar ei hwyneb prydferth, ond dywedodd wrtho:

'Cras dy fara,
 Nid hawdd fy nala.'

Yna roedd hi wedi diflannu o dan y dŵr. Bu ef yn edrych i'r llyn ac yn disgwyl yn hir ar y lan, ond ddaeth hi ddim i'r golwg eto'r diwrnod hwnnw. Machludodd yr haul ac aeth y bachgen tua thre, a'r gwartheg gydag ef.

Y noson honno dywedodd wrth ei fam am yr hyn a ddigwyddodd ar lan y llyn. Pan soniodd am yr hyn a ddywedodd y ferch:

'Cras dy fara,
 Nid hawdd fy nala,'

bu ei fam yn meddwl am dipyn.

'Yfory,' meddai hi, 'fe gei di fynd â bara heb ei grasu—toes—efallai mai dyna yw ei hoff fwyd.'

Drannoeth aeth yntau'n fore i lan y llyn, a'r gwartheg gydag ef fel o'r blaen. Bu'n eistedd yn hir ar lan y dŵr llonydd, yn disgwyl iddi ddod i'r golwg unwaith eto. Aeth oriau heibio, ond ni chododd y ferch brydferth o'r llyn. Nid oedd yr un sŵn i'w glywed ond bref ambell fuwch ar lethrau'r mynydd, a sŵn 'lap, lap' isel y dŵr yn yr hesg ac ar y graean.

Aeth yn brynhawn a suddodd yr haul tua'r gorllewin. Yna, fe'i gwelodd hi eto yn y dŵr heb fod ymhell oddi wrtho! Aeth yntau'n nes at y lan, gan estyn iddi'r toes a gawsai gan ei fam y bore hwnnw. Gwenodd y ferch yn ddireidus eto, ond dywedodd:

'Llaith dy fara,
 Ti ni fynna.'

A'r eiliad nesa roedd hi wedi diflannu unwaith eto yn nyfnderoedd y llyn.

Y noson honno, pan adroddodd yr hanes wrth ei fam, fe aeth hi ati i grasu torth yn ysgafn iddo, heb fod wedi pobi gormod na rhy ychydig. Roedd hi'n bwrw glaw mân drannoeth pan gyrhaeddodd y bachgen lan y llyn, a gorweddai niwl trwchus ar fynyddoedd Sir Gâr. Edrychai'r llyn hefyd fel pe bai rhywun wedi taflu blanced lwyd drosto yn ystod y nos. Teimlai'r bachgen yn unig a digalon yng nghanol y tawelwch. Nid oedd ganddo fawr o obaith y byddai'n gweld y ferch hardd y diwrnod hwnnw. Ond fe geisiodd gadw llygad ar y llyn, serch hynny. Yr oedd y dŵr yn dywyll ac yn llawn dirgelwch.

Ond, at y prynhawn, fe gododd y niwl a chiliodd y glaw a daeth yr haul i dywallt arian byw ar wyneb Llyn y Fan Fach.

Fe'i gwelodd hi bron ar unwaith! O, roedd hi'n brydferth, â sglein yr haul ar ei gwallt hir a'i hwyneb! Cerddodd i'r dŵr tuag ati. Roedd hi mor agos ato! Estynnodd iddi'r bara wedi ei grasu'n ysgafn, ac fe'i derbyniodd, ei brofi, a'i fwyta! Daeth ato i lan y llyn wedyn, ac er ei fod yn swil iawn yn ei chwmni gofynnodd y ffermwr ifanc iddi ei briodi. Bu'r ferch o'r llyn yn meddwl am dipyn, yna gwenodd a dweud, 'Fe ddo i'n wraig i ti, ac rwy'n addo bod yn ffyddlon i ti . . . nes y byddi di wedi fy *nharo i dair gwaith heb achos.*'

Chwarddodd y bachgen yn hapus. Ni fyddai ef yn ei tharo *un* waith heb achos, gan ei fod yn ei charu cymaint! Cydiodd yn ei llaw yn dyner a gwenodd hithau arno.

Yna'n sydyn fel cynt, diflannodd o dan y dŵr unwaith eto! Ai ei dwyllo yr oedd hi? Ai chwarae ag ef? Bu'n aros yno am dipyn mewn penbleth. Ond wedyn fe gododd o'r llyn *ddwy* ferch, a'r rheini mor debyg i'w gilydd â dwy efeilles! Gyda hwy yr oedd hen ŵr gwallt gwyn, a golwg urddasol arno.

Dywedodd yr hen ŵr wrth y llanc mai ef oedd tad y ferch yr oedd ef am ei phriodi. Dywedodd hefyd ei fod yn fodlon iddo ei chael yn wraig, *os* gallai ddweud p'un o'r ddwy oedd ei gariad.

Edrychodd y ffermwr ifanc yn fanwl ar y ddwy ferch hardd. Yr oeddynt yr un ffunud! Yr un lliw gwallt, yr un lliw llygaid, yr un taldra; a'r un wên fach gellweirus ar wynebau'r ddwy. Nid oedd modd dewis rhyngddynt. Bu'n edrych yn hir ar y ddwy. Pe bai'n dewis yn anghywir gwyddai na fyddai'r tad yn rhoi'r un o'r merched yn wraig iddo.

Edrychodd ar ddwylo'r ddwy. A oedd rhyw wahaniaeth yn y rheini? Dim. Yna edrychodd yn fanwl ar eu traed. Pan wnaeth hynny sylwodd fod un o'r merched wedi symud ei throed dde y mymryn lleiaf! Gwyddai wedyn p'un oedd ei gariad! Gwyddai hefyd ei bod hi wedi symud ei throed er mwyn ei helpu i ddewis. Aeth ati a chydio yn ei llaw.

'Rwyt ti wedi dewis yn gywir,' meddai'r hen ŵr. 'Bydd yn ŵr ffyddlon iddi a chofia os bydd iti ei tharo deirgwaith heb achos, bydd yn rhaid iddi dy adael di a dychwelyd i'r llyn. Ac, yn awr, yn waddol priodas gen i fe gaiff hi gynifer o ddefaid, o wartheg a cheffylau ag y gall hi rifo *ag un anadl.*'

237

Dechreuodd y ferch rifo mewn ffordd go ryfedd. 'Un, dau, tri, pedwar, pump! Un, dau, tri, pedwar, pump! Un, dau, tri, pedwar, pump!'—nes oedd hi wedi colli'i gwynt!

Ni allai'r ffermwr ifanc gredu'i lygaid wrth weld yr anifeiliaid tewion braf yn cerdded allan o'r llyn ac yn dechrau pori ar y lan.

Ar ôl y briodas, aeth y pâr ifanc i fyw'n hapus iawn gyda'i gilydd ar fferm o'r enw Esgair Llaethdy, ryw filltir o ffordd o bentref Myddfai.

Daeth y ffermwr i wybod yn fuan iawn fod y ferch o'r llyn yn wraig dda iawn iddo. Roedd hi'n fedrus iawn yn gwneud pob gwaith yn y tŷ, a hefyd yn barod iawn i'w helpu i wneud gwaith y fferm. Cyn bo hir daeth y ffermwr yn gyfoethog iawn. Ond, yn well na dim, fe aned tri bachgen bach iddynt. Ar ôl hynny nid oedd teulu hapusach yn Sir Gaerfyrddin na theulu Esgair Llaethdy.

Ond un diwrnod, pan oedd y gŵr a'r wraig mewn angladd, a phawb yn drist ac yn ofidus, fe ddechreuodd y ferch o'r llyn chwerthin! Synnodd pawb at hyn ac fe drawodd ei gŵr hi'n ysgafn ar ei hysgwydd, gan ddweud wrthi am dawelu.

'Roeddwn i'n chwerthin,' meddai hi, 'am fod yr un sydd wedi marw wedi mynd i le gwell, a gadael ei ofidie i gyd. Ond dyma fi'n drist iawn nawr, oherwydd rwyt ti wedi fy nharo i unwaith heb achos. Dim ond dwy waith sy ar ôl.'

Addawodd y gŵr y byddai'n fwy gofalus o hynny ymlaen.

Ond un noson, pan oedd y ffermwr yn dychwelyd adref ar ôl bod yn gweithio'n galed ar y tir drwy'r dydd, fe welodd bedol ceffyl ar lawr. Roedd hi'n bedol weddol newydd a gwyddai mai un o'i geffylau ef oedd wedi'i cholli. Cododd hi a mynd â hi i'r tŷ gydag ef, gan feddwl ei hoelio'n ôl ar garn y ceffyl fore trannoeth. Yr oedd ei wraig yn y tŷ, ond nid oedd swper yn barod.

'Hei! Beth am swper?' gofynnodd yn chwareus, gan ei chyffwrdd ar ei hysgwydd â'r bedol a oedd yn ei law.

Gwelodd ei wraig yn gwelwi. 'Dyna ti wedi fy nharo i'r ail waith heb achos,' meddai hi. Pan sylweddolodd y ffermwr ei fod wedi troseddu unwaith eto, fe dyngodd lw y byddai ef yn llawer mwy gofalus o hynny ymlaen.

Ac fe fu hefyd. Am amser hir bu'r ddau'n hapus iawn gyda'i gilydd. Ond un diwrnod roedd y ddau wedi cael gwahoddiad i fynd i seremoni bedyddio plentyn bach cyfeillion iddynt. Nid oedd y wraig am fynd am fod y ffordd yn bell.

'Fe awn ni ar ein ceffylau,' meddai'i gŵr. Aeth y ddau gyda'i gilydd i'r cae i ddal bob o geffyl. Ond roedd y ceffylau braidd yn wyllt ac anodd eu dal. Gan fod y ferch o'r llyn yn medru rhedeg yn llawer cyflymach na'i gŵr, fe lwyddodd i ddal un o'r ceffylau'n fuan iawn. Gwaeddodd ar ei gŵr i daflu'r ffrwyn iddi er mwyn ei rhoi am ben y ceffyl. Ond taflodd ef y ffrwyn gyda mwy o nerth nag a fwriadodd ac, yn lle disgyn ar y llawr wrth draed ei wraig, fe drawodd y ffrwyn yn erbyn ei choes. Daeth newid mawr dros ei hwyneb. Yna roedd hi'n rhedeg fel y gwynt, gan weiddi'n uchel ar ei gwartheg wrth fynd:

'Mu wlfrech, Moelfrech; mu olfrech Gwynfrech;
Pedair cae tonfrech,
Yr hen wynebwen, a'r las Geigen,
Gyda'r tarw gwyn, o lys y brenin;
A'r llo du bach, sydd ar y bach,
Dere dithe yn iach adre.
Pedwar eidion glas, sydd ar y maes,
Deuwch chwithe, yn iach adre.'

Ac yn wir, yn wir, aeth y gwartheg, y llo a'r pedwar eidion ar ei hôl nerth eu carnau i gyfeiriad Llyn y Fan Fach, ac yna i'r dŵr a suddo am byth o'r golwg.

Lawer gwaith ar ôl hynny, fe ddringodd y ffermwr hiraethus y llwybr unig i lan y llyn i edrych am ei gariad. Ac ambell brynhawn o haf, a'r haul yn bwrw'i arian byw ar y dŵr, bu'n eistedd wrtho'i hunan, yn disgwyl amdani. Ond ofer fu pob disgwyl. Ni ddaeth y 'forwyn' brydferth byth wedyn i gadw cwmni iddo ar lan y llyn unig hwnnw sy'n gorwedd rhwng mynyddoedd Sir Gâr.

GWNEUD ZEBRAS

E. TEGLA DAVIES

Wedi i mi—Nedw—ac Wmffre fynd yn fawr, i Affrica ryden ni'n mynd,
i hela zebras. Er ein bod ni wedi ceisio gwneud rhai yn y wlad yma,
chawson ni ddim rhyw lawer iawn o hwyl, am inni fethu dŵad o hyd i'r
oel iawn. Ardderchog o beth fase dal zebra; mae o'n medru rhedeg
ynghynt nag unrhyw greadur arall. Mae o'n gyflymach hyd yn oed na
mul bach, a does dim anifail yn ein gwlad ni cyn gyflymed â mul bach.
Mae mul bach yn medru mynd ynghynt na thrên, ac mi ddaru mul bach
y Felin wneud hynny hefyd, pan oedd 'Nhad yn blentyn, medde fo. Hen
ewyrth i Spargo fase'r mul hwnnw tase fo'n fyw. Wedi mynd ar y relwê
yr oedd o, medde 'Nhad, a dyma'r trên yn dŵad, ac i ffwrdd â'r mul bach
fel y gwynt o'i flaen o, ac mi fase wedi curo'r trên hefyd oni bai ei fod
o'n mynd mor gyflym nes methu gweld pont y relwê. I honno'r aeth o,
ac yr oedd wedi marw cyn i'r trên ei ddal.

Wedi inni ddarllen am y zebras 'ma yn llyfre'r ysgol, doedd na byw na
marw wedyn gan Wmffre na faswn i'n addo mynd efo fo i Affrica wedi
i ni fynd yn fawr . . .

. . . Mae llawer o amser tan hynny; tydi Wmffre na finne ddim wedi
gadael yr ysgol na dechre shafio eto, ac mae'n rhaid gwneud hynny cyn
mynd i Affrica. Wedi meddwl am y pethe yma, a rhoi'n penne 'nghyd,
mi feddylies i hwyrach y medren ni *wneud* zebras. Anifeiliaid gwynion,
fel mulod, a llinelle duon ar eu traws nhw, ydi zebras, medde llyfr yr
ysgol, a mul gwyn ydi Spargo'r Felin.

240

'Mi ddeuda iti be wnawn ni,' medde fi wrth Wmffre ryw bnawn Gwener. 'Mi ffeindies i hen dun hanner llawn o baent mewn cornel yn stabal y Crown, ddiwrnod y cinio clwb. Mae o yno ers blynyddoedd yn siŵr i ti, achos roedd o wedi'i guddio â gwe pry' copyn, a does neb ei eisio, neu mi fase wedi mynd cyn hyn.'

'Iawn,' medde Wmffre, 'ond sut y cawn ni o oddi yno?'

Y diwedd fu i Wmffre lwyddo i gael mynd i'r llan ar neges dros ei fam ddydd Sadwrn, drannoeth felly, a llwyddes inne i wneud yr un peth ac yr *oedd* ein mame'n ein gweld yn fechgyn da'r Sadwrn hwnnw, achos mae'n gas gynnon ni'n dau negesa. Doedd 'na neb o gwmpas stabal y Crown, a dyma finne i mewn. Yno roedd y tun paent yng nghanol hen gelfi, a llwch gwe pry' copyn drosto fo. Wedi mynd i'r Cae Cnau Daear, dyma chwilio'r tun, ac roedd o'n hanner llawn o baent ond fod y paent bron wedi sychu. Rhoddod Wmffre'i fys ynddo fo.

'Wneiff o mo'r tro,' medde fo. 'Paent gwyrdd ydi hwn, a marcie duon sy gan zebra.'

'Hidia befo,' medde finne, 'does 'na neb y ffordd yma wedi gweld zebra, a wyddan nhw ddim amgenach.'

Ond be gaen ni i feddalu'r paent? Roedd o'n galed ac yn sych. Paraffîn mae 'Nhad yn ei iwsio, dwi'n meddwl, ond nid ar neges i nôl paraffîn yr oedden ni, neu mi fase popeth yn iawn.

'Mi ddeuda iti be wnawn ni,' medde Wmffre, 'mae 'na botel yn hanner llawn o naw-math-o-oel yn y stabal 'cw, a siawns na wneiff un o'r naw math y tro. Mi rown ni hwnnw arno fo.'

Wedi mynd â'n negese adre, mi gafodd Wmffre'r oel heb lawer o drafferth, a ffwrdd â ni i'w gymysgu, ac mi gymysgodd yn ardderchog. Doedd 'na ddim brws yn unman, ond mi ddaeth Wmffre o hyd i ddarn o glwt, a dyma ni'n rhwymo'r clwt am ben pric, ac roedd o'n frws dan gamp debygen ni. Mi fuom drwy'r pnawn yn chwilio am Spargo'r Felin, a'r paent wedi'i guddio yng Nghae Cnau Daear, ond methu ddaru ni. Wedi methu dŵad o hyd i Spargo, dyma feddwl am ryw greadur gwyn arall. Mae gan Wmffre wningen wen, ond doedd o ddim yn fodlon trio'r paent arni hi, hyd yn oed i edrych a weithiai o.

'Wyddost ti,' medde fi, 'dyna Gwenno'r Fron. Mae hi cyn wynned â'r galchen ac mae'r gwartheg i gyd yn y Cae Pella.'

Cae ymhell o olwg pawb ar gwr y Tyno ydi'r Cae Pella, a choed o'i gwmpas o. A buwch ddiniwed, lonydd ydi Gwenno.

'Iawn,' medde Wmffre, ac yno â ni ar ôl cael y paent a'r brws. Roedd Gwenno'n pori ymysg y gwartheg eraill, ond doedd hi ddim yn anodd ei chael i gornel ar ei phen ei hun. Fi oedd y brwsiwr ac Wmffre'n dal y paent a'r papur. Wedi rhoi'r rhes gynta mi welsom ein bod wedi rhoi gormod o baent. A doedd y brws ddim yn rhyw weithio'n dda iawn; roedd o'n codi gormod o baent, fel brws gwyngalchu, a'r paent dipyn yn dene, ond doedd mo'r help. Mi gawson ni well hwyl ar yr ail res. Gan fod y paent dipyn yn dene, rhedai'r diferion braidd ormod ar chwâl, ond pwy feder wneud zebra'n berffaith, mwy na dim arall, y tro cynta, yntê? Yr oedd y drydedd res yn well fyth. Efo'r gynffon a'r coese y cawson ni'r drafferth fwya. Fedren ni yn ein byw rwystro'r llinelle rhag rhedeg i'w gilydd. Doedd dim i'w wneud ond rhannu'r fargen, a pheintio'r coese a'r gynffon i gyd yr un lliw. Erbyn hyn roedd Gwenno'n dechre mynd yn anesmwyth, ac wedi inni orffen fasech chi ddim yn ei nabod hi. Roedd rhesi gwynion ar draws ei chefn, a'i hochre, a'i gwddf, a'i choese a'i chynffon yn wyrdd i gyd. Prin y cawson ni roi'i brwsied ola arni nad oedd hi i ffwrdd ar garlam, ac yn troi a throsi, a'i dyrnu'i hun â'i chynffon. Gresyn oedd hynny, oherwydd does 'na ddim llinelle croesion i zebra, a dyna oedd y gynffon yn ei wneud. Ond roedd ysbryd zebra'n dechre mynd iddi hi, roedd hynny'n glir, achos welsoch chi 'rioed y fath brancio a rhedeg. A deud y gwir, doedden ni ddim, yn ddistaw bach felly, yn gweld rhyw lawer o debygrwydd ynddi i zebra wedi iddi fynd dipyn oddi wrthon ni, ac aethom ymhellach wedyn er mwyn cael golwg well arni hi.

'Wmffre,' medde fi, 'be wyt ti'n feddwl ohoni hi? Ydi hi'n llwyddiant?'

Tynnodd Wmffre'r darn papur yr oedden ni'n gweithio wrtho o'i boced. Llun zebra oedd o, wedi'i gymryd o lyfr yr ysgol. Roedd y ddalen yn rhydd o'r blaen. Nid ni a'i torrodd hi allan. Edrychodd Wmffre'n fanwl ar y llun, ac wedyn yn hir ar Gwenno.

'Wel,' medde fo, 'fedra i ddim deud ei bod yn rhyw lwyddiant mawr, ond hidia befo, welodd pobol y ffordd yma 'rioed zebra, fel deudest ti.'

Aethom tuag at Gwenno a'i chychwyn at y gwartheg eraill, a hithe'n mynd dan brancio a neidio fel zebra iawn. Dyna oedd llwyddiant mwya'r peintio. Ond pan welodd y gwartheg eraill hi, chlywsoch chi rotsiwn beth. Roedden nhw'n beichio ac yn rhuo, ac amdani â nhw fel un gŵr. Ac mi fasen wedi'i lladd hi, yn siŵr ddigon, oni bai fod gŵr y Fron wedi clywed y sŵn ac wedi dŵad yno o rywle. Roedden ni'n dau ar fin mynd i geisio'i hachub o'u gafael ar y pryd, ond pan ddaeth gŵr y Fron i'r golwg, mi welsom nad oedd mo'n heisio ni, ac i ffwrdd â ni. Mae'n rhaid fod zebra'n filen wrth wartheg yn Affrica, a nhwthe'n talu'n ôl wedi'i gael o i'w gwlad eu hunen, fel mae adar yn ymosod ar dylluan yn y dydd, ond hi ydi'r feistres yn y nos, yn ei hadeg ei hun.

Roedd digon o baent yn weddill i wneud dau neu dri o zebras eraill, a dyma ni'n penderfynu'i gadw, rhag ofn y deuem ar draws Spargo'r Felin. Ac yn wir i chi, be welen ni, wedi dŵad i'r ffordd fawr, ond Spargo'n pori'n dawel yn ochr y ffordd, gan lusgo'r drol ar ei ôl yn ara' deg . . .

'Rŵan amdani,' medde fi, 'mi fydd Spargo'n zebra erbyn y daw'r hen ddyn allan, dawn i byth o'r fan yma.' A fase fo ddim llawer o anfantes i Spargo fod tipyn tebycach i zebra, achos roedd o'n wahanol iawn i'w hen ewyrth. Fase Spargo byth yn rhedeg yn erbyn pont y relwê heb ei gweld hi, nid am ei fod o'n gweld yn well, ond am ei fod o'n salach rhedwr—hynny ydi, fedre fo redeg dim.

Cawsom well hwyl ar Spargo; roedd practeisio ar Gwenno wedi bod yn help inni, ac mi fasech yn ei gamgymryd am zebra wedi inni orffen efo fo—tasech chi heb weld zebra o'r blaen. Y cwestiwn oedd ymhle i roi Spargo i sychu; roedd ynte'n dechre magu ysbryd zebra. Ac yn yr ysbryd hwnnw mi fase'n rhwbio ac yn cicio tasen ni'n ei rwymo.

'Dyma wnawn ni,' medde fi.

Roedd yno lidiart fawr yn ymyl, llidiart y mynydd, ac mi welodd Wmffre'r cynllun cyn gynted â minne. Dyma ni'n gwthio breichie'r drol rhwng styllod y llidiart, ac yn rhoi Spargo yn ei ôl ynddi yr ochr arall i'r llidiart, wedi'i chau hi. Roedd Spargo, felly, yn iawn yn y drol fel o'r blaen, ond fod y llidiart rhyngddo fo a'r drol. Fedre fo ddim symud oddi yno. Tase fo'n bacio, fedre fo wneud dim ond bacio i'r llidiart, a tase fo'n tynnu, fedre fo ddim tynnu'r drol drwy'r llidiart. Fedre fo ddim mynd i'r ochre chwaith i rwbio. Ac roedd o erbyn hyn yn bur ysbrydol, fel zebra'n union. Dyna lle'r oedd o felly i'r dim, yn aros i sychu.

Toc, dyma sŵn traed yn dŵad o'r pellter, a phwy oedd yn dŵad ond yr hen Bitar Jones y Felin, wedi hanner meddwi, a doedd dim i'w wneud ond cuddio. Safodd yn ymyl y drol ac edrychodd yn hurt arni. Wedyn edrychodd ar Spargo, a theimlodd y llidiart rhyngddyn nhw. Fedre fo mo'u gweld nhw'n glir iawn, yn enwedig Spargo, am ei bod yn dechre nosi ac ynte fel roedd o. Crafodd ei ben.

'A-wel, a-wel, a-wel,' medde fo'n gyflym efo pob crafiad fel iâr fynydd.
'A-wel, a-wel' mae ieir mynydd Cymraeg yn ei ddeud wyddoch, a 'go-
back, go-back' a ddywed ieir mynydd Saesneg. Safodd Pitar Jones yn
llonydd wedyn, a dechreuodd ailgrafu'i ben, a finne â 'nwy law ar geg
Wmffre rhag iddo fethu dal, ac medde Pitar Jones, 'A-wel, a-wel, yn
eno—a-wel—wel, Spargo, sut doist ti fel hyn?' Agorodd y llidiart a gwth-
iodd drwyddi i'r ochr arall at Spargo, a Spargo'n dawnsio, heblaw bod yn
rhesi gwyrddion, a'r ddau beth yn ei wneud yn wahanol iawn i'r hen
Spargo. 'Wel, wel,' medde fo, 'rwyt ti wedi dŵad drwy'r llidiart yma fel
ysbryd. 'Rhosa funud, be 'di'r llinelle 'ma sy arnat ti?' Ac edrychodd
arnyn nhw'n fanwl. 'Ow! annwyl,' medde fo dros y wlad, 'ysbryd Spargo
ydi o!' Ac i ffwrdd â fo am ei fywyd.

Wedi i Wmffre a finne ddŵad atom ein hunen, aethom i dynnu Spargo
o'r ochr arall i'r llidiart, ond cyn inni fedru'i roi yn y drol, i ffwrdd â fo
ar ôl ei fistar fel y gwynt, gan adael y drol ar ôl. Welsoch chi ddim
tebycach i zebra yn eich oes, yn enwedig gan nad oedd hi'n ole iawn ar
y pryd.

'Dydi o'n rhyfedd,' medde fi wrth Wmffre, 'fel mae'r paent wedi rhoi
ysbryd zebra yn y ddau—Gwenno a Spargo—er na chawson ni ddim
gormod o hwyl ar eu peintio nhw?'

Mi 'drychodd Wmffre arna i'n syn ac yn bryderus am dipyn. 'Wyt ti'n
siŵr, Nedw,' medde fo, 'nad y naw-math-o-oel sy'n eu smartio nhw?'

Feddylies i ddim am yr agwedd yna i bethe, ond doedd dim i'w wneud
ond gobeithio'r gore, a mynd adre. Er inni rwbio'n hunen ag ired, a
gwneud ein gore i dynnu'r paent oddi ar ein dwylo, methodd Wmffre a
fi ei dynnu'n ddigon llwyr, na'u bodloni nhw gartre yn ei gylch. Ymhen
ychydig, daeth y stori allan, a chlywodd 'Nhad ac Ewyrth John. Wmffre
a fi ydi'r ddau debyca i zebra rŵan, a rhesi duon sy ar ein cefne ni
hefyd—nid mor ddu â rhai zebras chwaith, glasddu yden nhw.

Wnawn ni byth gymysgu paent efo naw-math-o-oel eto! . . .

FFYNONELLAU

'Yr anghenfil ych-a-fi' (The ugsome thing), Ruth Ainsworth. *Ten Tales of Shellover*, André Deutsch Ltd., 1963. © Dr. Frank Gilbert.

'Y blaidd a'r saith myn gafr', *Llyfrau Darllen Newydd*, Llyfr 1, T. Llew Jones. Cymdeithas Lyfrau Ceredigion, 1966. (tt. 37-41).

'Sioni ganolig' (Fair-to-middling), Moira Miller. *What size is Andy?*, Methuen Children's Books.

'Y ras fawr', *Hwyl Hud a Lledrith*, addaswyd gan Gwenno Hywyn. Gomer, 1983. (t. 6-9).

'Bob bob-lliw' (Odd socks), Malcolm Carrick. *Once there was a boy and other stories*, Puffin Books, 1975. © Malcolm Carrick, 1975.

'Gwe'r pry' copyn', *Cyfres Chwedl a Chân*, Llyfr 2, D. J. Williams. Gwasg Aberystwyth, 1950. (tt. 69-73).

'Y pedwerydd brenin', *Llyfrau Darllen Newydd*, Llyfr 2, T. Llew Jones. Cymdeithas Lyfrau Ceredigion, 1965. (tt. 151-5).

'Lladron yng Nghwm-pen-llo', *Pethe Plant*, T. Llew Jones. Gomer, 1976. (tt. 28-35).

'Sut y collodd y neidr ei choesau' (Why the snake has no legs), Peggy Appiah. *Tales of an Ashanti Father*, André Deutsch Ltd., 1967. (tt. 90-4).

'Beth a'r babi blodau', Gwenno Hywyn. BBC Cymru, Adran Ysgolion (Amser Stori).

'Llewelyn' (Lion at school), Philippa Pearce. *Lion at School and other Stories*, Penguin Books, 1973. © BBC, 1971.

'Yr orymdaith', Mary Vaughan Jones. *Adar ac Anifeiliaid* (Cyfres y Porth), Y Cyngor Ysgolion, 1977.

'Digri a Difri', Meinir Pierce Jones. BBC Cymru, Adran Ysgolion (Amser Stori).

'Gelert ci Llywelyn', *Lleuad yn Olau*, T. Llew Jones. Gomer, 1989. (tt. 84-6).

'Bilw' (Dirty Billy), Dorothy Edwards. *Mark the Drummer Boy*, Methuen Children's Books.

'Lewis a'r clown', Jane Edwards. *Hwyl a Sbri* (Cyfres y Porth), Y Cyngor Ysgolion, 1982.

'Y peintiwr medrus', addaswyd gan Alwena Williams. *Lliw a Llun* (Cyfres y Porth), Y Cyngor Ysgolion, 1978.

'Diwrnod trip', Iestyn Roberts. *Dyddiau Pwysig* (Cyfres y Porth), Y Cyngor Ysgolion, 1977.

'Cantorion tref Bremen', *Chwedlau Grimm*, addaswyd gan Dyddgu Owen. D. Brown a'i Feibion, 1985. (tt. 18-22).

'Parti dosbarth' (Class party), Margaret Joy. *Tales from Allotment Lane School*, Faber and Faber Ltd., 1983.

'Codi bwganod' (The horrible story), Margaret Mahy. *The Second Margaret Mahy Story Book*, J. M. Dent, 1973.

'Y wombat', Rhiannon Ifans. BBC Cymru, Adran Ysgolion (Amser Stori).

'Chwe gŵr dall ac eliffant' (Six blind men and an elephant), James Riordan. *A World of Folk Tales*, The Hamlyn Publishing Group Ltd., 1981. (tt. 56-9).

'Y trip', *Stori a Chwedl*, Lefel 5, Llyfr 2, Emily Huws ac Elfyn Pritchard. Gomer, 1984. (tt. 9-17).

'Sut y dysgodd y brenin fwyta uwd' (How the king learned to eat porridge), Alf Prøyson. *Mrs Pepperpot to the Rescue*, Century Hutchinson, 1963.

'Dillad Siôn Corn' (Father Christmas's clothes), Paul Biegel. *The Tin Can Beast and Other Stories*, translated by Patricia Crampton. Glover and Blair Ltd.

'Mae gwaed yn dewach na dŵr', Eigra Lewis Roberts. *Ein Tŷ Ni* (Cyfres y Porth), Y Cyngor Ysgolion, 1980.

'Boffi a'r peiriant anhygoel' (Boffy and the teacher eater), Margaret Stuart Barry. *Our Best Stories,* Anne Wood & Anne Pilling, Hodder & Stoughton, 1971. © Curtis Brown Ltd.

'Dianc i'r mynydd', *Deian a Loli,* Kate Roberts. Hughes a'i Fab. (tt. 29-34).

'Gwynt y Gogledd', *Deilen Goch a Storïau Eraill,* Emrys Roberts. Gomer, 1987.

'Ger yr archfarchnad', *Stori a Chwedl,* Lefel 5, Llyfr 1, Emily Huws ac Elfyn Pritchard. Gomer, 1981. (tt. 9-13).

'Dan y bont', Alwena Williams. *Chwarae* (Cyfres y Porth), Y Cyngor Ysgolion.

'Y corrach clustiog', Eigra Lewis Roberts. *Ysbryd y Felin a Storïau Eraill* (Gwrando a Darllen II). Gomer, 1983. (tt. 19-24).

'Midas a'r aur', *Chwedlau Rhyfeddol Gwlad Groeg,* addaswyd gan Alwena Williams. Gomer, 1987. (tt. 126-8).

'Nain Brian Schwarzenegger', Gwyn Thomas. *Swyn Gyntaf Mali Lon a Storïau Eraill* (Gwrando a Darllen I). Gomer, 1984. (tt. 24-30).

'Lerpwl', *Stori a Chwedl,* Lefel 5, Llyfr 2, Emily Huws ac Elfyn Pritchard. Gomer, 1984. (tt. 18-23).

'Colli'r rhwyf', *O Law i Law,* T. Rowland Hughes. Gwasg Gymraeg Foyle, 1943. (tt. 48-54).

'Morwyn Llyn y Fan', *Lleuad yn Olau,* T. Llew Jones. Gomer, 1989. (tt. 32-6).

'Gwneud zebras', *Nedw,* E. Tegla Davies. Hughes a'i Fab. (tt. 14-22).

STORÏAU NEWYDD

(Yr hawlfraint yn perthyn i'r awdur.)

'Nel y sbel', Gwyn Thomas.

'Ben Bantam a'r wasgod goch', Ray Evans.

'Bresychen fawr Mistar Medra', Mair Wynn Hughes.

'Pitar y deryn du', Elfyn Pritchard.

'Deiniol y dewin diog', Loreen Williams.

'Dafydd a'r seren wib', Alys Jones.

'Igo-Igi a'r fideo', Rhiannon Ifans.

'Dan y broga', Ray Evans.

'Octopws Gwenno', Siân Lewis.

'Hawdd, hawdd, neidio dros ben clawdd!', Beryl Steeden Jones.

'Diwrnod i'w gofio', Elfyn Pritchard.

'Diwrnod mawr Dudwal Jones', Rhiannon Ifans.

'Colli dant', Glenys Howells.

'Y bwgan yn y llwyn rhododendron', Irma Chilton.

'Yr hosanghenfil', Beryl Steeden Jones.

'Meisi', Ray Evans.

'Rhywbeth neis i de', Gwenno Hywyn.

'Gwenda ac Anti Wilias', Meinir Pierce Jones.

'Llew ac arth a roced', Siân Lewis.

'Siom', Irma Chilton.

'Y trysor', Norah Isaac.